suhrkamp taschenbuch 951

Alice Miller studierte in Basel, wo sie 1953 in Philosophie doktorierte. Anschließend bildete sie sich in Psychoanalyse aus, die sie zwanzig Jahre lang in Zürich ausübte. 1980 gab sie ihre Praxis und Lehrtätigkeit auf, um die Kindheit systematisch zu erforschen. Sie veröffentlichte mehrere Bücher über die Ursachen und Folgen von Kindesmißhandlungen, die sie für die Destruktivität und Selbstdestruktivität des Menschen verantwortlich macht. 1988 erhielt sie in New York den Janusz-Korczak-Preis. 1988 erklärte sie ihren Austritt aus der Internationalen Psychoanalytischen Vereinigung (IPA), weil sie der Meinung ist, daß die psychoanalytische Theorie und Praxis den ehemaligen Opfern der Kindesmißhandlungen verunmöglicht, dies zu erkennen und die Folgen der Verletzungen aufzulösen.

»Was dem Kind in den ersten Lebensjahren passiert, schlägt unweigerlich auf die ganze Gesellschaft zurück. Psychosen, Drogensucht, Kriminalität sind ein verschlüsselter Ausdruck der frühesten Erfahrungen. Diese Erkenntnis wird meistens bestritten oder nur intellektuell zugelassen, während die Praxis (die politische, juristische oder psychiatrische) noch stark von mittelalterlichen, an Projektionen des Bösen reichen Vorstellungen beherrscht bleibt, weil der Intellekt die emotionalen Bereiche nicht erreicht.«

Alice Miller öffnet uns in diesem Buch die Augen über die verheerenden Folgen der Erziehung – die ja nur das Beste für das Kind will. Sie tut das einmal durch eine Analyse der »pädagogischen Haltung« und zum anderen durch die Darstellung der Kindheit einer Drogensüchtigen, eines politischen Führers und eines Kindesmörders.

Für seine Entfaltung braucht ein Kind den Respekt seiner Bezugspersonen, Toleranz für seine Gefühle, Sensibilität für seine Bedürfnisse und Kränkungen, die Echtheit seiner Eltern, deren eigene Freiheit – und nicht erzieherische Überlegungen – dem Kind natürliche Grenzen setzt.

Alice Miller
Am Anfang war Erziehung

Suhrkamp

suhrkamp taschenbuch 951
Erste Auflage 1983

Suhrkamp Taschenbuch Verlag

Druck: Ebner Ulm · Printed in Germany
Umschlag nach Entwürfen von
Willy Fleckhaus und Rolf Staudt

15 16 17 18 – 96 95 94

Standort 1990

Nahezu 10 Jahre sind vergangen, seitdem meine ersten drei Bücher erschienen sind: *Das Drama des begabten Kindes*, 1979, *Am Anfang war Erziehung*, 1980, *Du sollst nicht merken*, 1981. Trotzdem haben die Fakten und Zusammenhänge, die ich hier aufgrund meiner langjährigen Praxis aufzeige, weder an Geltung noch leider an Aktualität verloren. Was sich aber radikal verändert hat, ist meine hoffnungsvolle Haltung der Psychoanalyse gegenüber, von der ich mich schließlich, im Jahre 1988, auch offiziell getrennt habe, indem ich aus der schweizerischen und der Internationalen Psychoanalytischen Vereinigung ausgetreten bin. Zu diesem Schritt zwang mich die Erkenntnis, daß die psychoanalytische Theorie und Praxis die Ursachen und Folgen von Kindesmißhandlungen verschleiern bzw. sie unkenntlich machen, unter anderem, indem sie Fakten als Phantasien bezeichnen, und daß solche Behandlungen gefährlich sein können, wie es bei mir der Fall war, weil sie die Verwirrung aus der Kindheit zementieren, statt sie aufzulösen.
Das habe ich vor zehn Jahren noch nicht so klar gewußt. Denn mein Studium der Philosophie, meine Ausbildung in Psychoanalyse und deren Ausübung hinderten mich lange, viele Tatsachen wahrzunehmen. Erst als ich bereit war, meine Verdrängung aufzuheben, meine Kindheit aus dem Gefängnis der pädagogischen Meinungen und der psychoanalytischen Theorien zu befreien, als ich die Ideologie des Vergessens und Verzeihens ablehnte, mich mit dem mißhandelten Kind verbündete und dank meiner Therapie fühlen lernte, entdeckte ich allmählich meine bisher verborgene Geschichte.
Meinen Weg zu dieser Geschichte und zu den neuen Erkenntnissen beschrieb ich in den nach 1985 erschienenen Büchern: *Bilder einer Kindheit*, 1985, *Das verbannte Wissen*, 1988, *Der gemiedene Schlüssel*, 1988, und *Abbruch der*

Schweigemauer, 1990. Die ersten drei Bücher markieren den Anfang dieser Entwicklung. Denn erst als ich sie schrieb, begann ich Kindheiten, meine mit eingeschlossen, systematisch zu erforschen. Erst dank der Arbeit an diesen Büchern und später auch dank den Erfolgen einer behutsam und systematisch aufdeckenden Therapie konnte ich sehen, was mir in den zwanzig Jahren meiner analytischen Tätigkeit trotz meiner Kritik an der Triebtheorie immer noch verborgen blieb.

Ich bin meinen Leserinnen und Lesern diese Information schuldig, weil ich aus den Zuschriften erfahre, daß sich bedauerlicherweise einzelne Menschen nach der Lektüre meiner ersten Bücher zur psychoanalytischen Ausbildung oder Behandlung entschließen, in der Annahme, daß das, was ich hier vertrete, die Ansichten der heutigen Analytiker spiegelt.

Diese Annahme ist vollkommen unzutreffend und irreführend. Das Lehrgebäude der Psychoanalyse ist auch in den letzten zehn Jahren unverändert geblieben, und ich persönlich kenne keinen einzigen Menschen, der die Erkenntnisse meiner Bücher integriert hätte und sich noch als Psychoanalytiker bezeichnen wollte. Ich halte dies auch für unmöglich, weil ein Therapeut, der einen emotionalen Zugang zu seiner Kindheit gewonnen hat, den ich ja für nötig halte, nicht blind bleiben kann für die Tatsache, daß die Psychoanalyse gerade diesen Zugang um jeden Preis verhindert. Wenn ich häufig immer noch, zu Unrecht, als Psychoanalytikerin bezeichnet werde, dann nur, weil ich es nicht jedesmal rechtzeitig erfahre, um diese Meinung zu korrigieren.

Obwohl ich begreiflicherweise das Bedürfnis habe, meine heutigen Einsichten in den Neuauflagen der ersten drei Bücher sichtbar zu machen und manche Stellen zu überarbeiten, entschloß ich mich, dies nicht zu tun, um dem Leser meine weitere Entwicklung nicht zu verschleiern.

Ich muß also auf meine späteren Publikationen verweisen, in denen die beim Lesen eventuell auftauchenden Fragen und scheinbaren Widersprüche ausführlich aufgenommen, behandelt und geklärt werden. Dort finden sich auch Belege für die hier gemachten Aussagen.

Der Kampf gegen die Wahrheit verliert allmählich an Bedeutung, weil inzwischen neue therapeutische Möglichkeiten bestehen, auf die ich in meinen letzten Büchern hinweise. Sie werden für jeden einzelnen, der seine Verdrängung aufheben will, den Zugang zur Wahrheit offenhalten. Damit hat die Psychoanalyse bereits ausgespielt, auch wenn ihre Vertreter es nicht wissen, weil sie sich immer noch in ihrem System der Selbsttäuschung bewegen. Manche Hilfesuchenden fangen an, sich ihre potentiellen »Helfer« und deren Meinungen sorgfältiger anzuschauen, und liefern sich nicht mehr kritiklos aus. Nach vielen Jahren der Analyse ist es hingegen sehr schwer, das Labyrinth der Selbsttäuschung und Selbstbeschuldigung jemals zu verlassen. Ich habe 15 Jahre für diesen Befreiungsprozeß gebraucht, von 1973, als mich das spontane Malen die Wahrheit vage erahnen ließ, bis 1988, als ich sie schließlich artikulieren konnte.
Patienten und Adepten der Psychoanalyse, die in ihren Kreisen vom Fortschritt des Wissens nahezu hermetisch abgeschnitten sind, wissen nicht, wie ich es so lange nicht wußte, daß es bereits einen Zugang zur eigenen Kindheit gibt, der nicht, wie es leider sehr oft vorkommt, gefährlich, verwirrend, zufällig, fragmentarisch und verantwortungslos ist, sondern im Gegenteil: umfassend, systematisch, klärend, hilfreich und nur der Wahrheit verpflichtet. Woher sollten sie es wissen, wenn ihre Lehrer sich weigern, etwas davon zu erfahren, weil dieser Zugang zur Kindheit ihnen angst macht? Es ist die Angst vor der eigenen Geschichte, vor der Wahrheit der nackten Fakten, die durch diese Therapie eruierbar sind. Diese Angst hat Sigmund Freud gebannt, indem er die Möglichkeit eines überprüfbaren Zugangs zur Kindheitsrealität bestritten und die Arbeit des Analytikers

auf das Gebiet der Phantasien der Patienten beschränkt hat.
Der Berner Therapeut J. Konrad Stettbacher hat die von ihm entwickelte und unter anderem auch von mir an mir selbst erprobte Therapie unter dem Titel *Wenn Leiden einen Sinn haben soll* beschrieben. Sie kann vielen ermöglichen, sich systematisch, Schritt für Schritt, ihrer Kindheit zu nähern und das Wissen, das sie verbannt hatten, in sich aufzunehmen. Mit dem Wissen um die eigene Geschichte verschwindet die Anfälligkeit für irrealen Hilfen, wie Ideologien, Spekulationen und heilige Lügen, weil die Blindheit zum Schutze der Angst nicht mehr benötigt wird. Wenn man real geworden ist, braucht man die Realität nicht mehr zu fürchten und nicht mehr vor ihr zu fliehen. Die Macht der Pädagogik und der die Realität verdeckenden psychoanalytischen und philosophischen Spekulationen verliert dann vollständig ihren Boden. Sie muß der Transparenz und der Überprüfbarkeit Platz machen.

Am Anfang war Erziehung

INHALT

Es ist ganz natürlich, daß die Seele ihren Willen haben will, und wenn man nicht in den ersten zwei Jahren die Sache richtig gemacht hat, so kommt man hernach schwerlich zum Ziel. Diese ersten Jahre haben unter anderen auch den Vorteil, daß man da Gewalt und Zwang brauchen kann. Die Kinder vergessen mit den Jahren alles, was ihnen in der ersten Kindheit begegnet ist. Kann man da den Kindern den Willen benehmen, so erinnern sie sich hernach niemals mehr, daß sie einen Willen gehabt haben, und die Schärfe, die man wird brauchen müssen, hat auch eben deswegen keine schlimmen Folgen. *(1748)*

Ungehorsam ist ebensogut, als eine Kriegserklärung gegen eure Person. Euer Sohn will euch die Herrschaft rauben, und ihr seid befugt, Gewalt mit Gewalt zu vertreiben, um euer Ansehen zu befestigen, ohne welches bei ihm keine Erziehung stattfindet. Dieses Schlagen muß kein bloßes Spielwerk sein, sondern ihn überzeugen, daß ihr sein Herr seid. *(1752)*

Die Bibel sagt (Sirach 30,1): »Wer sein Kind lieb hat, der hält es stets unter der Rute, daß er hernach Freude an ihm erlebe.« *(1902)*

Ganz besonders wurde ich immer darauf hingewiesen, daß ich Wünsche oder Anordnungen der Eltern, der Lehrer, Pfarrer usw., ja aller Erwachsenen bis zum Dienstpersonal unverzüglich durchzuführen bzw. zu befolgen hätte und mich durch nichts davon abhalten lassen dürfe. Was diese sagten, sei immer richtig. Diese Erziehungsgrundsätze sind mir in Fleisch und Blut übergegangen. *(Der Auschwitzkommandant Rudolf Höß)*

Was für ein Glück für die Regierenden, daß die Menschen nicht denken. *(Adolf Hitler)*

Man wirft der Psychoanalyse vor, daß sie allenfalls einer privilegierten Minderheit, und dies nur sehr bedingt, helfen könne. Dieser Vorwurf ist durchaus berechtigt, solange die Früchte der durchgeführten Analysen wirklich nur Eigentum der wenigen Privilegierten bleiben. Das muß aber nicht so sein.

Die Reaktionen auf mein Buch über *Das Drama des begabten Kindes* lehrten mich, daß der Widerstand gegen das, was ich zu sagen habe, unter Laien keineswegs größer – in der jungen Generation vielleicht sogar kleiner – ist als unter Fachleuten und daß es deshalb sinnvoll und notwendig ist, das durch Analysen von Wenigen gewonnene Wissen nicht in Bibliotheken zu speichern, sondern es der Öffentlichkeit zukommen zu lassen. Diese Einsicht führte mich persönlich zu der Entscheidung, die nächsten Jahre meines Lebens dem Schreiben zu widmen.

Ich möchte hauptsächlich Vorgänge schildern, die sich außerhalb der psychoanalytischen Situation, überall im Leben, abspielen, deren tieferes Verständnis aber auf psychoanalytischer Erfahrung beruht. Das heißt freilich nicht, daß eine fertige Theorie »auf die Gesellschaft angewendet« würde, denn ich glaube, daß ich nur dann einen Menschen wirklich verstehe, wenn ich hören und fühlen kann, was er mir sagt, ohne mich mit Theorien gegen ihn abzusichern bzw. zu verschanzen. Doch die tiefenpsychologische Arbeit mit anderen und mit sich selber verschafft uns Einblicke in die menschliche Seele, die uns überall im Leben begleiten und unsere Sensibilität auch außerhalb des Sprechzimmers schärfen.

Das Bewußtsein der Öffentlichkeit indessen ist noch weit von der Erkenntnis entfernt, daß das, was dem Kind in den ersten Lebensjahren angetan wird, unweigerlich auf die ganze Gesellschaft zurückschlägt, daß Psychosen, Drogensucht, Kriminalität ein verschlüsselter Ausdruck der

frühesten Erfahrungen sind. Diese Erkenntnis wird meistens bestritten oder nur intellektuell zugelassen, während die Praxis (die politische, juristische oder psychiatrische) noch stark von mittelalterlichen, an Projektionen des Bösen reichen Vorstellungen beherrscht bleibt, weil der Intellekt die emotionalen Bereiche nicht erreicht. Läßt sich ein emotionales Wissen mit Hilfe eines Buches erreichen? Ich weiß es nicht, aber die Hoffnung, daß durch die Lektüre bei dem einen oder anderen Leser ein innerer Prozeß in Gang kommen könne, scheint mir begründet genug, um es nicht unversucht zu lassen.
Das vorliegende Buch entstand aus meinem Bedürfnis, auf die zahlreichen Leserbriefe zum *Drama des begabten Kindes* einzugehen, die mir viel bedeutet haben und die ich nicht mehr persönlich beantworten konnte. Daran war auch, aber nicht nur, die zeitliche Überforderung schuld. Ich habe bald gemerkt, daß ich in der Darstellung meiner Gedanken und Erfahrungen der letzten Jahre dem Leser eine größere Ausführlichkeit schulde, weil ich mich nicht auf bestehende Literatur stützen kann. Aus den Fragen der Betroffenen haben sich für mich zwei Problemkomplexe herauskristallisiert: einerseits meine Begriffsbestimmung der frühkindlichen Realität, die vom Triebmodell der Psychoanalyse abweicht, andererseits die Notwendigkeit, den Unterschied zwischen Schuldgefühlen und Trauer noch klarer herauszuarbeiten. Damit hängt nämlich die brennende und oft wiederholte Frage der ernsthaft bemühten Eltern zusammen: Was können wir noch für unsere Kinder tun, wenn wir einmal realisiert haben, wie stark wir dem Wiederholungszwang ausgeliefert sind?
Da ich nicht an die Wirksamkeit von Rezepten und Ratschlägen glaube, zumindest wenn es sich um unbewußtes Verhalten handelt, sehe ich meine Aufgabe *nicht in Appellen an die Eltern*, ihre Kinder anders zu behandeln, als es ihnen möglich ist, sondern im Herausstellen der Zusammenhänge, *in der bildhaften und gefühlsverbundenen Information für das Kind im Erwachsenen.* Solange dieses nicht

merken darf, was ihm geschah, ist ein Teil seines Gefühlslebens eingefroren und seine Sensibilität für die Demütigungen der Kindheit daher abgestumpft.
Alle Appelle an die Liebe, Solidarität und Barmherzigkeit müssen aber erfolglos bleiben, *wenn diese wichtige Voraussetzung des mitmenschlichen Fühlens und Verstehens fehlt.*
Diese Tatsache ist bei professionellen Psychologen besonders gravierend, weil sie ohne Empathie ihr Fachwissen nicht hilfreich einsetzen können, unabhängig davon, wieviel Zeit sie den Patienten widmen. Das gilt ebenfalls für die Hilflosigkeit der Eltern, denen weder der hohe Bildungsgrad noch die verfügbare Freizeit helfen, ihr Kind zu verstehen, sofern sie sich vom Leiden ihrer eigenen Kindheit emotional distanzieren müssen. Umgekehrt kann eine berufstätige Mutter unter Umständen die Situation ihres Kindes in wenigen Sekunden begreifen, wenn sie innerlich dafür offen und frei ist.

Ich sehe daher meine Aufgabe darin, die Öffentlichkeit für das frühkindliche Leiden zu sensibilisieren, und versuche dies auf zwei verschiedenen Ebenen, wobei ich auf beiden Ebenen das einstige Kind im erwachsenen Leser ansprechen möchte. Im ersten Teil tue ich das mit der Darstellung der »Schwarzen Pädagogik«, d. h. der Erziehungsmethoden, mit denen unsere Eltern und Großeltern aufgewachsen sind. Bei manchen Lesern wird das erste Kapitel möglicherweise Gefühle von Zorn und Wut auslösen, die sich als sehr heilsam erweisen können. Im zweiten Teil schildere ich die Kindheiten einer Drogensüchtigen, eines politischen Führers und eines Kindesmörders, die selber als Kinder Opfer von schweren Demütigungen und Mißhandlungen waren. Besonders in zwei Fällen stütze ich mich auf deren eigene Schilderungen der Kindheit und des späteren Schicksals und möchte dem Leser helfen, diese erschütternden Zeugnisse aufzunehmen. Alle drei Schicksale bezeugen die verheerende Rolle der Erziehung, ihre Vernichtung des Lebendigen, ihre Gefahr für die Ge-

sellschaft. Auch in der Psychoanalyse, besonders im Triebmodell, lassen sich Spuren der pädagogischen Haltung nachweisen. Die Untersuchung über dieses Thema wurde zunächst als ein Kapitel dieses Buches geplant, mußte aber im Hinblick auf ihren Umfang Gegenstand einer gesonderten Publikation werden, die demnächst erscheinen soll. Dort wird auch die Abgrenzung meiner Gedanken von den einzelnen psychoanalytischen Theorien und Modellen deutlicher werden als in den bisherigen Publikationen.
Das vorliegende Buch ist aus dem inneren Dialog mit den Lesern des *Dramas* hervorgegangen und als dessen Fortsetzung zu verstehen. Man kann es auch ohne die Kenntnis des *Dramas* lesen; sollten aber die hier beschriebenen Sachverhalte zu Schuldgefühlen statt zu Trauer führen, dann wäre es ratsam, auch die frühere Arbeit zu kennen. Es wäre auch wichtig und hilfreich, sich bei der Lektüre stets vor Augen zu halten, daß mit Eltern und Kindern nicht bestimmte Personen gemeint sind, sondern bestimmte *Zustände*, *Situationen* oder *Rechtslagen*, die uns alle betreffen, weil alle Eltern einst Kinder gewesen sind und die meisten Kinder von heute einmal Eltern sein werden.

Als Galileo Galilei 1613 mathematische Beweise für die kopernikanische These vorlegte, daß sich die Erde um die Sonne dreht und nicht umgekehrt, wurde dies von der Kirche als »falsch und absurd« bezeichnet. Galilei wurde gezwungen, seiner These abzuschwören, und erblindete in der Folge. Erst 300 Jahre später entschloß sich die Kirche endlich, ihre Täuschung aufzugeben und Galileis Schriften vom Index zu streichen und freizugeben.
Heute befinden wir uns in einer ähnlichen Situation wie die Kirche zur Zeit Galileis, aber heute steht für uns viel mehr auf dem Spiel. Unsere Entscheidung für die Wahrheit oder für die Täuschung wird viel schwerwiegendere Konsequenzen für das Überleben der Menschheit haben, als dies im 17. Jahrhundert der Fall war. Seit einigen Jahren ist es

nämlich bereits erwiesen – was uns immer noch verboten ist, zur Kenntnis zu nehmen –, daß die verheerenden Folgen der Traumatisierung der Kinder unweigerlich auf die Gesellschaft zurückschlagen. Dieses Wissen betrifft jeden einzelnen Menschen und muß – wenn genügend verbreitet – zur grundlegenden Veränderung unserer Gesellschaft, vor allem zur Befreiung von der blinden Eskalation der Gewalt führen. Die folgenden Punkte versuchen anzudeuten, was hier gemeint ist:

1. Jedes Kind kommt auf die Welt, um zu wachsen, sich zu entfalten, zu leben, zu lieben und seine Bedürfnisse und Gefühle zu seinem Schutz zu artikulieren.
2. Um sich entfalten zu können, braucht das Kind die Achtung und den Schutz der Erwachsenen, die es ernst nehmen, lieben und ihm ehrlich helfen, sich zu orientieren.
3. Werden diese lebenswichtigen Bedürfnisse des Kindes frustriert, wird das Kind statt dessen für die Bedürfnisse Erwachsener ausgebeutet, geschlagen, gestraft, mißbraucht, manipuliert, vernachlässigt, betrogen, ohne daß je ein Zeuge eingreift, so wird die Integrität des Kindes nachhaltig verletzt.
4. Die normale Reaktion auf die Verletzung wäre Zorn und Schmerz. Da der Zorn aber in einer verletzenden Umgebung dem Kind verboten bleibt und da das Erlebnis der Schmerzen in der Einsamkeit unerträglich wäre, muß es diese Gefühle unterdrücken, die Erinnerung an das Trauma verdrängen und seine Angreifer idealisieren. Es weiß später nicht, was ihm angetan wurde.
5. Die nun von ihrem eigentlichen Grund abgespalteten Gefühle von Zorn, Ohnmacht, Verzweiflung, Sehnsucht, Angst und Schmerz verschaffen sich dennoch Ausdruck in zerstörerischen Akten gegen andere (Kriminalität, Völkermord) oder gegen sich selbst (Drogensucht, Alkoholismus, Prostitution, psychische Krankheiten, Suizid).

6 Opfer der Racheakte sind sehr häufig eigene Kinder, die eine Sündenbockfunktion haben und deren Verfolgung in unserer Gesellschaft immer noch voll legitimiert ist, ja sogar in hohem Ansehen steht, sobald sie sich als Erziehung bezeichnet. Tragischerweise schlägt man sein eigenes Kind, um nicht zu spüren, was die eigenen Eltern getan hatten.

7 Damit ein mißhandeltes Kind nicht zum Verbrecher oder Geisteskranken wird, ist es nötig, daß es zumindest einmal in seinem Leben einem Menschen begegnet, der eindeutig weiß, daß nicht das geschlagene, hilflose Kind, sondern seine Umgebung ver-rückt ist. Insofern kann das Wissen oder Nichtwissen der Gesellschaft das Leben retten helfen oder zu seiner Zerstörung beitragen. Hierin liegt die große Möglichkeit von Verwandten, Anwälten, Richtern, Ärzten und Pflegenden eindeutig für das Kind Partei zu ergreifen und ihm zu glauben.

8 Bisher schützt die Gesellschaft die Erwachsenen und beschuldigt die Opfer. Sie wurde in ihrer Blindheit von Theorien unterstützt, die, noch ganz dem Erziehungsmuster unserer Urgroßväter entsprechend, im Kind ein verschlagenes, von bösen Trieben beherrschtes Wesen sahen, das lügenhafte Geschichten erfindet und die unschuldigen Eltern angreift oder sie sexuell begehrt. In Wahrheit neigt jedes Kind dazu, sich selber für die Grausamkeiten der Eltern zu beschuldigen und den Eltern, die es immer liebt, die Verantwortung abzunehmen.

9 Erst seit einigen Jahren läßt es sich dank der Anwendung von neuen therapeutischen Methoden beweisen, daß verdrängte traumatische Erlebnisse der Kindheit im Körper gespeichert sind und daß sie sich, unbewußt geblieben, auf das spätere Leben des erwachsenen Menschen auswirken. Ferner haben elektronische Messungen an noch ungeborenen Kindern eine Tatsache enthüllt, die von den meisten Erwachsenen bisher

noch nicht wahrgenommen wurde, nämlich daß *das Kind sowohl Zärtlichkeit als auch Grausamkeit von Anfang an fühlt und lernt.*

10 Dank dieser Erkenntnisse offenbart jedes absurde Verhalten seine bisher verborgene Logik, sobald die in der Kindheit gemachten traumatischen Erfahrungen nicht mehr im dunkeln bleiben müssen.

11 Unsere Sensibilisierung für die bisher allgemein geleugneten Grausamkeiten in der Kindheit und deren Folgen wird von selbst dazu führen, daß das Weitergeben der Gewalt von Generation zu Generation ein Ende findet.

12 Menschen, deren Integrität in der Kindheit nicht verletzt wurde, die bei ihren Eltern Schutz, Respekt und Ehrlichkeit erfahren durften, werden in ihrer Jugend und auch später intelligent, sensibel, einfühlsam und hoch empfindungsfähig sein. Sie werden Freude am Leben haben und kein Bedürfnis verspüren, jemanden oder sich selber zu schädigen oder gar umzubringen. Sie werden ihre Macht gebrauchen, um sich zu verteidigen, aber nicht, um andere anzugreifen. Sie werden gar nicht anders können, als Schwächere, also auch ihre Kinder, zu achten und zu beschützen, weil sie dies einst selber erfahren haben und weil *dieses* Wissen (und nicht die Grausamkeit) in ihnen von Anfang an gespeichert wurde. Diese Menschen werden nie imstande sein zu verstehen, weshalb ihre Ahnen einst eine gigantische Kriegsindustrie haben aufbauen müssen, um sich in dieser Welt wohl und sicher zu fühlen. Da die Abwehr von frühesten Bedrohungen nicht ihre unbewußte Lebensaufgabe sein wird, werden sie mit realen Bedrohungen rationaler und kreativer umgehen können.

Erziehung als Verfolgung des Lebendigen

Die Strafe folgte auf großem Fuß. Zehn Tage lang, zu lang für jedes Gewissen, segnete mein Vater die ausgestreckten, vier Jahre alten Handflächen seines Kindes mit scharfem Stöckchen. Sieben Tatzen täglich auf jede Hand: macht hundertvierzig Tatzen und etwas mehr: es machte der Unschuld des Kindes ein Ende. Was immer im Paradies geschah, mit Adam, Eva, Lilith, Schlange und Apfel, das gerechte biblische Schlagwetter vor der Zeit, das Gebrüll des Allmächtigen und sein ausweisender Finger – ich weiß davon nichts. Es war mein Vater, der mich von dort vertrieb. *Chr. Meckel (1980), S. 59*

Wer sich nach unserer Kindheit erkundigt, will etwas von unserer Seele wissen. Wenn die Frage keine rhetorische Floskel ist und der Frager Geduld hat zum Zuhören, wird er zur Kenntnis nehmen müssen, daß wir mit Grauen lieben und in unerklärlicher Liebe hassen, was uns die größten Schmerzen und Mühen bereitete.

Erika Burkart (1979), S. 352

Einleitung

Jeder, der einmal Mutter oder Vater war und nicht in einer perfekten Verleugnung lebt, weiß aus eigener Erfahrung, wie schwer es einem Menschen fallen kann, bestimmte Seiten seines Kindes zu tolerieren. Dies einzusehen ist besonders schmerzhaft, wenn wir das Kind lieben, es wirklich in seiner Eigenart achten möchten und es doch nicht können. Großzügigkeit und Toleranz lassen sich nicht mit Hilfe von intellektuellem Wissen erreichen. Falls wir keine Möglichkeit hatten, die uns in der eigenen Kindheit erwiesene Verachtung bewußt zu erleben und zu verarbeiten, geben wir sie weiter. Das bloß intellektuelle Wissen über Gesetze der kindlichen Entwicklung schützt uns nicht vor Ärger oder Wut, wenn das Verhalten des Kindes unseren Vorstellungen oder Bedürfnissen nicht entspricht, geschweige denn, wenn es unsere Abwehrmechanismen bedroht.

Ganz anders ist es bei Kindern: ihnen steht keine Vorgeschichte im Wege, und *ihre Toleranz* Eltern gegenüber *kennt keine Grenzen*. Jede bewußte oder unbewußte seelische Grausamkeit der Eltern ist in der Liebe des Kindes sicher vor der Entdeckung geschützt. Was alles einem Kind straflos zugemutet werden kann, läßt sich in den neuesten Geschichten der Kindheit unschwer nachlesen (vgl. z. B. Ph. Ariès, 1960; L. de Mause, 1974; M. Schatzman, 1978; I. Weber-Kellermann, 1979; R. E. Helfer u. C. H. Kempe [Hrsg.], 1978).
Die einstige physische Verstümmelung, Ausbeutung und Verfolgung des Kindes scheint in der Neuzeit immer mehr durch seelische Grausamkeit abgelöst worden zu sein, die außerdem mit dem wohlwollenden Wort »Erziehung« mystifiziert werden konnte. Da die Erziehung bei manchen Völkern schon im Säuglingsalter, in der Phase der symbiotischen Verbindung von Mutter und Kind begann, garantierte diese frühe Konditionierung, daß der wahre Sachverhalt vom Kind kaum entdeckt werden konnte. Die Abhängigkeit des Kindes von der Liebe seiner Eltern macht es ihm auch später unmöglich, die Traumatisierungen zu erkennen, die oft das ganze Leben lang hinter den Idealisierungen der Eltern der ersten Jahre verborgen bleiben.

Der Vater des von Freud beschriebenen paranoiden Patienten Schreber hatte um die Mitte des 19. Jahrhunderts mehrere Erziehungsbücher geschrieben, die in Deutschland so populär waren, daß sie zum Teil vierzig Mal aufgelegt und in mehrere Sprachen übersetzt wurden. Darin wird immer wieder betont, daß man so früh wie möglich, schon im 5. Monat, beginnen müsse, das Kind zu erziehen, wenn man es vom schädlichen »Unkraut befreien« wolle. Mir sind ähnliche Ansichten in Briefen und Tagebüchern der Eltern begegnet. Sie erhellen für einen Außenstehenden sehr klar die Gründe für die schweren Erkrankungen ihrer Kinder, die später meine

Patienten waren. Aber diese konnten mit solchen Tagebüchern zunächst nicht viel anfangen und brauchten lange und tiefe Analysen, bis sie die darin beschriebene Realität überhaupt sehen durften. Sie mußten sich zunächst aus der Verwobenheit mit ihren Eltern zu abgegrenzten Persönlichkeiten entwickeln.

Die Überzeugung, daß alles Recht auf seiten der Eltern und jede – bewußte oder unbewußte – Grausamkeit Ausdruck ihrer Liebe sei, bleibt so tief im Menschen verwurzelt, weil sie in Verinnerlichungen der ersten Lebensmonate, also in der Zeit vor der Trennung vom Objekt, gründet.

Zwei Stellen aus Dr. Schrebers Ratschlägen für die Erzieher aus dem Jahre 1858 mögen illustrieren, wie sich dieser Vorgang gewöhnlich abspielt:

Als die ersten Proben, an denen sich die geistig-erzieherischen Grundsätze bewähren sollen, sind die durch grundloses *Schreien* und *Weinen* sich kundgebenden Launen der Kleinen zu betrachten . . . Hat man sich überzeugt, daß kein richtiges Bedürfnis, kein lästiger oder schmerzhafter Zustand, kein Kranksein vorhanden ist, so kann man sicher sein, daß das Schreien eben nur der Ausdruck einer *Laune*, einer *Grille*, das erste Auftauchen des *Eigensinns* ist. Man darf sich jetzt nicht mehr wie anfangs ausschließlich abwartend dabei verhalten, sondern muß schon in etwas positiverer Weise entgegentreten: durch schnelle *Ablenkung der Aufmerksamkeit, ernste Worte, drohende Gebärden, Klopfen ans Bett* . . ., oder wenn dieses alles nicht hilft – durch natürlich entsprechend milde, aber in kleinen Pausen bis zur Beruhigung oder zum Einschlafen des Kindes beharrlich wiederholte *körperlich fühlbare Ermahnungen* . . .

Eine solche Prozedur *ist nur ein- oder höchstens zweimal nötig*, und – man ist *Herr des Kindes für immer*. Von nun an *genügt ein Blick, ein Wort, eine einzige drohende Gebärde*, um das Kind *zu regieren*. Man bedenke, daß man dadurch dem Kinde selbst die größte *Wohltat* erzeigt, indem man ihm viele seinem Gedeihen hinderliche Stunden der Unruhe erspart und es von allen jenen inneren Quälgeistern befreit, die außerdem gar leicht zu ernsteren und immer schwerer besiegbaren Lebensfeinden emporwuchern (vgl. Schatzman, 1978, S. 32 f.).

Dr. Schreber weiß nicht, daß er im Grunde seine eigenen Impulse in den Kindern bekämpft, und es besteht für ihn gar kein Zweifel darüber, daß er seine Macht lediglich im Interesse des Kindes ausübt:

Bleiben hierin die Eltern sich selbst treu, so werden sie bald durch den *Eintritt jenes schönen Verhältnisses belohnt*, wo das *Kind fast durchgehend nur mit einem elterlichen Blick* regiert wird (vgl. ebd., S. 36)*

So erzogene Kinder merken häufig noch im hohen Alter nicht, wenn sie von einem Menschen mißbraucht werden, solange dieser »freundlich« mit ihnen spricht.
Ich bin oft gefragt worden, warum ich im *Drama des begabten Kindes* meistens von Müttern und so wenig von Vätern spreche. Die wichtigste Bezugsperson des Kindes in seinem ersten Lebensjahr bezeichne ich als »Mutter«. Das muß nicht unbedingt die biologische Mutter, ja nicht einmal eine Frau sein.
Es war mir im *Drama* wichtig, darauf hinzuweisen, daß die verbietenden, verachtenden Blicke, die der Säugling aufnimmt, zum Entstehen schwerer Störungen, u. a. Perversionen und Zwangsneurosen, im Erwachsenenalter beitragen können. In der Familie Schreber war es nicht die leibliche Mutter, die die beiden Söhne in ihrer Säuglingszeit »mit Blicken regierte«, sondern der Vater. Beide Söhne litten später an Geisteskrankheiten mit Verfolgungswahn.
Ich habe mich bisher nirgends mit soziologischen Theorien über die Väter- bzw. Mütterrollen befaßt.
In den letzten Jahrzehnten gibt es immer mehr Väter, die auch die positiven mütterlichen Funktionen übernehmen und dem Kind Zärtlichkeit, Wärme und Einfühlung in seine Bedürfnisse entgegenbringen können. Im Gegensatz zu den Zeiten der patriarchalischen Familie befinden wir uns jetzt in einer Phase des gesunden Experimentie-

* [Kursivierung in Zitaten hier wie im folgenden durch Alice Miller.]

rens mit der Geschlechterrolle, und in diesem Stadium habe ich Mühe, über die »soziale Rolle« des Vaters oder der Mutter zu sprechen, ohne überholten normativen Kategorien zu verfallen. Ich kann lediglich sagen, daß jedes kleine Kind einen empathischen und nicht regierenden *Menschen* (egal ob Vater oder Mutter) als Begleitung braucht.

Man kann in den ersten zwei Jahren unendlich viel mit dem Kind machen, es biegen, über es verfügen, ihm gute Gewohnheiten beibringen, es züchtigen und strafen, ohne daß dem Erzieher etwas passiert, ohne daß das Kind sich rächt. Das Kind wird nur dann das ihm zugefügte Unrecht ohne schwerwiegende Folgen überwinden, wenn es sich wehren, d. h. wenn es seinen Schmerz und Zorn *artikulieren darf*. Ist es ihm aber verwehrt, *in seiner Weise zu reagieren*, weil die Eltern seine *Reaktionen* (den Schrei, die Trauer, die Wut) nicht ertragen können und sie ihm mit Hilfe von Blicken oder anderen Erziehungsmaßnahmen *verbieten*, dann wird das Kind lernen, stumm zu sein. *Seine Stummheit* garantiert zwar die Wirksamkeit der Erziehungsprinzipien, birgt aber zugleich *die Gefahrenherde der späteren Entwicklung*. Mußten *adäquate Reaktionen* auf erlittene Kränkungen, Demütigungen und Vergewaltigungen im weitesten Sinn *ausbleiben*, dann können diese Erlebnisse nicht in die Persönlichkeit integriert werden, die Gefühle bleiben unterdrückt, und das Bedürfnis, sie zu artikulieren, bleibt ungestillt, ohne Hoffnung auf Erfüllung. Es ist diese *Hoffnungslosigkeit*, die unbewußten Traumata je mit den dazugehörigen Gefühlen artikulieren zu können, die die meisten Menschen in schwere seelische Not bringt. Nicht im realen Geschehen, sondern in der Notwendigkeit der Verdrängung liegt bekanntlich der Ursprung der Neurose. Ich werde versuchen zu belegen, daß diese Tragik nicht nur an der Entstehung der Neurose beteiligt ist.
Die Unterdrückung der Triebbedürfnisse ist nur ein Teil

der massiven Unterdrückung des Individuums, die die Gesellschaft ausübt. Weil sie aber nicht erst im Erwachsenenalter, sondern bereits von den ersten Tagen an durch das Medium der oft gutmeinenden Eltern damit anfängt, kann das Individuum die Spuren dieser Unterdrückung ohne spätere Hilfe nicht in sich entdecken. Es ist wie ein Mensch, dem man ein Mal auf seinen Rücken aufgedrückt hat, das er ohne Spiegel niemals wird sehen können. Einen solchen Spiegel bietet u.a. die analytische Situation.
Die Psychoanalyse bleibt ein Privileg* von wenigen, und ihre therapeutischen Ergebnisse werden oft bestritten. Wenn man aber mehrmals mit verschiedenen Menschen erlebt hat, welche Kräfte freiwerden, wenn die Folgen der Erziehung abgebaut werden konnten; wenn man sieht, wie diese Kräfte überall sonst destruktiv eingesetzt werden müssen, um das Lebendige bei sich und bei anderen zu zerstören, weil dieses von klein auf als böse und bedrohlich angesehen wurde, dann möchte man etwas von den in der analytischen Situation gewonnenen Erfahrungen der Gesellschaft vermitteln. Ob diese Vermittlung gelingt, bleibt eine offene Frage. Doch die Gesellschaft hat ein Recht darauf, soweit dies überhaupt möglich ist, zu erfahren, was in den Räumen der Analytiker eigentlich geschieht. Denn was hier zum Vorschein kommt, ist nicht nur eine Privatangelegenheit einiger Kranker oder Verwirrter, sondern Sache von uns allen.

Brutstätten des Hasses
(Erziehungsschriften aus zwei Jahrhunderten)

Seit längerer Zeit stelle ich mir die Frage, wie ich in einer anschaulichen und nicht rein intellektuellen Form zeigen könnte, was in vielen Fällen den Kindern am Anfang ihres Lebens angetan wird und welche Konsequenzen dies für die Gesellschaft hat; wie kann ich erzählen, fragte ich mich

* vgl. hier S. V ff.: Standort 1990

oft, was Menschen in ihrer jahrelangen mühsamen Rekonstruktionsarbeit an den Ursprüngen ihres Lebens vorgefunden haben. Zu der Schwierigkeit der Darstellung kommt der alte Konflikt: auf der einen Seite steht meine Schweigepflicht, auf der anderen steht die Überzeugung, daß hier eine Gesetzmäßigkeit vorliegt, die nicht nur wenigen Eingeweihten vorbehalten bleiben sollte. Andererseits kenne ich die Abwehr des nicht analysierten Lesers, die Schuldgefühle, die sich einstellen, wenn von Grausamkeit gesprochen wird und der Weg zur Trauer noch versperrt bleiben muß. Was soll man dann mit diesem traurigen Wissen tun?

Wir sind so gewöhnt, alles, was wir hören, als Vorschriften und Moralpredigten zu empfangen, daß zuweilen auch reine Informationen als Vorwürfe erlebt und deshalb gar nicht aufgenommen werden können. Wir wehren uns mit Recht gegen neue Forderungen, wenn wir zu früh und nicht selten mit Gewalt von Ansprüchen der Moral überfordert wurden. Nächstenliebe, Selbstaufgabe, Opferbereitschaft – wie schön klingen diese Worte, und wieviel Grausamkeit kann sich in ihnen verbergen, allein weil sie dem Menschenkind *aufgezwungen* werden und dies schon zu einer Zeit, in der die Voraussetzungen der Nächstenliebe unmöglich vorhanden sein können. Durch den Zwang werden diese Voraussetzungen nicht selten im Keim erstickt, und was dann bleibt, ist eine lebenslange Anstrengung. Sie ist wie ein zu harter Boden, auf dem nichts wachsen kann, und die einzige Hoffnung, die geforderte Liebe doch noch erzwingen zu können, liegt in der Erziehung der eigenen Kinder, bei der man diese wiederum gnadenlos fordern kann.

Aus diesem Grund möchte ich mich jeglichen Moralisierens enthalten. Ich möchte ausdrücklich *nicht* sagen, daß man dieses oder jenes tun bzw. nicht tun soll, z. B. nicht hassen *soll*, denn solche Sätze halte ich für nutzlos. Meine Aufgabe sehe ich vielmehr darin, die *Wurzeln des Hasses aufzuzeigen*, die nur wenige zu erblicken scheinen, und die Erklärung dafür zu suchen, warum es so wenige sind.

Während ich mich mit diesen Fragen beschäftigte, fiel mir Katharina Rutschkys *Schwarze Pädagogik* (1977) in die Hand. Es handelt sich um eine Sammlung von Erziehungsschriften, in denen alle Techniken der frühen Konditionierung zum Nicht-Merken dessen, was eigentlich mit einem geschieht, so klar beschrieben werden, daß sie von der Realität her Rekonstruktionen bestätigen, zu denen ich im Laufe der langen analytischen Arbeit gelangt bin. So kam mir die Idee, aus diesem ausgezeichneten, aber sehr umfangreichen Buch einige Passagen so zusammenzustellen, daß der Leser sich mit ihrer Hilfe selber und ganz persönlich Fragen beantworten kann, die ich aufwerfen möchte. Es sind vor allem die Fragen: Wie wurden unsere Eltern erzogen? Was mußten und durften sie mit uns machen? Wie hätten wir das als kleine Kinder merken können? Wie hätten wir es mit unseren Kindern anders machen können? Läßt sich dieser Teufelskreis je durchbrechen? Und schließlich: Ist die Schuld kleiner, wenn man sich die Augen verbindet?

Es ist nicht auszuschließen, daß ich mit diesen Texten etwas erreichen möchte, das entweder gar nicht möglich oder völlig überflüssig ist. Denn solange ein Mensch etwas nicht sehen darf, wird er es übersehen, mißverstehen, auf irgendeine Weise abwehren müssen. Ist es ihm aber bereits früher zugänglich geworden, dann braucht er es nicht erst durch mich zu erfahren. Diese Überlegung ist richtig, und trotzdem möchte ich mein Vorhaben nicht aufgeben, denn der Versuch scheint mir sinnvoll, auch wenn im Moment nur wenige Leser von diesen Zitaten profitieren sollten.

In den ausgewählten Texten werden m. E. Techniken enthüllt, mit denen man nicht nur »bestimmte Kinder«, sondern mehr oder weniger *uns alle* (aber vor allem unsere Eltern und Ahnen) auf das Nicht-Merken abgerichtet hat.

Ich gebrauche hier das Wort »enthüllt«, obwohl diese Schriften nicht geheim, sondern öffentlich verbreitet waren und zahlreiche Auflagen erhielten. Doch ein Mensch der heutigen Generation kann etwas aus ihnen herauslesen, das ihn persönlich angeht und das seinen Eltern noch verborgen blieb. Diese Lektüre kann ihm das Gefühl geben, hinter ein Geheimnis gekommen zu sein, hinter etwas Neues, aber auch Altbekanntes, das bisher sein Leben verschleierte und gleichzeitig bestimmte. So ist es mir persönlich bei der Lektüre der *Schwarzen Pädagogik* gegangen. Ihre Spuren in den psychoanalytischen Theorien, in der Politik und in den unzähligen Zwängen des Alltags sind mir plötzlich deutlicher aufgefallen.

Die größte Sorge bereitet den Erziehern seit jeher die »Halsstarrigkeit«, der Eigensinn, der Trotz und die Heftigkeit der kindlichen Gefühle. Es wird immer wieder darauf hingewiesen, daß mit der Erziehung zum Gehorsam nicht früh genug angefangen werden kann. Sehen wir uns als Beispiel die folgenden Ausführungen von J. Sulzer an:

Was nun den *Eigensinn* betrifft, so äußert sich derselbe als ein natürliches Mittel gleich in der ersten Kindheit, sobald die Kinder ihr Verlangen nach etwas durch Gebärden zu verstehen geben können. Sie sehen etwas, das sie gern haben möchten; sie können es nicht bekommen, sie erbosen sich darüber, schreien und schlagen um sich. Oder man gibt ihnen etwas, das ihnen nicht ansteht; sie schmeißen es weg und fangen an zu schreien. Dies sind *gefährliche Unarten*, welche die ganze Erziehung hindern und nichts Gutes bei den Kindern aufkommen lassen. Wo der Eigensinn und die Bosheit nicht vertrieben werden, da kann man unmöglich einem Kinde eine gute Erziehung geben. Sobald sich also diese Fehler bei einem Kinde äußern, so ist es *hohe Zeit, dem Übel zu wehren*, damit es nicht durch die Gewohnheit hartnäckiger und die Kinder ganz verdorben werden.
Ich rate also allen denen, die Kinder zu erziehen haben, daß sie *die Vertreibung des Eigensinns und der Bosheit gleich ihre Hauptarbeit sein lassen* und so lange daran arbeiten, *bis sie zum Ziel gekommen*

sind. Man kann, wie ich oben bemerkt habe, unmündigen Kindern *nicht mit Gründen* beikommen; also muß der Eigensinn *auf eine mechanische Weise vertrieben werden*, und hierfür gibt es kein anderes Mittel, als daß man den Kindern den Ernst zeigt. Gibt man ihrem Eigensinn einmal nach, so ist er das zweitemal schon stärker und schwerer zu vertreiben. Haben die Kinder einmal erfahren, daß sie durch Erbosen und Schreien ihren Willen durchsetzen, so werden sie nicht ermangeln, dieselben Mittel wieder anzuwenden. Endlich werden sie zu Meistern ihrer Eltern und Aufwärterinnen und bekommen ein böses, eigensinniges und unleidliches Gemüt, wodurch sie hernach ihre Eltern, als wohlverdienten Lohn der guten Erziehung, solange sie leben, plagen und quälen. Sind aber die Eltern so glücklich, daß sie ihnen *gleich anfangs* durch ernstliches Schelten und *durch die Rute den Eigensinn vertreiben*, so bekommen sie *gehorsame, biegsame und gute Kinder*, denen sie hernach eine gute Erziehung geben können. Wo einmal ein guter Grund der Erziehung gelegt werden soll, da muß man nicht nachlassen zu arbeiten, bis man sieht, daß der Eigensinn weg ist, denn dieser darf absolut nicht da sein. Es bilde sich niemand ein, daß er etwas Gutes in der Erziehung wird tun können, ehe diese zwei Hauptfehler behoben sind. Er wird vergeblich arbeiten. Hier muß notwendig erst das Fundament gelegt werden.

Dieses sind also die zwei vornehmsten Stücke, auf die man *im ersten Jahr der Erziehung sehen muß*. Sind nun die Kinder schon über ein Jahr alt, wenn sie also anfangen etwas zu verstehen und zu sprechen, so muß man auch auf andere Dinge denken, doch nicht anders als mit der Bedingung, daß *der Eigensinn der Hauptvorwurf aller Arbeit sei, bis er völlig beseitigt ist*. Unsere Hauptabsicht ist immer, die Kinder zu rechtschaffenen, tugendhaften Menschen zu machen, und an diese Hauptabsicht sollen die Eltern allemal denken, so oft sie ihre Kinder ansehen, damit sie *keinen Anlaß versäumen, an ihnen zu arbeiten*. Sie müssen auch immer den Grundriß oder die Abbildung eines zur Tugend geschickten Gemütes, die ich oben gegeben, in frischem Gedächtnis behalten, damit sie wissen, was sie vorzunehmen haben. Das erste und allgemeinste, worauf man nun zu sehen hat, ist, daß man den Kindern eine Liebe zur Ordnung einpflanzt: das ist das erste Stück, das wir zur Tugend fordern. Dieses kann aber *in den drei ersten Jahren*, wie alle andern Dinge, die man mit den

Kindern vornehmen will, nicht anders als auf eine ganz mechanische Art geschehen. Man muß nämlich alles, was man mit den Kindern vornimmt, nach den Regeln einer guten Ordnung vornehmen. Das Essen und Trinken, die Kleidung, das Schlafen, und überhaupt die ganze kleine Haushaltung der Kinder, muß ordentlich sein und ja niemals nach ihrem Eigensinn oder ihrer Wunderlichkeit im geringsten abgeändert werden, damit sie in ihrer ersten Kindheit lernen, sich den Regeln der Ordnung genau zu unterwerfen. Die Ordnung, die man mit ihnen hält, hat unstreitig einen Einfluß auf das Gemüt, und wenn die Kinder ganz jung einer guten Ordnung gewohnt werden, *so vermeinen sie hernach, daß dieselbe ganz natürlich sei; weil sie nicht mehr wissen, daß man sie ihnen durch die Kunst beigebracht hat.* Wolle man aus Gefälligkeit gegen ein Kind die Ordnung seiner kleinen Haushaltung ändern, so oft es seine Wunderlichkeit haben will, so würde es auf die Gedanken kommen, daß an der Ordnung nicht viel gelegen, und daß sie unserer Wunderlichkeit immer weichen muß; dies wäre ein Vorurteil, das seinen Schaden weit und breit in das moralische Leben erstrecken würde, wie leicht aus dem zu entnehmen ist, was ich oben von der Ordnung gesagt habe. Kann man nun schon mit den Kindern sprechen, so muß man ihnen bei allen Anlässen die Ordnung als etwas Heiliges und Unverletzliches vorstellen. Wollen sie etwas haben, das wider die Ordnung ist, so sage man ihnen: Mein liebes Kind, dies kann unmöglich geschehen, es ist wider die Ordnung, diese darf niemals überschritten werden u. dgl. [. . .]
Das zweite Hauptstück, worauf man sich bei der Erziehung gleich anfangs im zweiten und dritten Jahr befleißigen muß, ist ein genauer Gehorsam gegen Eltern und Vorgesetzte und eine kindliche Zufriedenheit mit allem, was sie tun. Diese Eigenschaften sind nicht nur für den Erfolg der Erziehung schlechterdings notwendig, sondern sie haben einen sehr starken Einfluß auf die Erziehung überhaupt. Für die Erziehung sind sie notwendig, weil sie dem Gemüt überhaupt Ordnung und Unterwürfigkeit gegen die Gesetze geben. Ein Kind, das gewohnt ist, seinen Eltern zu gehorchen, wird auch, wenn es frei und sein eigener Herr wird, sich den Gesetzen und Regeln der Vernunft gern unterwerfen, *weil es einmal schon gewöhnt ist, nicht nach seinem Willen zu handeln. Dieser Gehorsam ist so wichtig, daß eigentlich die ganze Erziehung nichts anderes ist, als die Erlernung des Gehorsams.* Es

ist ein überall anerkannter Satz, daß hohe Personen, die zur Regierung ganzer Staaten bestimmt sind, die Regierungskunst durch Gehorsam erlernen müssen. *Qui nescit obedire, nescit imperare*, davon aber kann man keinen andern Grund als diesen geben, weil der Gehorsam den Menschen tüchtig macht nach den Gesetzen zu folgen, welches die erste Eigenschaft eines Regenten ist. Nachdem man also durch die erste Arbeit an den Kindern den Eigensinn aus ihren zarten Gemütern vertrieben hat, so soll das Hauptwerk der Arbeit auf den Gehorsam gehen. Diesen Gehorsam aber den Kindern einzupflanzen, ist nicht sehr leicht. Es ist ganz natürlich, daß die Seele ihren Willen haben will, und *wenn man nicht in den ersten zwei Jahren die Sache richtig gemacht hat*, so kommt man hernach schwerlich zum Ziel. *Diese ersten Jahre haben unter andern auch den Vorteil, daß man da Gewalt und Zwang brauchen kann. Die Kinder vergessen mit den Jahren alles, was ihnen in der ersten Kindheit begegnet ist.* Kann man da den Kindern *den Willen benehmen, so erinnern sie sich hernach niemals mehr, daß sie einen Willen gehabt haben und die Schärfe, die man wird brauchen müssen, hat auch eben deswegen keine schlimmen Folgen.*

Man muß also *gleich anfangs*, sobald die Kinder etwas merken können, ihnen sowohl durch Worte als durch die Tat zeigen, daß sie sich dem Willen der Eltern unterwerfen müssen. *Der Gehorsam besteht darin, daß die Kinder 1. gern tun, was ihnen befohlen wird, 2. gern unterlassen, was man ihnen verbietet, und 3. mit den Verordnungen, die man ihrethalben macht, zufrieden sind.* (Aus: J. Sulzer, *Versuch von der Erziehung und Unterweisung der Kinder*, ²1748, Zit. n. Katharina Rutschky [Hrsg.], *Schwarze Pädagogik* [i. f. = KR], S. 173 ff.)

Es ist erstaunlich, wieviel psychologisches Wissen dieser Erzieher bereits vor 200 Jahren besaß. Es stimmt nämlich wirklich, daß Kinder mit den Jahren alles vergessen, was ihnen in der frühen Kindheit begegnet ist. »Sie erinnern sich hernach niemals mehr, daß sie einen Willen gehabt haben« – zweifellos. Aber die Fortsetzung dieses Satzes stimmt leider *nicht, nämlich daß die Schärfe, die man wird brauchen müssen, . . . auch eben deswegen keine schlimmen Folgen hat.*

Das Gegenteil ist der Fall: Juristen, Politiker, Psychiater, Ärzte und Gefängniswärter haben beruflich gerade *mit diesen schlimmen Folgen* ein Leben lang zu tun, meistens ohne es zu wissen. Die psychoanalytische Arbeit braucht Jahre, um sich an ihre Ursprünge heranzutasten, aber wenn sie gelingt, erreicht sie damit tatsächlich die Befreiung von Symptomen.

Immer wieder wird von Laien der Einwand erhoben, daß es Menschen gebe, die eine nachweisbar schwere Kindheit hatten, ohne neurotisch zu werden, während andere, die in sogenannten »behüteten Verhältnissen« aufgewachsen sind, psychisch krank werden. Damit soll auf eine angeborene Veranlagung hingewiesen und der Einfluß des Elternhauses abgestritten werden.

Die oben zitierte Stelle hilft zu verstehen, wie es zu diesem Irrtum in allen Bevölkerungsschichten kommen kann (und soll?). Neurosen und Psychosen sind nämlich nicht direkte Folgen realer Frustrationen, sondern sie sind Ausdruck der Verdrängung von Traumen. Wenn es vor allem darum geht, Kinder *so zu erziehen, daß sie nicht merken,* was man ihnen zufügt, was man ihnen nimmt, was sie dabei verlieren, wer sie sonst gewesen wären und wer sie überhaupt sind, und wenn diese Erziehung früh genug einsetzt, wird der Erwachsene später den Willen des anderen, ungeachtet seiner Intelligenz, als den eigenen erleben. Wie kann er wissen, daß sein eigener Wille gebrochen wurde, da er ihn nie erfahren durfte? Und doch wird er daran erkranken können. Hat aber ein Kind Hunger, Flucht, Bombenangriffe so erlebt, daß es sich von seinen Eltern als abgetrennte Person ernstgenommen und respektiert fühlte, dann wird es nicht aufgrund dieser realen Traumen krank werden. Es hat sogar die Chance, Erinnerungen an diese Erlebnisse zu behalten (weil zugewandte Bezugspersonen es begleitet haben) und damit seine Innenwelt zu bereichern.

Die nächste Stelle, von J. G. Krüger, verrät, warum es den Erziehern so wichtig war (und ist), »Halsstarrigkeit« energisch zu bekämpfen.

Meinen Gedanken nach muß man Kinder niemals schlagen wegen Fehlern, die sie aus Schwachheit begehen. Das einzige Laster, welches Schläge verdient, ist die *Halsstarrigkeit*. Es ist also unrecht, wenn man Kinder wegen des Lernens schlägt, es ist unrecht, wenn man sie schlägt, daß sie gefallen sind, es ist unrecht, daß man sie schlägt, wenn sie aus Versehen Schaden getan haben, es ist unrecht, wenn man sie wegen des Weinens schlägt; aber es ist *recht und billig*, sie wegen aller dieser Verbrechen, ja wegen noch anderer Kleinigkeiten *zu schlagen, wenn sie es aus Bosheit getan* haben. Wenn euer Sohn nichts lernen will, weil ihr es haben wollt, wenn er in der Absicht weint, um euch zu trotzen, wenn er Schaden tut, um euch zu kränken, kurz, *wenn er seinen Kopf aufsetzt:*

Dann prügelt ihn, dann laßt ihn schrein:
Nein, nein, Papa, nein, nein!

Denn *ein solcher Ungehorsam ist ebensogut, als eine Kriegserklärung gegen eure Person.* Euer Sohn *will euch die Herrschaft rauben, und ihr seid befugt, Gewalt mit Gewalt zu vertreiben,* um euer Ansehen zu befestigen, ohne welches bei ihm keine Erziehung stattfindet. Dieses Schlagen muß kein bloßes Spielwerk sein, sondern *ihn überzeugen, daß ihr sein Herr seid.* Daher müßt ihr ja nicht eher aufhören, bis er das tut, dessen er sich vorher aus Bosheit weigerte. Nehmt ihr dieses nicht in acht, so habt ihr eine Schlacht geliefert, über welche sein böses Herz im Triumph aufzieht, und sich fest vornimmt, auch künftig die Schläge nicht zu beachten, um nur der Herrschaft der Eltern nicht unterworfen zu sein. Hat er sich aber das erstemal für überwunden erkannt, und sich vor euch demütigen müssen, so wird ihm schon der Mut genommen sein, aufs neue zu rebellieren. Doch habt ihr euch dabei sehr in acht zu nehmen, daß ihr euch bei dem Strafen von dem Zorn nicht überwältigen laßt. *Denn das Kind wird scharfsichtig genug sein, eure Schwachheit zu erblicken, und die Strafe für eine Wirkung des Zorns ansehen, die es für eine Ausübung der Gerechtigkeit halten sollte.* Könnt ihr euch also hierin nicht mäßigen, so überlaßt lieber die Exekution einem andern, schärft ihm aber ja ein, nicht eher aufzuhören, bis das Kind den Willen des Vaters erfüllt hat, und kommt, euch um Vergebung zu bitten. *Diese Vergebung müßt ihr ihm,* wie Locke sehr wohl bemerkt, zwar nicht ganz abschlagen, sie ihm aber doch *etwas sauer machen*, und eure völlige Zuneigung nicht eher wieder zu erkennen geben, als *bis er durch völligen Gehorsam sein voriges Verbrechen gebessert* und bewiesen hat, daß er entschlossen sei, *ein treuer Untertan seiner Eltern zu bleiben.* Wenn man nun Kinder von Jugend auf *mit gehöriger Klugheit erzieht, so wird es gewiß sehr selten nötig sein, zu dergleichen gewaltsamen Mitteln zu schreiten*; allein es wird sich kaum ändern lassen, wenn man sie erst in seine Zucht bekommt, da sie vorher ihren Eigenwillen gehabt haben. Doch kann man auch manchesmal, besonders wenn sie ehrgeizig sind, selbst bei großen Verbrechen, der Schläge überhoben sein, wenn man sie *zum Exempel barfuß gehen, hungern und bei Tisch aufwarten läßt, oder sie sonst an einem solchen Ort angreift, wo es ihnen weh tut.* (Aus: J. G. Krüger, *Gedanken von der Erziehung der Kinder*, 1752, zit. n. KR, S. 170 f.)

Hier ist noch alles offen ausgesprochen. In den neueren Erziehungsbüchern sind die Herrschaftsansprüche der Erzieher viel besser verschleiert. Man hat inzwischen ein feines Instrumentarium von Argumenten entwickelt, um die Notwendigkeit der Schläge zum Wohle des Kindes zu beweisen. Hier aber wird noch offen vom »Herrschaftsraub«, von »treuen Untertanen« usw. gesprochen, und damit auch die traurige Wahrheit, die noch heute leider gilt, enthüllt. Denn die Motive des Schlagens sind die gleichen geblieben: die Eltern kämpfen bei ihrem Kind um die Macht, die sie bei ihren eigenen Eltern eingebüßt haben. *Das Bedrohtsein der ersten Lebensjahre, das sie nicht erinnern können* (vgl. Sulzer), *erleben sie bei den eigenen Kindern zum ersten Mal, und hier erst, beim Schwächeren, wehren sie sich oft ganz massiv.* Dazu dienen unzählige Rationalisierungen, die sich bis heute erhalten haben. Obwohl Eltern *immer* aus inneren Gründen, d. h. aus der eigenen Not, ihre Kinder mißhandeln, gilt es in unserer Gesellschaft als klare, ausgemachte Sache, daß diese Behandlung für die Kinder gut sein soll. Nicht zuletzt die Sorgfalt, die man dieser Argumentation angedeihen läßt, verrät ihre Doppelbödigkeit. Obwohl diese Argumente jeder psychologischen Erfahrung widersprechen, werden sie von Generation zu Generation weitergereicht.

Dafür muß es emotionale Gründe geben, die sehr tief in allen Menschen verankert sind. Niemand könnte wohl auf die Dauer »Wahrheiten« gegen physikalische Gesetze verkünden (z. B. daß es gesund fürs Kind sei, im Winter im Badekleid und im Sommer im Pelzmantel herumzulaufen), ohne sich der Lächerlichkeit auszusetzen. Aber es ist durchaus üblich, über die Notwendigkeit des Schlagens, der Demütigung und Bevormundung zu sprechen, allerdings mit gewählteren Worten wie »Züchtigung«, »Erziehung« und »Lenkung zum Guten«. In den folgenden Ausschnitten aus der *Schwarzen Pädagogik* läßt sich beobachten, welchen Gewinn der Erzieher für seine verborgensten, uneingestandenen Bedürfnisse aus dieser Ideologie zieht. Das erklärt auch den großen Widerstand gegen die Rezeption und Integration des unbestreitbaren Wissens, das man in den letzten Jahrzehnten über psychologische Gesetzmäßigkeiten errungen hat.

Es gibt viele gute Bücher, die über die Schädlichkeit und Grausamkeit der Erziehung berichten (z. B. E. von Braunmühl, L. de Mause, K. Rutschky, M. Schatzman, K. Zimmer). Warum vermag dieses Wissen so wenig in der Öffentlichkeit zu verändern? Ich habe mich früher mit den zahlreichen individuellen Gründen für diese Schwierigkeiten beschäftigt, meine aber, daß in der Behandlung der Kinder auch eine *allgemein gültige psychologische Gesetzmäßigkeit* anzutreffen ist, die es aufzudecken gilt: die Machtausübung des Erwachsenen über das Kind, die wie keine andere verborgen und ungestraft bleiben kann. Die Aufdeckung dieses fast ubiquitären Mechanismus ist oberflächlich gesehen gegen das Interesse von uns allen (wer verzichtet schon leicht auf die Abfuhrmöglichkeit aufgestauter Affekte und auf die Rationalisierungen zur Erhaltung des guten Gewissens?), aber sie ist dringend notwendig im Interesse der späteren Generationen. Denn je leichter es dank der Technik sein wird, mit einem Knopfdruck Tausende von Menschen umzubringen, um so wichtiger ist es, daß im öffentlichen Bewußtsein *die ganze Wahrheit* darüber zugelassen werde, wie der Wunsch, das Leben von Millionen von Menschen auszulöschen, entstehen kann. Schläge sind nur eine Form der Mißhandlung, sie sind *immer* erniedrigend, weil das Kind sich nicht dagegen wehren darf und den Eltern dafür Dank und Respekt schulden soll. Aber neben der Prügelstrafe gibt es eine ganze Skala von raffinierten Maßnahmen »zum Wohle des Kindes«, die für das Kind schwer durchschaubar sind und gerade deshalb oft verheerende Wirkungen auf sein späteres Leben haben. Was geht z. B. in uns vor, wenn wir als Erwachsene versuchen, uns in das Kind einzufühlen, das von P. Villaume folgendermaßen erzogen wird:

Wenn das Kind auf der Tat ertappt worden ist, ist's auch nicht schwer, *ihm das Geständnis abzulocken.* Sehr leicht wäre es, ihm zu sagen: Der und der hat gesehen, daß du dies und jenes getan hast. Ich möchte aber lieber einen Umweg nehmen; und deren gibt es mehrere.
Man hat das Kind über seinen kränklichen Zustand ausgefragt. Man hat von ihm selbst das Geständnis, daß es diese und jene Schmerzen, Beschwerden empfindet, welche man ihm beschreibt. Ich fahre fort:
»Du siehst mein Kind, daß ich deine jetzige Leiden weiß; ich habe dir solche gesagt. Du siehst also, daß ich deinen Zustand kenne. Ich weiß noch mehr: ich weiß, was du noch in der Zukunft leiden wirst, und will dir's sagen; höre mich. Dein Gesicht wird noch welker, deine Haut braun werden; dein Hände werden zittern, du wirst eine Menge kleiner Geschwüre im Gesicht bekommen, deine Augen werden trüb, dein Gedächtnis schwach, dein Verstand stumpf werden. Alle Fröhlichkeit, Schlaf und Appetit wirst du verlieren usw.«
Schwerlich wird man ein Kind finden, das nicht erschrecken sollte. Weiter:
»Nun will ich dir noch mehr sagen; sei recht aufmerksam! Weißt du, woher alle deine Leiden kommen? Du magst es nicht wissen; *ich aber weiß es. Du hast sie verschuldet! – Ich will dir sagen, was du im Verborgenen tust.* Sieh usw.«
Ein Kind müßte aufs Äußerste verstockt sein, wenn es nicht mit Tränen gestehen sollte.

Der andre Weg zur Wahrheit ist folgender: Ich entlehne dieses Stück aus den Pädagogischen Unterhandlungen.
Ich rief Heinrich. »Höre einmal, Heinrich, dein Anfall hat mich ganz bedenklich gemacht.« (H. hatte einige Anfälle von der fallenden Sucht gehabt.) »Ich habe hin und her gesonnen, was wohl die Ursache sein mag, aber ich kann nichts finden. Bedenke dich; weißt du nichts!«
H. »Nein, ich weiß nichts.« (Er konnte wohl nichts wissen; denn ein Kind in diesem Fall weiß nicht, was es tut. Auch sollte das nur ein Eingang zu dem folgenden sein.)
»Es ist doch sonderbar! Hast du dich etwa erhitzt, und zu bald getrunken?«
H. »Nein; Sie wissen ja, ich bin schon lange nicht ausgegangen, als wenn Sie mich mitnahmen.«
»Ich kann es nicht begreifen – Ich weiß zwar auch eine Geschichte von einem Knaben von etwa zwölf Jahren (so alt war Heinrich), die ist sehr traurig – der Knabe starb zuletzt.«
(Der Erzieher schildert hier Heinrich selbst, unter einem andern Namen, und erschreckt ihn.)
»Er bekam auch unvermutet solche Verzuckungen wie du; und sagte, dann wäre ihm so, als wenn ihn jemand heftig kitzelte.«
H. »Ach Gott! Ich werde doch nicht sterben? Es ist mir auch so.«
»Und manchmal wollte ihm der Kitzel den Odem benehmen.«
H. »Mir auch. Haben Sie es nicht gesehen?« (Hieraus sieht man, daß das arme Kind in der Tat nicht wußte, was die Ursache seines Elendes war.)
»Er fing dann heftig an zu lachen.«
H. »Nein, mir wird Angst, daß ich nicht weiß, wohin.«
(Dieses Lachen gibt der Erzieher nur vor; vielleicht um seine Absicht zu verhehlen. Mir deucht, es wäre besser gewesen, wenn er bei der Wahrheit geblieben wäre.)
»Das hielt alles eine Zeitlang an; endlich verfiel er in ein so starkes, heftiges und anhaltendes Lachen, daß er erstickte und starb.«
(Dies alles erzählte ich mit der größten Gleichgültigkeit, bemerkte seine Antworten gar nicht; suchte alles bis auf Mienen und Gebärden, so zu stellen, daß es das Ansehen freundschaftlicher Unterhaltung gewann.)
H. »Er starb vor Lachen? Kann man denn vor Lachen sterben?«
»Jawohl; das hörst du hier. Hast du nicht jemals recht heftig

gelacht? Da wird's so enge um die Brust, und die Tränen kommen in die Augen.«

H. »Ja, das weiß ich.«

»Nun gut; so stelle dir vor, wenn das hätte sehr lange anhalten sollen, ob du es hättest ausstehen können? Du konntest aufhören, weil der Gegenstand oder die Sache, die dich zu Lachen machte, aufhörte auf dich zu wirken, oder weil sie dir nicht mehr so lächerlich vorkam. Bei dem armen Knaben aber war keine solche äußerliche Sache, die ihn lachen machte; sondern die Ursache war der Kitzel seiner Nerven, den er nicht nach seinem Willen aufhören machen konnte; und wie der fortdauerte, so dauerte auch sein Lachen fort, und bewirkte am Ende seinen Tod.«

H. »Der arme Knabe! – Wie hieß er?«

»Er hieß Heinrich.«

H. »Heinrich –!« (Er sah mich starr an).

(Gleichgültig) »Ja! Er war eines Kaufmanns Sohn in Leipzig.«

H. »So! Aber woher kam denn das?«

(*Diese Frage wollte ich gern hören.* Bisher war ich im Zimmer auf und ab gegangen; nun blieb ich stehen und *faßte ihn scharf ins Gesicht, um ihn ganz genau zu bemerken.*)

»Was denkst du wohl, Heinrich?«

H. »Ich weiß nicht.«

»Ich will dir's sagen, was die Ursache war. (Folgendes sagte ich mit langsamem und nachdrücklichem Ton.) Der Knabe hatte von irgend jemand gesehen, daß er sich an den feinsten Nerven seines Körpers schadete, und dabei wunderliche Gebärden machte. Dieser Knabe, ohne zu wissen, daß er sich schaden würde, ahmte dieses nach. Es gefiel ihm so sehr, daß er endlich durch diese Handlung die Nerven seines Körpers in eine ungewöhnliche Bewegung setzte, sie dadurch schwächte und seinen Tod bewirkte.« (Heinrich war über und über rot, und in einer sichtbaren Verlegenheit.) – »Was fehlt dir, Heinrich?«

H. »Ach nichts!«

»Bekommst du etwa deinen Anfall wieder?«

H. »Ach nein! Wollen Sie mir erlauben, daß ich fortgehen darf?«

»Warum, Heinrich? Gefällt es dir nicht bei mir?«

H. »Ach ja! Aber –«

»Nun?«

H. »Ach nichts!«

»Höre, Heinrich, ich bin dein Freund, nicht wahr? Sei aufrichtig. Warum bist du so rot und so unruhig geworden, bei der Geschichte des armen Knaben, der sich auf so unglückliche Weise sein Leben verkürzte?«
H. »Rot? Ach, ich weiß nicht – Es tat mir leid um ihn.«
»Ist das alles? – Nein, Heinrich, es muß eine andre Ursache sein; dein Gesicht verrät's. Du wirst unruhiger? Sei aufrichtig, Heinrich; *durch Aufrichtigkeit machst du dich Gott, unserm lieben Vater, und allen Menschen angenehm.*«
H. »Ach Gott – (Er fing an überlaut zu weinen, und war so erbarmungswürdig, daß mir auch die Tränen in die Augen stiegen – er sah's, griff meine Hand und küßte sie heftig.)
»Nun, Heinrich, was weinst du?«
H. »Ach Gott!«
»Soll ich dir dein Geständnis ersparen? Nicht wahr, du hast eben das getan, was jener unglückliche Knabe tat?«
H. »Ach Gott! Ja.«
Diese letztere Methode möge vielleicht ersterer vorzuziehen sein, *wenn man es mit Kindern von einem sanften, weichen Charakter zu tun hat.* Jene hat schon etwas Hartes, indem sie das Kind geradezu angreift. (P. Villaume, 1787, zit. n. KR, S. 19 ff.)

Gefühle von Empörung und Wut über diese verlogene Manipulation können im Kind in dieser Situation gar nicht aufkommen, weil es die Manipulation gar nicht durchschaut. Es können lediglich Gefühle von Angst, Scham, Verunsicherung und Hilflosigkeit in ihm auftauchen, die möglicherweise schnell vergessen werden, nämlich sobald das Kind ein eigenes Opfer gefunden hat. Villaume sorgt, wie andere Erzieher, bewußt dafür, daß seine Methoden unbemerkt bleiben:

Man muß also auf das Kind aufmerksam sein, doch aber so, *daß es davon nichts merkt*, sonst verbirgt es sich, wird mißtrauisch, und es ist ihm gar nicht beizukommen. Da ohnehin die Scham solches Vergehen immer zu verheimlichen anrät, so ist die Sache an und für sich gar nicht leicht.
Wenn man einem Kind (*doch immer unbemerkt*) überall, und vornehmlich an heimlichen Orten, *nachschleicht*, so kann es geschehen, daß man *es bei der Tat betrifft.*

Man läßt die Kinder früher zu Bett gehen – *wenn sie nun im ersten Schlaf sind*, nimmt man ihnen *ganz sacht die Decke ab*, um zu sehen, wie ihre Hände liegen oder ob man einige Merkmale wahrnehmen kann. Ebenfalls am Morgen, ehe sie munter werden.
Kinder, vornehmlich wenn sie einiges Gefühl oder irgendeine Vermutung haben, daß ihr heimliches Betragen ungesittet ist, scheuen und verbergen sich vor den Erwachsenen. Aus dem Grund würde ich anraten, das Geschäft der Beobachtung irgendeinem Kameraden, und bei dem weiblichen Geschlecht einer jungen Freundin, einem treuen Dienstmädchen aufzutragen. Es versteht sich, daß solche Beobachter schon mit dem Geheimnis bekannt oder von einem Alter und Beschaffenheit sein müssen, in welchem die Bekanntmachung unschädlich ist. Solche nun würden *unter dem Schein der Freundschaft* (und es wäre wahrlich ein großer Freundschaftsdienst) *jene beobachten.* Ich wollte wohl raten, wenn man ihrer ganz versichert und es übrigens zur Beobachtung nötig wäre, daß die *Beobachter mit den Kleinen in einem Bett schliefen.* Im Bett fällt Scham und Mißtrauen leicht weg. Wenigstens *wird's nicht lange währen, daß sich die Kleinen nicht durch Reden oder Taten verraten.* (P. Villaume, 1787, zit. n. KR, S. 316 f.)

Das bewußte Einsetzen der Demütigung, das die *Bedürfnisse des Erziehers befriedigt*, zerstört das Selbstbewußtsein des Kindes, macht es unsicher und gehemmt, wird aber als Wohltat gepriesen.

Es braucht nicht erst gesagt zu werden, wie die Erzieher selbst nicht selten durch unverständiges Hervorheben der Vorzüge des Kindes den Dünkel wecken und steigern helfen, da sie selber nur oft größere Kinder sind und gleichen *Dünkels* voll. [. . .] Es kommt nun darauf an, den Dünkel wieder zu beseitigen. Unstreitig ist er eine Mißbildung, die, wenn sie nicht beizeiten bekämpft wird, sich verhärtet und, mit andern selbstsüchtigen Angelegenheiten zusammentretend, *für das sittliche Leben höchst gefährlich werden kann*, davon ganz abgesehen, daß der zur Hoffart gesteigerte Dünkel andern lästig oder lächerlich werden muß. Außerdem wird durch diesen auch die Wirksamkeit des Erziehers mannigfach beschränkt, das Gute, welches er lehrt und wozu er auffordert, glaubt ja der Dünkelvolle schon zu besitzen und hält es wenigstens für leicht erreichbar, Warnungen werden als übertriebene Ängstlichkeit, Worte des Tadels als Zeichen einer grämlichen Strenge genommen. *Da kann nur Demütigung helfen.* Wie aber soll diese beschaffen sein? Vor allen Dingen *nicht viele Worte.* Worte sind überhaupt nicht gerade dasjenige, wodurch Sittliches begründet und entwickelt, Unsittliches abgeschafft und entfernt werden kann; sie können nur als Begleiter einer tiefer greifenden Operation von Wirkung sein. Am wenigsten möchten umständliche direkte Belehrungen und lange Strafpredigten, herbe Satiren und bitterer Spott zum Ziel führen: die ersteren erregen Langeweile und stumpfen ab, die letzteren erbittern und schlagen nieder. Am eindringlichsten lehrt immer das Leben. *Man führe also den Dünkelvollen in Verhältnisse ein, wo er*, ohne daß der Erzieher ein Wort verlieren darf, *sich seiner Mangelhaftigkeit bewußt wird*: der auf seine Kenntnisse ungebührlich Stolze *werde mit Aufgaben beschäftigt, denen seine Kraft durchaus noch nicht gewachsen ist* und man lasse ihn daher auch ungestört, wenn er zu hoch zu fliegen versucht, dulde aber bei solchen Versuchen keine Halbheit und Oberflächlichkeit; der mit seinem Fleiß sich Brüstende werde in Stunden, wo er nachläßt, ernst, aber kurz an seine Versäumnis erinnert, und man mache einem solchen selbst das in der Präparation fehlende oder falsch aufgeschriebene Wort bemerklich; wobei nur *zu vermeiden ist, daß der Schüler nicht eine besondere Absichtlichkeit argwöhne.* Nicht minder wirksam wird es sein, wenn der Erzieher seinen Zögling öfter in die Nähe des Großen und Erhabenen führt: dem talentvollen Knaben halte man entweder aus der lebendigen Umgebung oder aus der Geschichte Männer vor, die durch ein weit glänzenderes Talent ausgezeichnet sind und in Benutzung desselben Bewunderungswürdiges zustande gebracht oder solche, die, ohne besonders hervorleuchtende Geisteskräfte, durch angestrengten, eisernen Fleiß über den talentvollen Leichtsinn sich weit emporgehoben haben; natürlich auch hier ohne ausdrückliche Beziehung auf den Zögling, der diesen Vergleich schon von selbst in der Stille machen wird. Endlich wird es in bezug auf die bloß äußerlichen Güter zweckmäßig sein, an die Unsicherheit und Vergänglichkeit derselben durch gelegentliche Hinweisungen auf entsprechende Ereignisse zu erinnern; *der Anblick einer jugendlichen Leiche, die Kunde vom Sturz eines Handelshauses demütigt mehr, als oft wiederholtes Abmahnen und Tadeln.* (Aus: K. G. Hergang (Hrsg.), *Pädagogische Realenzyklopädie*, [2]1851, zit. n. KR, S. 412 f.)

Die Maske der Freundlichkeit hilft, die grausame Behandlung noch besser zu verbergen:

Als ich einst einen Schullehrer fragte, wie er es denn nur möglich gemacht habe, daß die Kinder ihm ohne Schläge gehorchten, antwortete er: Ich suche meine Schüler durch mein ganzes Betragen zu überzeugen, daß ich es gut mit ihnen meine, und zeige ihnen durch Exempel und Gleichnisse, *daß es ihr eigener Schade sei, wenn sie mir nicht gehorchen.* Ferner mache ich es zu einer Belohnung, daß *der Gefälligste, der Folgsamste, der Fleißigste* in den Lehrstunden *den andern vorgezogen wird*; ich frage ihn am meisten, ich erlaube ihm seinen Aufsatz öffentlich vorlesen zu dürfen, ich lasse ihn an die Tafel schreiben, was angeschrieben werden muß. Dadurch bringe ich Eifer in die Kinder, daß jeder gern sich auszeichnen, jeder gern vorgezogen sein will. Wenn dann einer bisweilen eine Strafe verwirkt hat, so setze ich ihn in der Lehrstunde zurück, ich frage ihn nicht, *ich lasse ihn nichts vorlesen, ich tue, als wenn er nicht zugegen wäre. Dies tut den Kindern gemeiniglich so weh, daß die Gestraften heiße Tränen vergießen*; und findet sich ja bisweilen einer, der durch solche gelinde Mittel sich nicht wollte ziehen lassen, so muß ich ihn freilich schlagen; *ich mache aber zu der Exekution eine so lange Vorbereitung*, die ihn *empfindlicher trifft, als die Schläge selbst.* Ich schlage ihn nicht in dem Augenblick, da er die Strafe verdient hat, *sondern verschiebe es bis zum folgenden oder bis auf den dritten Tag.* Davon habe ich zweierlei Vorteile, erstlich kühlt sich unterdessen mein Blut ab, und ich bekomme Ruhe, zu überlegen, wie ich die Sache *recht klug anfangen* will; *hernach fühlt auch der kleine Delinquent die Strafe zehnfach* nicht nur auf dem Rücken, sondern auch *durch beständiges Denken an dieselbe.*
Kommt nun der Tag der Strafe, so halte ich gleich nach dem Morgengebet eine wehmütige Anrede an sämtliche Kinder und sage ihnen, daß ich heute einen sehr traurigen Tag hätte, indem ich durch die Unfolgsamkeit eines meiner lieben Schüler in die Notwendigkeit wäre versetzt worden, ihn zu schlagen. Da fließen schon *viele Tränen, nicht nur von dem, der gezüchtigt werden soll, sondern auch von seinen Mitschülern.* Nach Endigung dieses Vortrags lasse ich die Kinder sich niedersetzen und fange meine Lektion an. *Erst wenn die Schule geendigt ist*, lasse ich den kleinen Sünder hervortreten, kündige ihm sein Urteil an und frage ihn, ob er wisse, womit er es verdient habe? Hat er dieses gehörig beantwortet, so zähle ich ihm *in Gegenwart sämtlicher Schulkinder*

seine Schläge zu, wende mich dann an die Zuschauer und sage, wie ich herzlich wünsche, daß dies das letztemal gewesen sein möge, da ich genötigt gewesen wäre, ein Kind zu schlagen. (C. G. Salzmann, 1796, zit. n. KR, S. 392 f.)

Es ist dann nur die Freundlichkeit des Erwachsenen, die im Dienst des Überlebens im Gedächtnis des Kindes zurückbleibt, gepaart mit einer zuverlässigen Hörigkeit des »kleinen Verbrechers« und dem Verlust der Fähigkeit, spontan Gefühle zu erleben.

Wohl den Eltern und Lehrern, welche es durch eine weise Erziehung ihrer Kinder so weit gebracht haben, daß *ihr Rat so kräftig ist als ein Befehl*; daß sie zur Ausübung einer eigentlichen Strafe selten veranlaßt werden, und daß selbst in diesen wenigen Fällen die *Entziehung gewisser angenehmer, aber entbehrlicher Dinge, die Entfernung von ihrer Gesellschaft, die Erzählung des Ungehorsams an Personen, deren Beifall die Kinder verlangen,* oder andere solche Mittel *als die strengsten Strafen gefürchtet werden.* Doch so glücklich sind die wenigsten Eltern. Die meisten müssen zuweilen zu härteren Mitteln greifen. Aber wenn sie wahrhaftigen Gehorsam ihrer Kinder dadurch veranlassen wollen, so müssen bei der Züchtigung sowohl die Mienen als die Worte zwar ernsthaft, doch nicht grimmig und feindselig sein.
Man sei gefaßt und ernsthaft, man kündige die Strafe an, man strafe und sage weiter nichts, bis die Handlung geendigt und *der gestrafte kleine Verbrecher wieder fähig ist, neuen Rat und neue Befehle zu verstehen.* [...]
Wenn nun nach geendigter Züchtigung der Schmerz noch eine Zeitlang fortdauert, so ist es unnatürlich, alsobald das Weinen und Ächzen zu verbieten. Wollen aber die Gezüchtigten sich durch solche beschwerlichen Töne rächen, so ist das erste Mittel, daß man sie durch gewisse anbefohlene kleine Gewerbe oder Handlungen zerstreue. Hilft dieses nicht, so darf man das Weinen verbieten und die Übertretung strafen, bis nach dem Ende der neuen Züchtigung das Weinen aufhört. (Aus: J. B. Basedow, *Methodenbuch für Väter und Mütter der Familien und Völker*, [3]1773, zit. n. KR, S. 391 f.)

Das Weinen als natürliche Reaktion auf den Schmerz muß mit neuer Züchtigung unterdrückt werden. Bei der Unterdrückung der Gefühle gibt es verschiedene Techniken:

Nun laßt uns sehen, was die Übungen zur völligen Unterdrückung der Affekte tun. Wer die Kraft einer eingerissenen Gewohnheit kennt, der weiß, daß es Überwindung und Standhaftigkeit erfordert, ihr zu widerstehen. Die Affekte aber können als solche eingewurzelte Gewohnheiten angesehen werden. Je standhafter und geduldiger nun ein Gemüt überhaupt ist, desto tüchtiger ist es in besondern Fällen, eine Neigung oder schlimme Gewohnheit zu überwinden. Also dienen überhaupt alle Übungen, durch welche die Kinder sich selbst überwinden lernen, die sie geduldig und standhaft machen, *zur Unterdrückung der Neigungen*. Demnach verdienen bei der Erziehung alle Übungen dieser Art eine besondere Aufmerksamkeit und sind *als eines der wichtigsten Dinge* anzusehen, ungeachtet sie fast überall versäumt werden.
Dergleichen Übungen nun hat man sehr viele, und man kann sie auf eine solche Weise anstellen, daß die Kinder sich ihnen gern unterwerfen, wenn man nur die rechte Art weiß, mit ihnen zu sprechen, und die Zeit beachtet, da sie aufgeräumt sind. Eine solche Übung ist z. B. das Stillschweigen. Fragt ein Kind: Könntest du wohl einmal ein paar Stunden stille sein, ohne ein Wort zu reden? Macht ihm Lust, die Sache zu probieren, bis es die Probe einmal ausgehalten hat. Hernach spart nichts, ihm zu bezeugen, daß dies ein Verdienst ist, sich selbst so zu überwinden. Wiederholt die Übung, macht sie von Zeit zu Zeit schwerer, teils durch ein längeres Stillschweigen, teils dadurch, daß ihr ihm Anlaß zum Sprechen gebt oder daß ihr ihm etwas mangeln läßt. Diese Übungen setzt solange fort, bis ihr seht, daß das Kind eine Fertigkeit darin erlangt hat. Hernach vertraut ihm Geheimnisse an und versucht, ob es auch da schweigen kann. Ist es soweit gekommen, daß es seine Zunge bezähmen kann, so ist es auch zu anderen Dingen fähig, und die Ehre, die es dadurch erlangt, ermuntert es, andere Proben zu bestehen. Eine solche Probe ist, *sich gewisser Dinge zu enthalten, die man liebt*. Kinder lieben insonderheit die Vergnügen der Sinne. Man muß bisweilen probieren, ob sie sich hierin überwinden können. Gebt ihnen schöne Früchte, und wenn sie sich daranmachen wollen, so stellt sie auf die Probe. Könntest du dich überwinden, *diese Früchte bis morgen aufzuheben? Könntest du diese wegschenken?* Verfahret so, wie ich gleich vorher von dem Stillschweigen gelehrt. Die Kinder lieben die Bewegung. Sie halten sich nicht gern still. Übt sie auch

darin, *damit sie lernen sich überwinden.* Setzt auch ihren Leib, soviel es die Gesundheit erlaubt, auf die Probe; *laßt sie hungern, dürsten, Hitze und Frost ausstehen, harte Arbeit verrichten;* doch daß es *mit guter Einwilligung der Kinder geschehe; denn zu solchen Übungen muß man sie gar nicht zwingen,* weil sie sonst ohne Nutzen sein würden. Ich verspreche euch, daß die Kinder *durch solche Übungen tapfere, standhafte und geduldige Gemüter bekommen werden,* die hernach desto eher *tüchtig sein werden, die bösen Neigungen zu unterdrücken.* Ich will den Fall setzen, daß ein Kind unbedachtsam im Reden ist, so daß es sehr oft ganz ohne Grund spricht. Diese Gewohnheit könnte durch folgende Übung behoben werden. Nachdem ihr dem Kind seine Unart gründlich vorgestellt, so sagt ihm: Nun wollen wir einmal probieren, ob du das unbedachtsame Reden lassen kannst. Ich werde sehen, wievielmal du heut ohne Überlegung sprechen wirst. Alsdann gibt man auf alle seine Reden genaue Achtung, und wo es unbedachtsam gesprochen, so zeigt man ihm deutlich, daß es gefehlt hat und bemerkt, wie oft dieses in einem Tag geschehen. Den folgenden Tag sagt man ihm: Gestern hast du sovielmal unbedächtig gesprochen; nun laßt uns sehen, wie oft du heute fehlen wirst. Und auf diese Weise fährt man fort. Wenn noch ein wenig von Ehre und guten Trieben in dem Kind vorhanden ist, so wird es auf solche Weise gewiß nach und nach von seinem Fehler lassen.
Neben diesen allgemeinen Übungen muß man auch besondere vornehmen, die *unmittelbar auf die Bezähmung der Affekte gehen,* die aber nicht eher vorgenommen werden müssen, bis man die oben erwähnten Vorstellungen erst gebraucht hat. Ein einziges Beispiel kann für alle übrigen zur Regel dienen, weil ich die Segel etwas einziehen muß, um nicht allzu weitläufig zu werden. *Laßt uns annehmen, ein Kind sei rachgierig,* und man habe schon durch Vorstellungen soviel erhalten, daß es geneigt ist, diese Passion zu unterdrücken, uns daher auch verspricht, es zu tun, so setzt es auf folgende Weise auf die Probe: Sagt ihm, daß ihr seine Standhaftigkeit in Überwindung dieser Passion auf die Probe setzen wollt; vermahnt es, auf guter Hut zu sein und sich wider die ersten Anfälle des Feindes in acht zu nehmen. Hernach *bestellt jemand heimlich, daß er dem Kind eine Beleidigung zufügen soll, wenn es sich nicht versieht,* um zu sehen, wie es sich verhalten wird. Gelingt es ihm, daß es sich überwindet, so muß man seine Verdienste loben und es soviel als möglich das Vergnügen, das aus der

Überwindung seiner selbst kommt, fühlen lassen. Hernach muß man ein andermal *dieselbe Probe wiederholen.* Kann es die Probe nicht aushalten, *so muß man es liebreich bestrafen* und vermahnen, sich ein andermal besser zu halten. Doch muß man nicht streng gegen es sein. Wo viele Kinder sind, da muß man die, die eine Probe gut ausgehalten haben, andern als Vorbild hinstellen. Man muß den Kindern aber bei diesen Proben so viel als möglich nachhelfen. Man muß ihnen sagen, wie sie sich in acht zu nehmen haben. Man muß ihnen soviel Lust zu der Sache machen, als nur immer möglich ist, damit sie nicht durch die Schwierigkeiten abgeschreckt werden. Denn es ist zu merken, daß zu solchen Proben notwendig eine Lust von seiten der Kinder erfordert wird, weil sonst alles unfruchtbar abläuft. So viel soll von den Übungen gesagt sein. (J. Sulzer, [2]1748, zit. n. KR, S. 362 ff.)

Die Wirkung dieser Affektbekämpfung ist deshalb so verhängnisvoll, weil *bereits beim Säugling* damit begonnen wird, d. h. bevor sich das Selbst des Kindes entwickeln konnte.

Eine fernere, in ihren Konsequenzen sehr wichtige Regel ist die: daß auch erlaubtes Begehren des Kindes stets *nur* dann erfüllt werde, wenn das Kind in freundlich harmloser oder wenigstens ruhiger Verfassung ist, *niemals* aber mitten im Schreien oder unbändigen Gebaren. Zuvor muß das ruhige Benehmen zurückgekehrt sein, selbst wenn z. B. das wohlbegründete und rechtzeitige Bedürfnis nach der regelmäßigen Nahrung die Veranlassung wäre – und *dann* erst, *nach einer kleinen Pause*, schreite man zur Erfüllung. Auch die Zwischenpause ist nötig, denn *es muß vom Kind selbst der leiseste Schein ferngehalten werden, als könne es durch Schreien oder unbändiges Benehmen seiner Umgebung irgend etwas abzwingen.* Im Gegenteil erkennt das Kind sehr bald, daß es nur durch das entgegengesetzte Benehmen, durch (obschon noch unbewußte) *Selbstbeherrschung*, seine Absicht erreicht. Unglaublich schnell (wie andernfalls ebensoschnell die entgegengesetzte Gewohnheit) bildet sich die feste gute Gewohnheit. Man hat damit schon sehr viel gewonnen, denn die Konsequenzen dieser guten Grundlage reichen *unendlich weit und vielarmig in die Zukunft hinein.* Es ist aber auch hierbei ersichtlich, wie undurchführbar diese und alle ähnlichen Grundsätze, welche gerade als die wich-

tigsten betrachtet werden müssen, sind, wenn, wie meistenteils, die Kinder dieses Alters fast nur den Händen von Dienstleuten überlassen sind, welche, wenigstens für solche Auffassungen, selten genügendes Verständnis haben.
Durch die zuletzt erwähnte Gewöhnung hat das Kind bereits einen merklichen Vorsprung erreicht *in der Kunst zu warten* und ist vorbereitet auf eine andere, für die Folge noch wichtigere, auf *die Kunst sich zu versagen.* Nach dem bisherigen kann es fast als selbstverständlich betrachtet werden, daß jedem unerlaubten Begehren – sei dieses nun ein dem Kind selbst nachteiliges oder nicht – *eine unbedingte Verweigerung mit ausnahmsloser Konsequenz entgegengesetzt werden müsse. Das Verweigern allein ist aber noch nicht alles, sondern man muß zugleich darauf achten, daß das Kind das Verweigern ruhig hinnehme* und nötigenfalls durch ein ernstes Wort, eine Drohung u. dgl., *dieses ruhige Hinnehmen zu einer festen Gewohnheit machen.* Nur keine Ausnahme gemacht! – und es geht auch dies leichter und schneller, als man gemeinhin glaubt. Jede Ausnahme freilich vernichtet die Regel und erschwert die Gewöhnung auf längere Zeit. – Dagegen *gewähre man jedes erlaubte Begehren des Kindes mit liebevoller Bereitwilligkeit.*
So nur erleichtert man dem Kind die heilsame und unentbehrliche *Gewöhnung an Unterordnung und Regelung seines Willens*, an Selbstunterscheidung des Erlaubten und des Nichterlaubten, nicht aber durch zu ängstliches Entziehen aller ein unerlaubtes Begehren anregenden Wahrnehmungen. Der Grund zu der dazu nötigen geistigen Kraft muß frühzeitig gelegt, und ihre Erstarkung kann, wie die jeder anderen Kraft, nur durch Übung erreicht werden. Will man später erst damit beginnen, so wird das Gelingen ungleich schwieriger, und das darauf nicht eingeübte kindliche Gemüt dem Eindruck der Bitterkeit ausgesetzt.
Eine sehr gute, dieser Altersstufe ganz zeitgemäße Übung in der Kunst sich zu versagen, ist die, daß man dem Kind oft Gelegenheit gibt, *andere Personen* in seiner nächsten Umgebung *essen und trinken sehen zu lernen, ohne daß es selbst danach begehrt.* (D. G. M. Schreber, 1858, zit. n. KR, S. 354 f.)

Das Kind soll also von Anfang an lernen, »sich selbst zu verleugnen«, alles, was nicht »gottgefällig« in ihm ist, so früh wie möglich abzutöten.

Die wahre Liebe stammt aus dem Herzen Gottes, dem Quell und Urbild alles Vatersinnes (Eph. 3,15), ist durch die Liebe des Erlösers ab- und vorgebildet und wird durch den Geist Christi in den Menschen erzeugt, genährt, erhalten. *Durch diese von oben stammende Liebe wird die natürliche elterliche Liebe gereinigt, geheiligt, geklärt und gestärkt.* Diese geheiligte Liebe hat vor allem das dem Kinde gesteckte Ziel, das Gedeihen des inwendigen Menschen, das Geistesleben desselben im Auge, seine Befreiung von der Macht des Fleisches, seine Erhebung über die Ansprüche des bloß natürlichen Sinnenlebens, seine innere Unabhängigkeit von der es umflutenden Welt. Sie ist darum von früh an schon darauf bedacht, *daß das Kind lerne, sich selbst zu verleugnen, zu überwinden* und *zu beherrschen*, daß es nicht blindlings den Trieben des Fleisches und der Sinnlichkeit folge, sondern dem höheren Willen und Triebe des Geistes. *Diese geheiligte Liebe* kann darum auch ebensowohl hart sein als mild, ebenso versagen als gewähren, jedes zu seiner Zeit, sie *versteht auch durch Wehetun wohlzutun*, sie kann auch schwere Verleugnungen auferlegen, wie ein Arzt, der auch bittere Arzneien verordnet, wie ein Chirurg, der wohl weiß, daß der Schnitt seines Messers schmerzt; aber er schneidet doch, weil es die Rettung des Lebens gilt. »Du hauest ihn (den Knaben) mit der Rute; aber du errettest seine Seele von der Hölle.« In diesem Wort malt Salomo das Hartseinkönnen der wahren Liebe. Es ist nicht die harte stoische oder einseitig gesetzliche Strenge, die Gefallen an sich selber hat und lieber den Zögling opfert, als daß sie einmal von ihrer Satzung wiche; nein, sie läßt *ihr herzliches Wohlmeinen* bei allem Ernst doch immer wieder in *Freundlichkeit, Erbarmen*, hoffender Geduld, wie die Sonne durch Wolken, hindurchleuchten. Sie ist bei aller Festigkeit doch frei und *weiß immer, was sie tut und warum sie es tut.* (Aus: K. A. Schmid [Hrsg.], *Enzyklopädie des gesamten Erziehungs- und Unterrichtswesens*, ²1887, zit. n. KR, S. 25 f.)

Da man genau zu wissen meint, welche Gefühle für das Kind (oder den Erwachsenen) gut und wertvoll sind, wird auch die Heftigkeit, die eigentliche Quelle der Kraft, bekämpft.

Zu jenen geistigen Erscheinungen, welche an der *Grenze der Normalität* auftreten, gehört *die Heftigkeit der Kinder*, ein Gebaren, das in mannigfacher Form sich darstellt, gewöhnlich aber damit beginnt, daß mit der nicht unmittelbaren Befriedigung eines angeregten Begehrens eine außergewöhnlich heftige Tätigkeit im Gebiet der willkürlichen Muskeln unter mehr oder minder großer Begleitung von Folgezuständen zum Ausbruch kommen. Kinder, die erst wenige Wörter sprechen gelernt haben und deren ganze Geschicklichkeit in dem Greifen nach den nächsten Gegenständen sich zu erkennen gibt, brauchen, wenn sie für die Entwicklung eines heftigen Wesens geeignet sind, nur einen Gegenstand nicht zu erhalten oder nicht behalten dürfen, um in ein wildes Geschrei auszubrechen und in ungezügelte Bewegungen versetzt zu werden. *Auf eine ganz natürliche Weise entwickelt sich aus ihm die Bosheit*, jene Charaktereigentümlichkeit, welche darin besteht, daß das menschliche Gefühl nicht mehr den allgemeinen Gesetzen der Lust und des Schmerzes unterstellt ist, sondern in seiner natürlichen Anlage dermaßen entartet ist, daß es nicht nur jede Teilnahme verloren hat, sondern an der Unlust und dem Schmerz anderer eine Lust empfindet. Die immer steigende *Unlust des Kindes über den Verlust des Lustgefühls*, das durch die Gewährung seiner Wünsche verschafft worden wäre, *findet schließlich ihre Befriedigung nur noch in der Rache*, d. h. in dem wohltuenden Gefühl, seinesgleichen in das nämliche Gefühl der Unlust oder des Schmerzes versetzt zu wissen. Je öfter die Wohltat dieses Rachegefühls empfunden wird, um so mehr macht sie sich als ein Bedürfnis geltend, das in jedem müßigen Augenblick die Mittel zu seiner Befriedigung in Bewegung setzen kann. In diesem Stadium gelangt das Kind durch seine Heftigkeit dahin, anderen jede nur mögliche Unannehmlichkeit, jedes nur denkbare Ärgernis zuzufügen, nur um ein Gefühl zu erwecken, das den Schmerz über die unerfüllt bleibenden Wünsche zu lindern vermag. Aus diesem Fehler folgt mit Naturnotwendigkeit der weitere, daß durch die Furcht vor einer Strafe das Bedürfnis nach *Lüge, Schlauheit* und *Betrug*, nach der Anwendung von Hilfsmitteln erweckt wird, das nur geübt zu werden braucht, um zu einer Fertigkeit zu gelangen. Die unwiderstehliche Lust zur Bosheit bildet sich allmählich in der nämlichen Weise aus, ebenso der Hang zum Stehlen, die *Kleptomanie.* Als eine nebensächliche, aber nichtsdestoweniger beachtenswerte Folge des ursprünglichen Fehlers kommt auch noch der *Eigensinn* zur Entwicklung.

[...] Die Mütter, denen doch gewöhnlich die Erziehung der

Kinder überlassen bleibt, verstehen es sehr selten, der Heftigkeit erfolgreich entgegenzutreten.
[. . .] Wie bei allen schwer heilbaren Krankheiten muß auch bei dem psychischen Fehler der Heftigkeit *die größte Sorgfalt auf die* Prophylaxis, auf *die Verhütung des Übels*, gerichtet werden. Zur Erreichung dieses Zweckes wird jede Erziehung am besten *durch den unerschütterlich festgehaltenen Grundsatz* gelangen, *von dem Kind soviel als möglich alle Einwirkungen fernzuhalten, die mit der Erregung irgendeines Gefühles, eines wohltuenden oder schmerzlichen, verbunden sind.* (Aus: S. Landmann, *Über den Kinderfehler der Heftigkeit*, 1896, zit. n. KR, S. 364 ff.)

Bezeichnenderweise wird hier Ursache mit Wirkung verwechselt und etwas als Ursache bekämpft, das man selber bewirkt hat. Ähnliches findet sich nicht nur in der Pädagogik, sondern auch in der Psychiatrie und Kriminologie. Ist nun das »Böse« durch Unterdrückung des Lebendigen erzeugt, so ist jedes Mittel gerechtfertigt, um es im Opfer zu verfolgen.

[. . .] In der Schule speziell geht *Zucht vor Unterricht.* Fester steht kein Satz in der Pädagogik, als daß Kinder zuerst erzogen sein müssen, ehe sie unterrichtet werden können. *Es gibt wohl eine Zucht ohne Lehre,* wie wir oben gesehen, *aber keine Lehre ohne Zucht.*
Wir bleiben also dabei: Lernen an und für sich ist nicht Zucht, ist noch nicht sittliches Streben, sondern zum Lernen gehört Zucht.
Danach richten sich auch die Mittel der Zucht. *Zucht ist*, wie oben gesagt, *in erster Linie nicht Wort, sondern Tat*, und wenn sie in Worten sich darstellt, nicht Lehre, *sondern Befehl.*
[. . .] Hieraus geht nun aber weiter hervor, daß Zucht, wie das alttestamentliche Wort sagt, wesentlich Strafe (*musar*) ist. Der verkehrte, der zu seinem und anderer Unheil seiner selbst nicht mächtige Wille muß gebrochen werden. *Zucht ist*, mit Schleiermacher zu reden, *Lebenshemmung*, sie ist mindestens *Einschränkung der Lebenstätigkeit*, sofern diese sich nicht willkürlich entfalten kann, sondern in bestimmte Grenzen eingeschlossen und an bestimmte Ordnungen gebunden ist; je nach Umständen aber ist sie auch Einschränkung, also teilweise *Aufhebung des Lebensgenusses, der Lebensfreude*, und zwar selbst der geistlichen, indem bei-

spielsweise das Glied einer kirchlichen Gemeinde des höchsten in dieser Welt möglichen Genusses, der Kommunion, in vorübergehender Weise und bis zur Erlangung neuer religiöser Willensstärke verlustig erklärt wird. *Daß in dem Werk der Erziehung eine gesunde Zucht der körperlichen Züchtigung niemals wird entbehren können, ist in der Erörterung des Begriffs der Strafe nachzuweisen.* Ihre frühzeitige und nachdrückliche, aber sparsame Anwendung ist geradezu die Grundlage aller echten Zucht, *weil das Fleisch die Macht ist, welche in erster Linie gebrochen werden muß.* [. . .]
Da *wo die menschlichen Autoritäten nicht mehr hinreichen*, Zucht aufrechtzuhalten, *da tritt die göttliche Autorität mit Gewalt ein* und beugt die einzelnen wie die Völker *unter das unerträgliche Joch der eigenen Schlechtigkeit.* (Aus: *Enzyklopädie des gesamten Erziehungs- und Unterrichtswesens*, [2]1887; zit. n. KR, S. 381 f.)

Da wird die »Lebenshemmung« von Schleiermacher unverschleiert zugegeben und als Tugend gepriesen. Es wird aber wie bei vielen Moralisten übersehen, daß die echten freundlichen Gefühle ohne den lebendigen Grund der »Heftigkeit« gar nicht wachsen können. Moraltheologen und Pädagogen müssen besonders erfinderisch sein oder im Notfall wieder zur Rute greifen, denn auf dem durch frühe Zucht ausgetrockneten Boden wird die Nächstenliebe nicht leicht wachsen. Immerhin – es bleibt ja noch die Möglichkeit der »Nächstenliebe« aus Pflicht und Gehorsam, also wiederum die Lüge.

Ruth Rehmann (*Der Mann auf der Kanzel*, 1979), die selber Pfarrerstochter ist, beschreibt in ihrem Buch die Atmosphäre, in der Pfarrerskinder manchmal aufwachsen mußten:

Es wird ihnen gesagt, daß die Werte, die sie besitzen, eben wegen ihrer Immaterialität allen greifbaren Werten überlegen sind. Aus dem Besitz verborgener Werte wachsen Dünkel und Selbstgerechtigkeit, die sich rasch und nahtlos mit der geforderten Demut vermischen. Das kann ihnen niemand wegnehmen, nicht einmal sie selbst. In allem, was sie tun und lassen, haben sie es außer mit den leibhaftigen Eltern mit dem allgegenwärtigen Übervater zu tun, den sie nicht kränken können, ohne mit schlechtem Gewissen zu bezahlen. Schmerzloser ist es, sich zu fügen: *lieb sein*! In diesen Häusern *sagt man nicht »lieben«, sondern »liebhaben« und »lieb sein«*. Indem sie das Verb zum Adjektiv machen und mit einem Hilfsverb stützen, brechen sie dem Pfeil des Heidengottes die Spitze ab und biegen ihn zum Ehering und Familienband. Die gefährliche Wärme verwerten sie im heimischen Herd. *Wer sich einmal daran gewärmt hat, friert überall sonst auf der Welt.* (S. 40)

Nachdem sie die Geschichte ihres Vaters aus ihrer Tochterperspektive geschildert hat, faßt Ruth Rehmann ihre Gefühle in folgenden Worten zusammen:

Das ist es, was mich an dieser Geschichte beängstigt: diese besondere Art von Einsamkeit, die gar nicht nach Einsamkeit aussieht, weil sie von wohlwollenden Menschen umgeben ist, nur daß der Einsame keine andere Möglichkeit hat, ihnen näherzukommen, als die *von oben nach unten, durch ein Hinabbeugen*, wie der heilige Martin sich vom hohen Roß zum armen Mann hinabgebeugt. Man kann das mit den verschiedensten Namen nennen: *wohltun, helfen, schenken, raten, trösten, belehren, sogar dienen*, das ändert nichts daran, daß oben oben und unten unten bleibt, und daß der, der nun mal oben ist, sich nicht wohltun, raten, trösten, belehren lassen kann und wenn er es noch so nötig hätte, weil in dieser festgefahrenen Konstellation *keine Gegenseitigkeit möglich ist*, bei aller Liebe kein Funke von dem, was man Solidarität nennt. Kein Elend ist elend genug, *als daß so einer vom hohen Roß seines demütigen Dünkels herunterkäme.*
Das könnte die besondere Art von Einsamkeit sein, in der einer trotz täglicher minuziöser Kontrolle an Gottes Wort und Gebot in Schuld geraten könnte, ohne Schuld zu bemerken, *weil die Wahrnehmung gewisser Sünden ein Wissen voraussetzt, das durch Sehen, Hören, Verstehen zustande kommt,* nicht durch Dialoge im Innenraum. Camillo Torres hat außer Theologie auch Soziologie studieren müssen, um die Not seiner Leute zu verstehen und entsprechend zu handeln. *Die Kirche hat das nicht gern gesehen. Die Sünden des Wissenwollens sind ihr immer schon sündiger erschienen als die des Nichtwissenwollens* und diejenigen wohlgefälliger, die das Wesentliche im Unsichtbaren suchten und das Sichtbare als unwesentlich übersahen. (S. 213 f.)

Das Wissenwollen muß vom Pädagogen sehr früh unterbunden werden, auch damit das Kind nicht zu schnell merken kann, was mit ihm gemacht wird.

Der Knabe. Wo kommen denn die Kinder her, lieber Herr Hofmeister?

Der Hofmeister. Sie wachsen in dem Leib ihrer Mutter. Wenn sie so groß sind, daß sie keinen Platz mehr im Leib haben, so müssen die Mütter sie von sich drücken, ungefähr so wie wir, wenn wir viel gegessen haben, und dann auf den Abtritt gehen. Aber es tut den Müttern sehr weh.

Der Knabe. Und dann ist das Kind *geboren?*

Der Hofmeister. Ja.

Der Knabe. Aber wie kommt denn das Kind in den Leib der Mutter?

Der Hofmeister. Das weiß man nicht; man weiß nur, daß es darin wächst.

Der Knabe. Das ist doch sonderbar.

Der Hofmeister. Nun, das eben nicht. – Siehe, dort steht ein ganzer Wald, der ist auf dieser Stelle in die Höhe gewachsen. Es wundert sich kein Mensch darüber; denn man weiß schon, daß die Bäume aus der Erde hervorwachsen. Ebenso wundert sich kein Verständiger darüber, daß Kinder in dem Leib der Mütter wachsen. Denn dies ist so gewesen, solange als Menschen auf der Erde sind.

Der Knabe. Und da müssen *Hebammen* dabei sein, wenn ein Kind geboren wird?

Der Hofmeister. Ja; eben weil die Mütter so viel Schmerzen empfinden, daß sie sich nicht allein zu helfen wissen. Weil nun nicht alle Weiber so hartherzig und mutig sind, daß sie mit Leuten, welche viel Schmerzen ausstehen müssen, umgehen können, so hat man in jedem Ort Weiber, welche *für Bezahlung so lange bei den Müttern bleiben*, bis die Schmerzen wieder vorbei sind. *Ebenso wie man Totenweiber oder Totenwäscherinnen hat*; denn die Toten zu waschen, oder aus und anzuziehen, ist auch ein Geschäft, das nicht jedermann tun mag, und wozu sich daher Leute *um Geld* verstehen.

Der Knabe. Ich möchte doch einmal dabei sein, wenn ein Kind geboren wird.

Der Hofmeister. Wenn du dir eine Vorstellung von den Schmerzen und dem Jammer der Mütter machen willst, so brauchst du nicht eben dahin zu gehen, wo ein Kind geboren wird, denn man erfährt so etwas selten, weil die Mütter selbst nicht wissen, in welcher Viertelstunde die Schmerzen angehen; sondern ich will mit dir zu dem Hofrat R. gehen; wenn er einmal einen Patienten ein Bein abzuschneiden oder einen Stein aus dem Leib zu holen hat. Diese Leute jammern und winseln gerade so, wie die Mütter, wenn sie gebären müssen.

[...]

Der Knabe. Die Mutter hat mir unlängst gesagt, die *Hebamme* kennt die Kinder gleich, ob es Knaben oder Mädchen wären. *Woran kann denn die Hebamme dies erkennen?*

Der Hofmeister. Das will ich dir sagen. Die Knaben sind überhaupt viel breitschultriger und stärker von Knochen als die Mädchen: vorzüglich aber ist *die Hand und der Fuß eines Knabens allemal breiter und ungeformter als die Hand und der Fuß bei einem Mädchen*. Du darfst z. B. nur deiner Schwester Hand ansehen, welche doch fast anderthalb Jahre älter ist als du. Deine Hand ist viel breiter als die ihrige, und deine Finger sind dicker und fleischiger. Sie scheinen auch deswegen kürzer zu sein, obgleich sie es nicht sind. (J. Heusinger, [2]1801, zit. n. KR, S. 332 f.)

Ist das Kind einmal durch solche Antworten dumm gemacht worden, dann kann man vieles mit ihm anstellen.

Es nützt selten und schadet oft, wenn ihr ihnen die Ursachen angebt, um welcher willen ihr diese oder jene Wünsche nicht erfüllt. Selbst wenn ihr Willens seid, zu tun, was sie verlangen, *gewöhnt sie doch zuweilen zum Aufschub, zur Zufriedenheit* mit einem Teil der gewünschten Sache und *zur dankbaren Annehmung einer andern Wohltat*, die von der gebetnen verschieden ist. Zerstreut eine Begierde, der ihr widerstehen müßt, entweder durch Beschäftigung oder durch Erfüllung irgendeiner andern. *Mitten im Essen*, Trinken und Spielen sagt zuweilen mit freundlicher Ernsthaftigkeit, daß sie einige Minuten ihr *Vergnügen unterbrechen* und etwas anderes vornehmen sollen. Erfüllt keine Bitte, die ihr einmal abgeschlagen habt. *Sucht die Kinder oft mit einem Vielleicht zufriedenzustellen. Dieses Vielleicht aber müßt ihr* zuweilen, aber nicht immer, und *wenn eine verbotene Wiederholung der Bitte geschieht, niemals erfüllen*. – Sind ihnen gewisse *Nahrungsmittel zuwider*, so unterscheidet, ob sie von gemeiner oder seltener Art sind. Im

letzteren Fall dürft ihr euch nicht viele Mühe geben, den Ekel zu bestreiten: im ersteren aber versucht, ob sie lieber eine Zeitlang Hunger und Durst ertragen, als dasjenige genießen wollen, wovor sie ekelt. Sollten sie das erstere lieber wollen, so *mischt unvermerkt solche Nahrungsmittel unter andre*: schmecken und bekommen ihnen dieselben wohl, so überzeugt sie eben dadurch von den Fehlern ihrer Einbildung. Erfolgt aber ein Erbrechen oder andere schädliche Veränderung des Körpers, so sagt nichts, sondern versucht, ob sich auf jene verborgene Art ihre Natur nach und nach daran gewöhnen lasse. Ist dieses nicht möglich, so werdet ihr sie vergebens zu zwingen suchen: habt ihr aber erfahren, daß bloße Einbildung der Grund dieses Ekels sei, so versucht die Kur durch längeren Hunger oder durch einige Zwangsmittel. Dieses wird aber schwerer gelingen, wenn die Kinder sehen, daß die Eltern und Aufseher bald an diesen, bald an jenen Nahrungsmitteln einen Ekel zeigen [. . .]
Können also Eltern oder Aufseher ohne Verzerrung oder jämmerliche Klagen keine Arzneien einnehmen, so müssen sie es ihre Kinder nie sehen lassen, *sondern sich vielmehr oft stellen, als ob sie solche übelschmeckende Arzneien gebrauchten*, welche irgend einmal den Kindern nötig sein möchten. Diese und andre Schwierigkeiten werden auch gemeiniglich durch die *Gewohnheit des vollkommnen Gehorsams behoben*. Am größten sind sie *bei chirurgischen Operationen*. Ist nur eine einzige nötig, so *sage man jungen Kindern kein Wort vorher; sondern verberge alle Voranstalten, greife schweigend zu* und sage: *Kind, nun bist du geheilt; der Schmerz geht bald vorüber*. Ist aber eine wiederholte Operation nötig, so weiß ich keinen allgemeinen Rat zu geben, entweder nach gewissen Vorstellungen oder ohne dieselben zum Werke zu schreiten, weil dieses bei einigen, jenes bei andern ratsamer sein kann. – *Wenn Kindern vor der Finsternis graut*, so ist es allemal unser eignes Versehen. *Wir müssen in ihren ersten Lebenswochen*, vornehmlich zu der Zeit, wenn sie bei Nacht getränkt werden, *zuweilen das Licht auslöschen*. Sind sie einmal verwöhnt, so muß man ihre Krankheit nach und nach heilen. Das Licht verlischt; es wird langsam angezündet; künftig noch langsamer; endlich ist es in einer Stunde nicht möglich; unterdessen wird mit Munterkeit in der Gesellschaft gesprochen und etwas, welches die Kinder gern haben, genossen. Nun brennt bei Nacht kein Licht mehr; nun führt man sie an der Hand durch stockfinstre Zimmer; nun

sendet man sie in dieselben, etwas Angenehmes zu holen. *Aber ist den Eltern und Aufsehern selbst vor Finsternis bange, so weiß ich keinen andern Rat, als Verstellung.* (J. B. Basedow, ³1773, zit. n. KR, S. 258 f.)

Die Verstellung scheint ein universales Mittel der Beherrschung zu sein, auch in der Pädagogik. Der endgültige Sieg wird auch hier, wie z. B. in der Politik, als »erfolgreiche Lösung« des Konfliktes dargestellt.

[. . .] 3. Ebenso muß die Selbstbeherrschung von dem Zögling gefordert werden, und damit er sie lerne, ist er darin zu üben. Dazu gehört, was Stoy in seiner Enzyklopädie sehr hübsch ausführt, *daß man ihn lehre, sich selbst zu beobachten, doch ohne sich zu bespiegeln, damit er diejenigen Fehler wisse, gegen deren Ausbrüche er seine Kraft zu richten habe;* dann aber sind ihm bestimmte Leistungen zuzumuten. *Der Knabe muß lernen zu entbehren,* muß lernen *sich etwas zu versagen* und muß lernen *zu schweigen, wenn er gescholten wird,* zu dulden, wenn ihm Widerwärtiges begegnet; muß lernen ein Geheimnis zu bewahren, mitten in einem Vergnügen abzubrechen. [. . .]
4. Übrigens gilt gerade für die Übung der Selbstbeherrschung nur der Mut des Anfanges, *die gelingende Tat ist die Mutter eines ähnlichen Wollens,* ist ein in der Pädagogik häufig wiederholter Satz: mit jedem einzelnen Sieg wächst die Kraft des herrschenden und schwindet die Macht des bekämpften Willens, bis dieser zuletzt die Waffen streckt. *Wir haben zornige Knaben, welche, wie man zu sagen pflegt, in der Wut sich selbst nicht kannten, schon nach wenig Jahren als verwunderte Zeugen der Zornausbrüche anderer gesehen und gehört, wie sie dem Erzieher dankten.* (Aus: *Enzyklopädie* . . ., ²1887, zit. n. KR, S. 374 f.)

Um diese Dankbarkeit zu ernten, muß man mit der Konditionierung früh genug beginnen.

Es schlägt nicht leicht fehl, wenn man *einem jungen Bäumchen die Richtung gibt,* wie es wachsen soll, welches bei einer alten Eiche nicht stattfinden kann. [. . .]
Der Säugling liebt etwas, womit er spielt und das ihm die Zeit verkürzt. *Man blicke ihn mit Freundlichkeit an und nehme es ihm lächelnd,* ohne den geringsten Ungestüm, ohne ernsthafte Gebärden, *weg,* und ersetze es sogleich, ohne es lange warten zu lassen,

mit einem andern Spielzeug und Zeitvertreib, so wird es das erstere vergessen und das andere gern annehmen. Öftere und zeitige Wiederholungen dieses Versuchs, bei welchen man so aufgeräumt, wie das Kind aussieht, werden erweisen, daß dieses so unbiegsam nicht sei, als man es beschuldigt und durch unvernünftige Behandlung geworden wäre. *Es wird nicht so leicht gegen den sich eigenwillig beweisen, der dasselbe vorher durch Liebe, Spiel und zärtliche Aufsicht an sich gewöhnt und sein Vertrauen gewonnen hat.* Kein Kind ist im Anfang so leicht darüber unruhig und widersetzlich, weil man ihm etwas wegnimmt oder seinem Willen nicht nachkommt; sondern weil es nicht den Zeitvertreib entbehren und die Langeweile vertragen will. Die ihm dargebotene *neue Zerstreuung macht, daß es von dem absteht, was es heftig vorher begehrte.* Sollte es aber auch bei Entziehung einer ihm angenehmen Sache sich unzufrieden erweisen, *auch wohl weinen* und schreien, *so kehre man sich nicht daran,* suche auch nicht durch Liebkosungen und Zurückgabe des Genommenen dasselbe zu befriedigen; sondern *fahre fort selbiges durch den neuen Zeitvertreib auf einen andern Gegenstand zu leiten.* (F. S. Bock, *Lehrbuch der Erziehungskunst zum Gebrauch für christliche Eltern und künftige Junglehrer*, 1780, zit. n. KR, S. 390 f.)

Diese Ratschläge erinnern mich an einen Patienten, dem sehr früh und mit Erfolg das Hungergefühl »nur mit liebevoller Ablenkung abgewöhnt« wurde. Eine komplizierte zwanghafte Symptomatik, die die tiefe Verunsicherung deckte, hat sich später an diese Dressur geknüpft. Aber natürlich war die Ablenkung nur eine der vielen Formen zur Bekämpfung seiner Vitalität. Sehr beliebte und oft unbewußt angewandte Methoden sind der *Blick* und der *Ton.*

Unter ihnen nimmt eine sehr feine und würdige Stelle ein *die stumme Strafe oder die stumme Rüge*, die sich *durch den Blick* oder angemessene Bewegung geltend macht. Das Stillschweigen hat oft mehr Kraft als viele Worte und *das Auge mehr Kraft* als der Mund. Mit Recht hat man darauf hingewiesen, daß der *Mensch mit dem Auge wilde Bestien zähmt;* wie leicht sollte es ihm werden, alle die schlechten und verkehrten Triebe und Regungen der jungen Menschenseele zu bändigen? Haben wir nur die Empfindlichkeit unserer Kinder von Anfang an geschont und richtig ausgebildet, *so vermag ein einziger Blick mehr als Stock und Peitsche* bei Kindern, die nicht abgestumpft sind für feinere Wirkungen. *»Das Auge sieht's, im Herzen glüht's« sollte der vornehmste Wahlspruch beim Strafen sein.* Angenommen, eins unserer Kinder hat gelogen; wir vermögen es ihm aber nicht nachzuweisen. Zufällig bringen wir das Gespräch bei Tisch oder sonst, wenn wir zusammensitzen, auf Menschen, welche lügen, und weisen auf das Schändliche, Feige und Verderbliche der Lüge hin *mit einem scharfen Blick auf den Übeltäter.* Er wird, wenn anders er noch unverdorben ist, dasitzen wie auf der *Marterbank* und den Geschmack an unwahrhaftigem Wesen verlieren. *Der stille, erzieherische Rapport zwischen uns und ihm wird aber an Stärke zunehmen.* – Zu den stummen Dienern der Erziehungstätigkeit gehören auch *die richtigen Gesten.* Eine geringe Handbewegung, ein Schütteln des Kopfes oder ein Achselzucken kann stärkere Wirkungen erzielen, als viele Worte es vermögen. – Neben stummer Rüge steht uns die *mündliche Rüge* zur Verfügung. Auch hier bedarf es gar nicht immer besonders vieler und hoher Worte. *C'est le ton qui fait la musique,* auch die Musik in der Erziehungskunst. Wer so glücklich ist, über eine Stimme zu verfügen, durch deren Ton er die verschiedenartigsten Seelenstimmungen und -regungen wiedergeben kann, hat ein glückliches Strafmittel von Mutter Natur mit auf den Lebensweg bekommen. Schon bei ganz kleinen Kindern kann man seine Beobachtungen machen. Ihre Gesichtszüge strahlen, wenn Mutter oder Vater mit freundlichem Ton ihnen zusprechen, *ihr schreiender Mund schließt sich, wenn des Vaters Stimme ernst und laut sie zur Ruhe verweist.* Und es kommt nicht selten vor, daß kleine Kinder gehorsam die Flasche nehmen, die sie kurz vorher von sich gestoßen, wenn *im bestimmten Ton der Rüge ihnen befohlen wird zu trinken.* [...] Das Kind kann noch nicht so weit denken, kann noch nicht in unser Empfinden so tief hineinschauen, um die klare Erkenntnis zu gewinnen, daß wir *nur aus Liebe zu seinem Besten, nur aus Wohlwollen ihm den Schmerz der Strafe antun müssen*; unsere Liebesversicherungen würden ihm nur als Heucheleien erscheinen oder als Widerspruch. Verstehen wir Erwachsenen doch auch das Bibelwort nicht immer: »*Wen Gott lieb hat, den züchtigt er.*« *Erst lange Lebenserfahrung und Lebensbetrachtung und der Glaube, daß unter den irdischen Werten des Lebens die unsterbliche Seele am höchsten einzuschätzen ist, läßt uns ahnen, welch tiefe Wahrheit und Weisheit in dem*

Spruch liegt. – Auch Leidenschaft bleibe dem sittlichen Tadel fern; energisch und kraftvoll kann er trotzdem sein; Leidenschaft vermindert Ehrfurcht und zeigt uns nie von unserer besten Seite. *Zorn, edlen Zorn, der aus der Tiefe des beleidigten und empörten sittlichen Gefühls aufsteigt, soll man nicht scheuen.* Je weniger das Kind Leidenschaftlichkeit am Erzieher gewohnt ist und je mehr auch der Zorn von Leidenschaft frei bleibt, *um so stärker wird der Eindruck sein, wenn's einmal donnert und blitzt, wo die Luft gereinigt werden muß.* (Aus: A. Matthias, *Wie erziehen wir unseren Sohn Benjamin?*, [4]1902, zit. n. KR, S. 426 ff.)

Kann ein kleines Kind je auf die Idee kommen, daß das Bedürfnis nach Donner und Blitz aus den unbewußten Tiefen der erziehenden Seele aufsteigt und nichts mit seiner eigenen kindlichen Seele zu tun hat? Der Vergleich mit Gott gibt das Gefühl der Allmacht: wie der echt Gläubige Gott nicht zu hinterfragen hat (siehe Genesis-Buch), so soll sich auch das Kind dem Erwachsenen fügen, ohne nach Gründen zu fragen.

Zu den Ausgeburten einer übel verstandenen Philanthropie gehört auch die Meinung, zur Freudigkeit des Gehorsams bedürfe es der Einsicht in die Gründe des Befehls, und jeder blinde Gehorsam widerstreite der Menschenwürde. Wer sich unterfängt, dergleichen Ansichten in Haus oder Schule zu verpflanzen, der vergißt, daß wir Erwachsenen uns im Glauben an eine höhere Weisheit der göttlichen Weltordnung fügen müssen, und daß die menschliche Vernunft nimmermehr dieses Glaubens entbehren darf. Er vergißt, daß wir allesamt hier nur im *Glauben*, nicht aber im Schauen leben. Wie wir im hingebenden Glauben an die höhere Weisheit und unergründliche Liebe Gottes handeln sollen, *so soll das Kind im Glauben an die Weisheit der Eltern und Lehrer sein Tun unterordnen und hierin eine Vorschule zum Gehorsam gegen den himmlichen Vater finden.* Wer dieses Verhältnis ändert, der setzt freventlich an die Stelle des Glaubens den klügelnden *Zweifel* und verkennt zugleich die Kindesnatur, welcher der Glaube Bedürfnis ist. – *Werden Gründe mitgeteilt, so weiß ich überhaupt nicht, wie wir noch von Gehorsam sprechen können.* Wir wollen durch solche die *Überzeugung* herbeiführen, und das Kind, welches endlich diese gewonnen hat, *gehorcht nicht uns*, sondern eben nur *jenen Gründen; an die Stelle der Ehrfurcht* gegen

eine höhere Intelligenz *tritt die selbstgefällige Unterordnung unter die eigene Einsicht. Der Erzieher, welcher seine Befehle mit Gründen begleitet, räumt zugleich Gegengründen eine Berechtigung ein, und damit wird das Verhältnis zum Zögling verschoben. Dieser* betritt das Feld der Unterhandlungen und *stellt sich dem Erzieher gleich; mit solcher Gleichheit verträgt sich aber keineswegs die Ehrfurcht, ohne welche keine Erziehung gedeihen kann.* Wer übrigens glaubt, nur mit auf Gründe gestütztem Gehorsam *Liebe erwerben zu können,* der lebt in arger Täuschung, denn er verkennt die Kindesnatur und *das Bedürfnis derselben sich dem Starken zu unterwerfen.* Ist Gehorsam im Gemüt, sagt uns ein Dichter, so wird auch die Liebe nicht fern sein.
Im Familienkreis vertreten schwache Mütter meistens das philanthropische Prinzip, *während der Vater mit kurzem Wesen unbedingten Gehorsam fordert.* Dafür wird die Mutter auch am meisten von ihren Kleinen tyrannisiert, *darum gilt dem Vater die meiste Ehrfurcht, und deshalb ist dieser das Haupt des Ganzen, dessen Geist von ihm seine Richtung erhält.* (L. Kellner, [3]1852, zit. n. KR, S. 172 f.)

Der Gehorsam scheint ein unangezweifeltes oberstes Prinzip auch der religiösen Erziehung zu sein. In den Psalmen kommt das Wort immer wieder vor und immer in Verbindung mit der Gefahr des Liebesverlustes, falls gegen den Gehorsam gesündigt werde. Wer sich darüber wundert, »verkennt die Kindesnatur und das Bedürfnis derselben, sich dem Starken zu unterwerfen«. (L. Kellner, siehe oben)
Die Bibel wird auch gegen die natürlichsten mütterlichen Regungen beigezogen, die als Affenliebe bezeichnet werden.

Ist es nicht Affenliebe, wenn das Kind schon in der Wiege auf alle Weise verhätschelt und verzärtelt wird? *Statt das Kind mit dem ersten Tage seines Erdendaseins an Einhaltung von Ordnung und Zeit im Genusse seiner Nahrung zu gewöhnen und so den ersten Grund zu Mäßigkeit, Geduld und – Menschenglück zu legen, läßt sich die Affenliebe leiten vom Geschrei des Säuglings. [. . .]*
Die Affenliebe kann nicht hart sein, nicht verwehren, nicht nein sagen für das wahre Wohl des Kindes, sie kann nur ja sagen zu seinem Schaden; sie läßt sich vom blinden Gutsein wie von einem Naturtrieb beherrschen, erlaubt, wo sie verbieten, ist nachsichtig, wo sie strafen, läßt geschehen, wo

sie verwehren sollte. Die Affenliebe ermangelt jeden klaren Bewußtseins in Beziehung auf das Erziehungsziel; sie ist kurzsichtig; sie will dem Kinde wohl tun, aber sie wählt falsche Mittel; sie *läßt sich von augenblicklichen Empfindungen verleiten,* anstatt sich von ruhiger Besonnenheit und Überlegung leiten zu lassen. Sie *wird, anstatt das Kind zu führen, von diesem verführt.* Sie hat keine ruhige, echte Widerstandskraft und *läßt sich von des Kindes Widerspruch, Eigensinn, Trotz oder auch von Bitten, Schmeicheleien, Tränen des jungen Tyrannen tyrannisieren.* Sie ist das Gegenteil von wahrer Liebe, die auch vor Strafen nicht zurückschreckt. *Die Bibel sagt (Sirach 30,1): Wer sein Kind lieb hat, der hält es stets unter der Rute, daß er hernach Freude an ihm erlebe«,* und ein andermal (Sirach 30,9): »Zärtle mit deinem Kinde, so mußt du dich hernach *vor ihm fürchten; spiele mit ihm, so wird es dich hernach betrüben.«* [. . .] Es kommt vor, *daß mit Affenliebe erzogene Kinder grobe Ungezogenheiten gegen ihre Eltern begehen.* (A. Matthias, [4]1902, zit. n. KR, S. 53 ff.)

Die Eltern fürchten die »Ungezogenheiten« so sehr, daß ihnen manchmal jedes Mittel heilig erscheint, diese zu verhindern. Und dazu bietet sich ihnen eine reiche Palette von Möglichkeiten an, unter denen der Liebesentzug in seinen vielen Nuancen eine hervorragende Rolle spielt, denn kein Kind kann ihn riskieren.

Ordnung und Zucht muß das Kleine *fühlen, ehe es derselben bewußt wird,* damit es mit einer guten Angewöhnung und mit zurückgedämmtem Herrschertrieb des sinnlichen Egoismus in die Zeit des erwachenden Bewußtseins übergehe. [. . .]
Also ist der *Gehorsam zu pflegen, indem der Erzieher seine Macht ausübt,* was *durch ernsten Blick,* entschiedenes Wort, *eventuell mittelst physischen Zwangs,* der das Böse hemmt, wenn er auch das Gute nicht schaffen kann, und mittelst Strafen geschieht; letztere jedoch haben nicht notwendig noch in erster Linie den körperlichen Schmerz zu verwenden, sondern je nach der Art oder Wiederholung des Ungehorsams von Entziehung der Wohltaten und *Schmälerung der Liebeserweise* aufzusteigen, wie denn z. B. auf das feiner geartete Kind, das streitig sein will, *die Entfernung vom Schoß der Mutter, die Verweigerung der Vaterhand, des Kusses vor Schlafengehen* usw. als empfindliche Strafe wirkt. Während also durch Erweisungen der Liebe die Neigung des Kindes gewon-

nen wird, *dient eben diese Neigung dazu, es für die Zucht empfänglicher zu machen.*
[. . .] Wir *definierten den Gehorsam* als die *Unterordnung des Willens unter einen berechtigten anderen Willen.* [. . .]
Der Wille des Erziehers muß eine Burg sein, unzugänglich der List wie dem Trotz, und nur Einlaß gewährend, wo Gehorsam an die Pforten klopft. (Aus: *Enzyklopädie* . . ., [2]1887, zit. n. KR, S. 168 f.)

Wie man mit Gehorsam an die Pforten der Liebe klopft, lernt das Kind bereits »in den Windeln« und verlernt es leider häufig sein Leben lang nicht.

[. . .] Übergehend nunmehr zu dem zweiten Hauptpunkt, *der Pflege des Gehorsams*, beginnen wir mit der Namhaftmachung dessen, was hierfür *im frühesten Alter des Kindes geschehen kann.* Mit Recht macht die Pädagogik darauf aufmerksam, daß *schon das Kind in den Windeln* einen Willen hat und *demgemäß zu behandeln ist.* (Ebd., S. 167)

Wurde diese Behandlung konsequent und früh genug durchgeführt, so sind alle Voraussetzungen geschaffen, daß ein Bürger in einer Diktatur leben kann, ohne darunter zu leiden, daß er sich sogar euphorisch mit ihr identifizieren kann, wie zu Hitlers Zeiten;

denn Gesundheit und Lebenskraft eines politischen Gemeinwesens ruhen ebenso in der Blüte des Gehorsams gegen Gesetz und Obrigkeit wie in der vernünftigen Energie der Herrscher. Nicht minder in der Familie, in allen Erziehungsfragen *muß man den befehlenden und den dem Befehl folgenden Willen nicht als gegensätzlich ansehen:* sie sind organische Äußerungen *eines an und für sich selbst einigen Willens.* (Ebd.)

Wie in der Symbiose der »Windelzeit« gibt es hier keine Trennung von Subjekt und Objekt. Lernt das Kind, auch körperliche Strafen als »notwendige Maßnahmen« gegen »Übeltäter« zu verstehen, so wird es im Erwachsenenalter versuchen, sich selber durch Gehorsam vor Strafen zu schützen, und gleichzeitig keine Bedenken haben, im Strafsystem mitzuhelfen. Im totalitären Staat, in dem sich seine Erziehung spiegelt, *kann ein solcher Bürger auch jede*

Art von Folterung und Verfolgung ausführen, ohne dabei ein schlechtes Gewissen zu haben. Sein »Wille« ist mit dem der Regierung völlig identisch.

Es wäre wohl ein Überbleibsel des feudalen Dünkels zu glauben, daß nur »die ungebildeten Massen« für Propaganda anfällig seien, nachdem wir wiederholt die leichte Verführbarkeit der Intellektuellen in manchen Diktaturen miterleben konnten. Sowohl Hitler wie Stalin hatten auffallend viele Anhänger unter den Intellektuellen und wurden von ihnen enthusiastisch bewundert. Die Fähigkeit, das Wahrgenommene nicht abzuwehren, hängt überhaupt nicht von der Intelligenz ab, sondern vom Zugang zum wahren Selbst. Die Intelligenz kann *im Gegenteil* helfen, unzählige Windungen zu vollbringen, wenn die Anpassung notwendig ist. Die Erzieher haben das immer schon gewußt und für ihre Zwecke ausgenützt, etwa im Sinne des Sprichwortes: »Der Klügere gibt nach, der Dumme bleibt stehn«. In einer Erziehungsschrift z. B. von H. Grünewald (1899) können wir lesen: »Ich habe den Eigensinn noch nie bei einem intellektuell entwickelten bzw. geistig hervorragenden Kind gefunden« (vgl. K. R., S. 423). Später, als Erwachsener, kann ein solches Kind einen außergewöhnlichen Scharfsinn an den Tag legen, um feindliche Ideologien – und in der Pubertätszeit sogar die aktuellen Vorstellungen der eigenen Eltern – zu kritisieren, weil ihm für diese Fälle die intellektuellen Funktionen ungehindert zur Verfügung stehen werden. Nur innerhalb der eigenen Gruppenzugehörigkeit (zu einer Ideologie oder theoretischen Schule z. B.), die die frühe Familiensituation repräsentiert, wird dieser Mensch u. U. eine naive Hörigkeit und Kritiklosigkeit bewahren, die seine sonstige Brillanz vollständig vermissen lassen. In ihnen setzt sich tragischerweise seine *frühe* Abhängigkeit von den tyrannischen Eltern fort, die – wie es die »Schwarze Pädagogik« will – unentdeckt bleibt. So konnte sich z. B. Martin Heidegger von der traditionellen

Philosophie ohne weiteres absetzen und damit *die Lehrer seiner Adoleszenzzeit* verlassen. Es war ihm aber nicht möglich, die für seine Intelligenz offensichtlichen Widersprüche der Hitlerideologie zu sehen. Ihr brachte er die *kleinkindliche* Faszination und Treue entgegen, in denen Kritik nicht zugelassen war (vgl. A. Miller, 1979).
Einen eigenen Willen und eine eigene Meinung zu haben, galt eben als Eigensinn und war verpönt. Wenn wir sehen, was für Strafen dafür ausgedacht wurden, begreifen wir, daß sich ein intelligentes Kind diesen Konsequenzen entziehen wollte und es auch mühelos konnte. Daß es dafür einen andern Preis zu bezahlen hatte, wußte es nicht.

Der Vater bekommt seine Macht von Gott (und seinem eigenen Vater), der Lehrer findet schon den günstigen Boden des Gehorsams vor, und der Herrscher im Staate kann ernten, was gesät wurde.

Auf den eigentlichen Höhepunkt der Strafen gelangen wir mit der energischsten Straftat, der *körperlichen Züchtigung. Wie die Rute als Symbol der väterlichen Zucht im Haus gilt, so der Stock als das Hauptwahrzeichen der Schulzucht.* Es gab eine Zeit, wo der Stock das Allheilmittel war für alle Schäden in der Schule, wie die Rute im Haus. Diese »*verblümte Art*, mit der Seele zu reden«, ist *uralt* und *allen Völkern geläufig*. Was liegt auch näher als die Regel: »Wer nicht hört, muß fühlen!?« Der pädagogische Schlag ist eine energische Aktion zur Begleitung des Wortes und Verstärkung seiner Wirkung. *Am unmittelbarsten und natürlichsten* tritt diese Aktion auf *in der Ohrfeige*, deren jeweiliger Einleitung durch ein fühlbares Schütteln am Ohr *wir uns aus eigener Jugend noch erinnern.* Diese mahnt auf unverkennbare Weise an das Vorhandensein des Gehörwerkzeugs und seinen Gebrauch. Sie hat offenbar symbolische Bedeutung, wie die *Maulschelle*, welche an das Werkzeug der Sprache appelliert und zu besserem Gebrauch desselben mahnt. Beide Arten der körperlichen Züchtigung sind die naivsten und bezeichnendsten, wie schon ihr Name ausweist. Auch die eh und je noch beliebten *Kopfnüsse* und *Haarrupfer* treiben noch eine Art von Symbolik [. . .]
Eine wahrhaft christliche Pädagogik, die das Menschenkind

nimmt, nicht, wie es sein sollte, sondern wie es ist, wird nicht grundsätzlich aller und jeder körperlichen Züchtigung absagen können. Dieselbe ist für manche Verfehlung *gerade die angemessene Strafe: sie demütigt und erschüttert,* sie bezeugt tatsächlich die *Notwendigkeit der Beugung* unter eine höhere Ordnung und gibt dabei doch die ganze Energie der väterlichen Liebe zu erkennen [...] Wir würden es vollkommen begreifen, wenn ein gewissenhafter Lehrer erklärte: *»Ehe ich die Macht aus den Händen gäbe, nötigenfalls* zu der *ultima ratio* des Stocks zu greifen, *wollte ich lieber gar nicht Lehrer sein.*
[...] »Der Vater straft sein Kind, und fühlet selbst den Streich, die Härte ist Verdienst, wo dir das Herz ist weich.« So Rückert. Ist der Lehrer ein rechter *Schulvater*, so weiß er nötigenfalls auch *mit dem Stock zu lieben*, oft reiner und tiefer als mancher natürliche Vater. Und obwohl wir auch das junge Herz ein Sündenherz nennen, glauben wir doch behaupten zu dürfen: *das junge Herz versteht in der Regel diese Liebe, wenn auch nicht immer im Augenblick.*
(Aus: *Enzyklopädie* ..., [2]1887, zit. n. KR, S. 433 ff.)

Diese verinnerlichte »Liebe« begleitet »das junge Herz« manchmal bis ins hohe Alter. Es wird sich ohne Widerstand von Medien manipulieren lassen, wenn es gewohnt ist, daß seine »Neigungen« manipuliert werden und es nie etwas anderes gekannt hat.

Die erste und vorzüglichste Sorge des Erziehers hat darüber zu wachen, daß die dem eigentlichen höheren Willen hinderlichen und feindlichen Neigungen, anstatt (was doch so allgemein geschieht) durch die erste Erziehung geweckt und genährt zu werden, vielmehr auf alle mögliche Weise in ihrem Entstehen gehindert oder wenigstens sobald als möglich wieder ausgerottet werden. [...]
Sowenig das Kind dergleichen für höhere Bildung ungünstige Neigungen kennenlernen soll, sosehr soll es entgegen mit allen übrigen innig und vielfach, wenigstens ihren ersten Keimen nach, vertraut werden.
Der Erzieher veranlasse also im Kind schon früh mannigfaltige und andauernde Neigungen dieser besseren Art. *Er rege es oft* und auf vielfache Weise zur *Froheit, Freudigkeit, zum Entzücken, zur Hoffnung usw.*, mitunter aber auch, obwohl seltener und kürzer, *zur Bangigkeit, Traurigkeit u. dgl. an.* Die Befriedigungen

der mannigfaltigen nicht nur körperlichen, sondern vorzüglich auch geistigen Bedürfnisse, oder die Entbehrungen dieser Befriedigungen und die verschiedenen Mischungen von beiden geben ihm Gelegenheit genug dazu. Er hat aber alles so anzulegen, daß es die Wirkung der Natur und nicht seine Willkür sei *oder wenigstens zu sein scheine. Besonders dürfen die unangenehmen Ereignisse ihren Ursprung nicht verraten, wenn sie von ihm kommen.* (Aus: K. Weiller, *Versuch eines Lehrgebäudes der Erziehungskunde*, 1805, zit. n. KR, S. 469 f.)

Man darf dem Nutznießer der Manipulation nicht auf die Spur kommen. Die Fähigkeit, zu entdecken, wird zerstört oder pervertiert mit Hilfe von Ängstigung.

Man weiß es auch ohnehin genug, *wie neugierig die Jugend*, besonders die etwas erwachsene, in diesem Punkt ist, und was sie oft für seltsame Wege und Mittel wählt, den natürlichen Unterschied des andern Geschlechts kennenzulernen. Man kann sicher glauben, daß *jede Entdeckung*, die sie für sich machen, ihrer schon erhitzten Einbildungskraft immer mehr Nahrung verschaffen und also *ihrer Unschuld gefährlich werden wird.* Schon aus diesem Grund wäre es ratsam, ihnen zuvorzukommen, und der erwähnte Unterricht macht es ohnehin notwendig. Wider die Schamhaftigkeit würde es indessen freilich sein, wenn man freie Entblößungen des einen Geschlechts gegen das andere zulassen wollte. Und wissen soll doch der Knabe, wie ein weiblicher Körper gebildet ist, wissen soll das Mädchen, wie ein männlicher Körper gestaltet ist, sonst bekommen sie wieder keine vollständigen Begriffe und man setzt der grübelnden Neugierde keine Schranken. Beide sollen es auf eine ernsthafte Art wissen. Kupfertafeln könnten über diesen Punkt Befriedigung geben; aber stellen sie die Sache deutlich vor? Reizen sie nicht die Einbildungskraft? Lassen sie nicht den Wunsch einer Vergleichung mit der Natur zurück? Alle diese Besorgnisse verschwinden, *wenn man sich zu dieser Absicht eines entseelten menschlichen Körpers bedient. Der Anblick einer Leiche flößt Ernst und Nachdenken ein*, und dies ist die beste Stimmung, die ein Kind unter solchen Umständen haben kann. Seine nachherigen Erinnerungen an die Szene werden durch eine natürliche Ideenverknüpfung auch eine ernsthafte Wendung nehmen. Das Bild, das in seiner Seele zurückbleibt, *hat nicht die verführerischen Reize der Bilder*, die die

Einbildungskraft freiwillig erzeugt, oder *die durch andere minder ernsthafte Gegenstände erregt werden.* Könnte alle Jugend den Unterricht über die Erzeugung des Menschen aus einer anatomischen Vorlesung schöpfen, so würde es weit weniger Vorbereitungen bedürfen. Da aber die Gelegenheit dazu so selten ist, so kann doch ein jeder auch auf die vorgenannte Art ihr den nötigen Unterricht erteilen. *Eine Leiche zu sehen, dazu ist ja oft Gelegenheit.* (J. Oest, 1787, zit. n. KR. S. 328 f.)

Mit Leichenbildern gegen den Geschlechtstrieb anzukämpfen gilt als ein legitimes Mittel, um die »Unschuld« zu schützen, zugleich aber wird so der Boden für die Entwicklung von Perversionen gelegt. Auch der systematisch gezüchtete Ekel vor dem eigenen Körper erfüllt diese Funktion:

Die Schamhaftigkeit einzuprägen ist lange nicht so wirksam, als *jede Entblößung* und was dahin gehört, als eine Unsitte und *als eine Beleidigung für andere ansehen zu machen*, so wie es beleidigend wäre, jemandem, der nicht dafür bezahlt wird, zuzumuten, das Nachtbecken hinauszutragen. Aus dieser Ursache würde ich vorschlagen, *die Kinder alle 14 Tage* oder vier Wochen *von einem alten schmutzigen und häßlichen Weib*, ohne Beisein anderer Zuschauer, *von Kopf zu Fuß reinigen zu lassen*, wobei doch Eltern und Vorgesetzte nötige Aufsicht haben müßten, daß auch ein solches altes Weib sich bei keinem Teil unnötig aufhielte. *Dieses Geschäft würde der Jugend als ekelhaft vorgestellt*, und ihnen gesagt, daß eine solche alte Frau desfalls dafür bezahlt werden müßte, ein Geschäft zu übernehmen, welches der Gesundheit und Reinlichkeit wegen nötig, aber *so ekelhaft wäre, daß kein anderer Mensch es übernehmen könne.* Dies würde dazu dienen, dem Eindruck vorzubeugen, den eine überrumpelte Schamhaftigkeit verursachen könnte. (Zit. n. KR, S. 329 f.)

Die Wirkung der Beschämung kann auch im Kampf mit dem Eigensinn eingesetzt werden.

Wie schon oben angegeben, muß der Eigensinn *»in den früheren Jahren durch das Gefühl entschiedener Übermacht«* gebrochen werden. *Später wirkt Beschämung nachhaltiger*, namentlich auf kräftige Naturen, bei denen der Eigensinn oft im engsten Zusammenhang mit Mut und Willensenergie steht. Gegen das Ende der

Erziehung hin endlich muß eine versteckte oder deutlichere *Hindeutung auf das Häßliche und sittlich Verkehrte dieses Fehlers* imstande sein, die Überlegung und die ganze Willenskraft gegen die letzten Reste des Eigensinns in die Schranke zu rufen. Ein Gespräch »unter vier Augen« erweist sich nach unserer Erfahrung auf der zuletzt bezeichneten Stufe als zweckentsprechend. Im Hinblick auf das häufige Vorkommen *des kindlichen Eigensinns* erscheint es höchst merkwürdig, daß man *Erscheinung, Wesen* und *Heilung dieses antisozialen seelischen Phänomens* bisher sowenig in der Kinderpsychologie und Pathologie berücksichtigt bzw. beleuchtet hat. (Aus: H. Grünewald, *Über den Kinderfehler des Eigensinns*, 1899, zit. n. KR, S. 425)

Bei all diesen Mitteln ist es immer wichtig, daß man sie früh genug einsetzt.

Wenn man nun auch auf solche Weise öfters seinen Zweck nicht erreicht, so muß dies kluge Eltern erinnern, daß sie *ihr Kind sehr zeitig nachgebend, geschmeidig und gehorsam machen*, und es gewöhnen, den eigenen Willen zu überwinden. Dies ist ein Hauptstück der sittlichen Erziehung, und die Unterlassung desselben ist der größte Fehler, welcher nur kann begangen werden. Die rechte Ausübung dieser Pflicht, ohne wider diejenige anzustoßen, die uns auflegt, *das Kind fröhlich zu erhalten*, ist die größte Kunst bei der anfänglichen Ausbildung. (F. S. Bock, 1780, zit. n. KR, S. 389)

In den folgenden drei Szenen werden die oben geschilderten Prinzipien anschaulich vor Augen gehalten. Ich zitiere diese Stellen in ihrer ganzen Ausführlichkeit, um den Leser die Luft spüren zu lassen, die diese Kinder (d. h. zumindest unsere Eltern) täglich eingeatmet haben. Diese Lektüre hilft das Entstehen der neurotischen Entwicklung zu begreifen. Nicht ein äußeres Ereignis steht an ihrem Ursprung, sondern die *Verdrängung* der *unzähligen Momente*, die das alltägliche Leben des Kindes ausmachen und die das Kind *niemals imstande ist, zu beschreiben*, weil es nicht weiß, *daß es etwas anderes überhaupt geben kann.*

Bis in sein viertes Jahr lehrte ich Konrädchen hauptsächlich viererlei: Aufmerken, gehorchen, sich vertragen und seine Begierden mäßigen.

Das erste geschah dadurch, daß ich fortfuhr, ihm allerlei Tiere, Blumen und andere Merkwürdigkeiten der Natur zu zeigen und ihm Bilder zu erklären; das zweite, daß ich ihn, so oft er um mich war, *beständig etwas nach meinem Willen tun ließ*; das dritte, indem ich bisweilen etliche Kinder zu ihm bat und sie mit ihm spielen ließ, wobei ich allemal zugegen war, und so oft ein Zank entstand, genau untersuchte, wer ihn angefangen habe, und den Zänker eine Zeitlang vom Spiel entfernte; das vierte lehrte ich ihn, *indem ich ihm oft abschlug, was er mit großer Heftigkeit verlangte.* So hatte ich einmal Honig geschnitten und brachte eine große Schüssel voll in die Stube. Honig! Honig! rief er freudig aus, Vater, gib mir Honig, rückte den Stuhl an den Tisch, setzte sich und erwartete, daß ich ihm sogleich ein paar Semmeln mit Honig bestreichen solle. Ich tat's aber nicht, setzte den Honig vor ihm hin und sagte: Jetzt teile ich noch keinen Honig aus; erst wollen wir Erbsen in den Garten säen; dann, wenn dies geschehen ist, wollen wir eine Honigsemmel miteinander verzehren. Er sah erst mich, hernach den Honig an, dann ging er mit mir in den Garten. Auch pflegte ich es bei Austeilung der Speisen immer so zu halten, *daß er zuletzt bekam.* So speisten einmal meine Eltern und Christelchen bei mir, und wir hatten einen Reisbrei, den er vorzüglich gern aß! Brei! rief er freudig und hing sich an die Mutter an. Ja, sagte ich, das ist Reisbrei, davon soll Konrädchen auch bekommen. Erst bekommen die großen Leute, *hernach die kleinen Leute.* Da, Großmutter, hast du Brei! Da, Großvater, hast du auch etwas! Da, Mutter, ist etwas für dich! Dies soll dem Vater, dies Christelchen; und dies? Wer wird das wohl bekommen? Onnäde, gab er freudig zur Antwort. Er fand diese Ordnung nicht unbillig, und ich ersparte mir damit all den Verdruß, den Eltern haben, die ihren Kindern zuerst von allem, was auf den Tisch kommt, geben. (C. G. Salzmann, 1796, zit. n. KR, S. 352 f.)

Die »kleinen Leute« sitzen ruhig am Tisch und warten. Das muß nicht erniedrigend sein. Es kommt darauf an, wie der Erwachsene diese Prozedur erlebt. Und hier zeigt er es unverschleiert, wie sehr er seine Macht und sein Groß-Sein auf Kosten der Kleinen genießt.

Ähnlich geschieht das in der nächsten Geschichte, in der allein die Lüge dem Kind die Möglichkeit verschafft, im geheimen zu lesen.

Die Lüge ist etwas Ehrloses. Dafür wird sie selbst von dem, der sie sagt, erkannt; und es gibt wohl keinen Lügner, der einige Achtung gegen sich haben könnte. Wer aber sich selbst nicht achtet, der achtet auch andere nicht, und *der Lügner findet sich gewissermaßen aus der menschlichen Gesellschaft ausgeschlossen.*
Es folgt hieraus, daß ein kleiner Lügner sehr delikat behandelt sein will, damit durch die Kur seines Fehlers die Achtung gegen sich selbst, welche durch das Bewußtsein, gelogen zu haben, ohnehin schon gelitten hat, nicht noch empfindlicher verletzt werde, und es ist wohl eine Regel, die keine Ausnahme leidet: »Ein Kind, welches lügt, muß dieses Fehlers wegen *nie öffentlich* getadelt oder bestraft, und, ohne die äußerste Not, nicht einmal öffentlich deswegen erinnert werden.« – Der Erzieher wird wohltun, wenn er *mehr erstaunt und verwundert* darüber erscheint, daß das Kind eine *Unwahrheit* gesagt habe, als entrüstet darüber, daß es *gelogen* hat, und *er tue, solange es angeht, als ob* er eine (wissentlich vorgebrachte) Lüge, für eine (aus Unbedachtsamkeit gesagte) Unwahrheit halte. Dies ist der Schlüssel zu dem Betragen, welches Hr. Willich annahm, da er auch unter seiner kleinen Gesellschaft auf Spuren von diesem Laster geriet.
Kätchen ließ sich dasselbe zuweilen zuschulden kommen. [. . .] Es fand sich einmal Veranlassung, sich durch eine Unwahrheit zu retten, und Kätchen fiel in diese Gefahr: Sie hatte eines Abends ganz besonders fleißig gestrickt, so daß sie das fertiggewordene Stück in der Tat für die Arbeit zweier Abende hätte ausgeben können. Zufälligerweise vergaß noch dazu die Mutter, sich diesmal zeigen zu lassen, was die Mädchen diesen Abend etwa gearbeitet hatten.
Am folgenden Abend stahl sich Kätchen heimlich aus der übrigen Gesellschaft weg, nahm ein Buch, welches ihr den Tag über in die Hände gekommen war, und *las den ganzen Abend darin. Sie war so listig*, denen von ihren Geschwistern, die von Zeit zu Zeit nachsehen mußten, wo sie wäre und was sie täte, *zu verbergen, daß sie las*, sondern sie ließ sich entweder mit der Strickerei in der Hand oder sonst bei einer Beschäftigung antreffen.
Diesen Abend aber sah die Mutter nach den Arbeiten der Mädchen. Kätchen zeigte ihren Strumpf. Wirklich hatte er stark

zugenommen, allein die achtsame Mutter glaubte ein gewisses besonderes, nicht ganz aufrichtiges Benehmen an Kätchen zu bemerken. Sie sah die Arbeit an, schwieg, und beschloß, sich wegen Kätchen zu erkundigen. Es gelang ihr am folgenden Tag durch einige Nachfragen herauszubringen, daß Kätchen gestern nicht gestrickt haben konnte. Anstatt aber ihr nun unbedachtsamerweise eine Unwahrheit auf den Kopf zuzusagen, zog sie das Mädchen zu schicklicher Zeit in ein Gespräch, in welchem sie *ihr Fallen zu legen beschlossen hatte.*

Es wurde von weiblichen Arbeiten gesprochen. Die Mutter meinte, daß sie gegenwärtig gemeiniglich sehr schlecht bezahlt würden, und setzte hinzu, sie glaube nicht, daß ein Mädchen von Kätchens Alter und Geschicklichkeit mit Arbeiten so viel verdienen könnte als sie täglich brauche, wenn sie Nahrung, Kleidung und Wohnung in Anschlag brächte. Kätchen aber glaubte das Gegenteil und meinte, daß sie z. B. im Stricken in ein paar Stunden noch einmal so viel leisten könnte, als die Mutter gerechnet hatte. *Die Mutter widersprach mit Lebhaftigkeit.* Dadurch geriet auch das Mädchen in Feuer, vergaß sich, und fuhr damit heraus, daß sie am vorletzten Abend ein doppelt so großes Stück gestrickt habe, als sonst.

»Wie soll ich denn das verstehen?« erwiderte die Mutter hierauf. »Du sagtest mir ja gestern, daß du gestern abend die Hälfte von dem gestrickt hättest, um was sich dein Strumpf vergrößert hat.« – Kätchen wurde rot. Die Augen wurden ihr ungehorsam und schweiften willkürlich hin und her. »Kätchen«, redete sie die Mutter mit ernsthaftem, doch teilnehmenden Ton an, »hat das weiße Band in den Haaren nichts geholfen? – Ich gehe wehmütig von dir.« Sogleich stand sie von ihrem Sitz auf, kehrte sich nicht an Kätchen, welche ihr nachlaufen wollte, ging mit ernsthaftem Wesen zur Tür hinaus und ließ das bestürzte Mädchen in Tränen und Unwillen in der Stube zurück.

Man wird merken, daß Kätchen jetzt nicht zum erstenmal diesen Fehler begangen hatte, seitdem sie in dem Haus ihrer Pflegeeltern war. Die Mutter hatte ihr Vorstellungen darüber gemacht, und hatte ihr endlich aufgelegt, künftig ein *weißes Band* in den Haaren zu tragen. »Weiß«, setzte sie hinzu, »ist, wie man zuweilen dafür hält, die Farbe der Unschuld und Reinheit. Du wirst wohltun, dich, so oft du in den Spiegel siehst, bei deinem Stirnband der Reinheit und Wahrheit zu erinnern, welche in deinen Gedanken und Reden herrschen soll. *Unwahrheit aber ist Kot*, der deine Seele befleckt.« – Das Mittel hatte eine geraume Zeit geholfen. Nun war aber, bei diesem neuen Fehltritt, auch die Hoffnung verwirkt, daß Kätchens Fehler ein Geheimnis zwischen ihr und der Mutter bleiben sollte. Denn diese hatte damals versichert, daß, wenn Kätchen sich noch einmal diesen Fehler erlauben sollte, sie, die Mutter, sich verpflichtet fühle, von dem Beistand des Vaters Gebrauch zu machen, und ihm also die Sache zu entdecken.

Jetzt war die Sache auf diesem Punkt, und es geschah auch, wie die Mutter gesagt hatte. Denn auch sie drohte nichts, was im eintretenden Fall nicht augenblicklich erfüllt wurde.

Hr. Willich *schien den Tag über sehr unmutig, verdrießlich und nachdenkend.* Alle Kinder bemerkten dies, für keines aber als für Kätchen waren *seine finsteren Blicke Stiche in das Herz*. Die Furcht vor dem, was da kommen würde, *folterte das Mädchen den ganzen Nachmittag.*

Des Abends rief der Vater Kätchen in seine Stube zu sich allein. Sie fand ihn noch mit derselben Miene.

»Kätchen«, sagte er zu ihr, »es ist mir heute etwas überaus Unangenehmes begegnet, ich habe *eine Lügnerin unter meinen Kindern gefunden.«*

Kätchen weinte und konnte kein Wort sagen.

Hr. Willich: »Ich bin erschrocken, da mir die Mutter erzählte, daß du dich schon einigemal *zu diesem Laster erniedrigt hast*. Sage mir, um Himmels willen, Mädchen, wie kommt es, daß du dich so verirren kannst? [Nach einer Pause] Trockne nun deine Tränen. Durch Weinen wird es nicht besser. Unterrichte mich lieber über den vorgestrigen Vorfall, damit wir herausbringen, wie dem Übel etwa künftig abzuhelfen ist. Sage mir, wie war es gestern abend? Wo bist du gewesen? Was hast du getan oder nicht getan?«

Kätchen erzählte hierauf die Sache, wie sie war und wie wir sie wissen. Sie verhehlte nichts, nicht einmal die List, die sie angewandt hatte, ihre Geschwister über das, was sie tat, irrezuführen.

»Kätchen«, versetzte hierauf Hr. Willich *in einem Vertrauen erweckenden Ton*, »du hast mir jetzt Dinge von dir erzählt, die du *nicht billigen* wirst. Der Mutter aber, als sie gestern abend deine Strickerei untersuchte, hast du gesagt, du seist im Stricken *fleißig* gewesen. Stricken ist unstreitig etwas *Gutes*; der Mutter hast du

etwas Gutes von dir erzählt. Sage mir nun, *wann* fühltest du dein Herz leichter? Jetzt, da du das Schlimme erzählst, das aber *Wahrheit* ist, oder *gestern*, da du *Gutes* erzähltest, welches aber *Unwahrheit* war?«
Kätchen gestand, sie sei froh, daß das gegenwärtige Geständnis ihr von dem Herzen weg wäre, und es sei ein häßliches Laster, das Lügen.
[. . .] Kätchen. »Es ist wahr, ich war sehr albern. Aber verzeihen Sie mir's, guter Vater.«
Will. »Vom *Verzeihen* ist gar nicht die Rede. *Mich* hast du sehr wenig beleidigt. *Dich* aber, und allenfalls die Mutter, hast du *sehr stark* beleidigt. Ich werde mich schon danach richten, und wenn du zehnmal wieder lögest, *mich sollst du nicht täuschen.* Wenn es nicht augenscheinlich wahr ist, was du sagst, so werde ich es künftig mit deinen Worten machen, *wie mit Geld, das man für falsch hält.* Ich werde probieren, und fragen und besehen; *du wirst mir wie ein Stock sein, auf den man sich nicht verlassen kann; ich werde dich immer mit etwas Mißtrauen ansehen.«*
Kätch. »Ach, lieber Vater, so arg . . .«
Will. »Glaube nicht, armes Kind, daß ich übertreibe oder scherze. Wenn ich mich nicht auf deine *Wahrhaftigkeit* verlassen kann, wer bürgt mir denn dafür, daß ich nicht in Schaden komme, wenn ich glaube, was du mir sagest? – Ich merke, liebes Kind, daß du *zwei* Feinde zu besiegen hast, wenn du deinen Hang zum Lügen ausrotten willst. Willst du wissen, welche es sind, Kätchen?«
Kätch. [sich anschmiegend, und etwas zu freundlich und leichtsinnig scheinend] »O ja, lieber Vater.«
Will. »Aber bist du auch in deinem Gemüte *gesetzt* und *vorbereitet* genug? Ich möchte nicht sagen, was in deiner Seele nicht haftet, und was morgen wieder vergessen ist.«
Kätch. [schon mehr ernsthaft] »Nein, gewiß, ich werde es merken.«
Will. »Armes Mädchen, wenn du jetzt flatterhaft sein könntest! – [nach einer Pause] Dein erster Feind heißt *Leichtsinn* und *Gedankenlosigkeit. – Da du das Buch in die Tasche stecktest und dich davonschlichst, um heimlich in demselben zu lesen, da* hättest du nachdenken sollen. Wie? Du konntest es über das Herz bringen auch nur das geringste zu tun, *wovon du uns nichts sagen wolltest?* Wie kamst du denn auf den Gedanken? Hieltest du das Lesen in dem

Buch für erlaubt – wohl, so hättest du nur sagen dürfen: ›Ich möchte heute in diesem Buch lesen, und bitte, meinen gestrigen Fleiß im Stricken auch für heute gelten zu lassen‹ –, glaubst du wohl, daß es dir abgeschlagen worden wäre? Hieltest du es aber nicht für erlaubt? – Hättest du also etwas Unerlaubtes hinter unserem Wissen tun wollen? Gewiß nicht. So bös bist du nicht. [. . .] Dein *zweiter Feind*, liebe Tochter, ist eine *falsche Scham*. Du schämst dich zu bekennen, wenn du *unrecht* getan hast. Laß diese Furcht fahren. Dieser Feind ist auf der Stelle besiegt. Erlaube dir keine Beschönigung oder Zurückhaltung mehr, auch nicht bei dem kleinsten Fehler, den du begehst. *Laß uns, laß deine Geschwister in deinem Herzen lesen*, wie du darin liest. Du bist so verdorben noch nicht, daß du dich schlechterdings schämen müßtest, zu gestehen, was du getan hast. Nur verberge dir selbst nichts, und sage nichts mehr anderes, als du es weißt. Auch bei der alltäglichsten Kleinigkeit, auch im Scherz erlaube dir nicht, anders zu sagen, als die Sache ist.
Die Mutter hat dir, wie ich sehe, das weiße Band aus den Haaren genommen. Du hast es verwirkt, es ist wahr. Du hast deine Seele mit einer Lüge befleckt. Du hast dich aber doch auch gebessert. Du hast mir deine Fehler so treu gestanden, daß ich nicht glauben kann, du habest etwas verschwiegen oder anders gesagt. Dies ist mir auch wieder ein Beweis deiner *Aufrichtigkeit* und *Wahrhaftigkeit*. Hier ist ein anderes Band für deinen Kopfputz. Es ist etwas schlechter als das vorige. Es kommt aber hierbei nicht darauf an, von welcher *Güte* das Band ist, sondern was *diejenige wert* ist, welche es trägt. *Steigt diese* im Wert, so bin ich gar nicht in Abrede, meine Erkenntlichkeit dafür einst durch ein kostbares und mit Silber durchwirktes Haarband zu beweisen.«
Er entließ hierauf das Mädchen, nicht ohne Besorgnis, daß zwar Rückfälle in diesen Fehler wegen der Lebhaftigkeit ihres Temperamentes nicht ausbleiben würden, doch auch nicht ohne die Hoffnung, daß ihr heller Verstand und eine geschickte Behandlung dem Mädchen bald zu mehr Gesetztheit in ihrem Wesen verhelfen und hiermit die eigentliche Quelle dieses häßlichen Lasters verstopfen werde.
Es kam nach einiger Zeit wirklich ein Rückfall. [. . .] Es war abends, und eben waren die übrigen Kinder gefragt worden, was und wie sie es in ihren Ämtern getan hätten. Die Rechenschaften fielen ausgezeichnet wohl aus; selbst Kätchen konnte manches

anführen, was sie über das gewöhnliche Maß ihrer Pflicht getan hätte. Eine einzige Unterlassung fiel ihr ein, welche sie nicht nur verschwieg, sondern der Mutter, auf Befragen, sogar als geschehen angab. Es hätten in ihren Strümpfen einige Löcher zugestopft werden sollen. Kätchen hatte es vergessen. In dem Augenblick aber, als sie Rechenschaft ablegte und daran dachte, fiel ihr ein, daß sie schon seit einigen Tagen früher als die andern aufgestanden wäre. Sie hoffte, daß dieses morgen der Fall wieder sein würde, und wollte alsdann in aller Geschwindigkeit das Versäumte nachholen.
Allein, es ging weit anders, als Kätchen gedacht hatte. Kätchen hatte aus Unachtsamkeit die Strümpfe am unrechten Ort liegen lassen, und die Mutter hatte sie längst in Verwahrung, während das Mädchen glaubte, sie wären noch da, wo sie dieselben hingetan zu haben meinte. Es war daher der Mutter schon auf der Zunge, Kätchen der Strümpfe wegen noch einmal zu fragen, und sie allenfalls scharf dabei anzusehen. Allein sie erinnerte sich noch zur rechten Zeit des Verbots ihres Mannes, das Mädchen dieses Fehlers nie *öffentlich* zu bezichtigen, und sie hielt an sich. Aber es kränkte sie in der Seele, daß das Mädchen mit solcher Leichtfertigkeit eine bare Unwahrheit von sich geben konnte.
Auch die Mutter war des andern Morgens früh auf, denn es war ihr wahrscheinlich, daß Kätchen so etwas im Sinn haben mochte. Sie traf aber Kätchen dennoch schon angezogen, suchend und in nicht geringer Beängstigung an. Die Tochter wollte der Mutter die Hand zum guten Morgen bieten, und versuchte eben, ihr sonstiges freundliches Wesen anzunehmen. Dies hielt die Mutter für den günstigen Augenblick. »Zwinge dich nicht«, sagte sie, »auch mit den *Mienen* zu lügen; dein *Mund* hat es gestern schon getan. Dort liegen deine Strümpfe seit gestern Mittag im Schrank, und du hast nicht daran gedacht, sie zu stopfen; wie konntest du also gestern abend sagen, sie wären gestopft?«
Kätch. »Ach Gott, Mutter, ich bin des Todes.«
»Hier sind deine Strümpfe«, *sagte die Mutter ganz kalt und fremd »Ich mag heute nichts mit dir zu tun haben.* Komm in die Lektionen oder komm nicht: es ist mir gleich viel; *du bist ein niederträchtiges Mädchen.«*
Hiermit ging die Mutter zur Tür hinaus, und Kätchen setzte sich weinend und schluchzend, um hurtig zu tun, was sie gestern

unterlassen hatte. Kaum aber hatte sie angefangen, so kam Hr. Willich mit ernsthaft-trauernder Miene zur Tür herein und ging stillschweigend in der Stube einmal auf und ab.
Will. »Du weinest Kätchen, was ist dir widerfahren?«
Kätch. »Ach, lieber Vater, Sie wissen es schon.«
Will. »Ich will *von dir* wissen, Kätchen, was dir widerfahren ist.«
Kätch. [das Gesicht in das Schnupftuch verbergend] »Ich habe wieder gelogen.«
Will. »Unglückliches Kind. Ist dir's denn gar nicht möglich, über deine Flatterhaftigkeit Meister zu werden?«
Kätchen konnte vor Weinen und Wehmut nicht antworten.
Will. »Ich will dich nicht mit vielen Reden bestürmen, liebe Tochter. Daß die Lüge ein schändliches Ding ist, weißt du längst schon, und daß dir die Lüge in Augenblicken herausfährt, wo du deine Gedanken nicht zusammennimmst, ist mir auch ausgemacht. Was ist daher zu tun? Du mußt *handeln*, Kind, und ich will dich als Freund dabei unterstützen.
Der heutige Tag sei dir *zur Trauer* über dein gestriges Versehen gesetzt. Die Bänder, welche du heute anlegst, müssen *schwarz* sein. Gehe und tue dies, ehe deine Geschwister noch aufstehen.«
»Besänftige dich«, fuhr Hr. W. fort, nachdem Kätchen zurück kam und getan hatte, wie ihr war befohlen worden, »du sollst an mir einen treuen Beistand in diesem deinen Leiden haben. Um dich desto aufmerksamer auf dich selbst zu machen, sollst du jeden Abend vor dem Schlafengehen zu mir auf meine Stube kommen, und in ein Buch, das ich eigens dazu zurechtmachen will, einschreiben, entweder: *heute habo ich gelogen*, oder: heute habe ich nicht gelogen.
Du hast keine Verweise von mir zu befürchten, selbst wenn du einschreiben müßtest, was dir nicht lieb sein wird. Ich hoffe, daß schon die *Erinnerung* an eine gesagte Lüge, dich auf viele Tage gegen dies Laster in Schutz nehmen wird. Damit *ich* aber doch auch etwas tue, was dir des Tags über behilflich sein kann, daß du des Abends eher etwas Gutes einzuschreiben hast, als etwas Schlimmes, so verbiete ich dir, von heute abend an, wo du das schwarze Band aus deinen Haaren ablegen wirst, wieder ein Band in den Haaren zu tragen. *Ich tue dies Verbot auf unbestimmte Zeit, bis mich dein Abendregister überzeugen wird*, daß dir *ernsthaftes Betragen* und *Wahrhaftigkeit* so zur Gewohnheit geworden sind, daß meinem Urteil nach kein Rückfall mehr zu befürchten ist.

Kommt es mit dir, wie ich wünsche, dahin – nun so wirst du alsdann von selbst urteilen können, welche Farbe du hernach zu deinem Haarband wählen darfst.« (Aus: J. Heusinger, *Die Familie Wertheim*, [2]1800, zit. n. KR, S. 192 ff.)

Zweifellos ist das Käthchen überzeugt, daß sich ein solches Laster nur bei ihm, dem bösen Geschöpf einnisten konnte. Um sich vorzustellen, daß ihr großartiger und gütiger Erzieher selber Schwierigkeiten mit der Wahrheit hat und es, Käthchen, deshalb so quält, müßte das Kind eine psychoanalytische Erfahrung haben. Also kommt es sich sehr schlecht neben den guten Erwachsenen vor.
Und der Vater von Konrädchen? Spiegelt sich in ihm vielleicht die Not zahlreicher Väter auch unserer Zeit?

Ich hatte mir fest vorgenommen, ihn ganz ohne Schläge zu erziehen; dies ging aber nicht so, wie ich wünschte. Bald kam ich in Notwendigkeit, einmal die Rute zu gebrauchen.
Der Kasus war folgender: Christelchen besuchte uns und brachte eine Puppe mit. Kaum hatte sie Konrädchen gesehen, so wollte er sie haben. Ich bat Christelchen, sie ihm zu geben, und sie tat es. Da Konrädchen sie einige Zeit gehabt hatte, wollte sie Christelchen wieder haben, und Konrädchen wollte es nicht tun. Was sollte ich nun anfangen? Wenn ich ihm das Bilderbuch herbeigeholt und ihm dann gesagt hätte, er solle Christelchen die Puppe geben, so würde er es vielleicht ohne Widerrede getan haben. Dies fiel mir aber nicht ein; und wenn es mir auch eingefallen wäre, so weiß ich doch nicht, ob ich es würde getan haben. *Ich glaubte, es wäre doch nun Zeit, daß das Kind sich gewöhnen müsse, dem Vater aufs Wort zu gehorchen.* Ich sagte also: Konrädchen, willst du Christelchen die Puppe nicht wieder geben?
Nein! sagte er etwas heftig.
Aber die arme Christel hat ja keine Puppe!
Nein! antwortete er wieder, weinte, drückte die Puppe fest an sich und drehte mir den Rücken zu.
Da sagte ich ihm dann im ernsthaften Ton: Konrädchen, *du mußt die Puppe Christelchen gleich wiedergeben, ich will es haben.*
Und was tat Konrädchen? Er warf die Puppe Christelchen vor die Füße.
Gott, wie erschrak ich darüber. Ich glaube, wenn mir die beste Kuh im Stalle gefallen wäre, es hätte mir so einen Schreck nicht

verursacht. Christelchen wollte die Puppe aufheben; *ich ließ es aber nicht zu.* Konrädchen, sagte ich, gleich heb die Puppe auf und gib sie Christelchen.
Nein! Nein! schrie Konrädchen.
Da *holte ich eine Rute bei*, zeigte sie ihm und sagte: Heb die Puppe auf, oder ich haue dich mit der Rute. Aber das Kind beharrte auf seinem Kopfe und schrie: Nein! nein!
Da hob ich denn die Rute in die Höhe und wollte ihn schlagen. Allein da entstand ein neuer Auftritt. Die Mutter rief: Lieber Mann, ich bitte dich, um Gottes willen. –
Nun war ich zwischen zwei Feuern. Ich resolvierte mich aber kurz und gut, nahm Puppe und Rute und das Kind auf den Arm, sprang zur Stube hinaus, in eine andere Stube, schloß die Tür zu, daß die Mutter nicht nachkommen konnte, warf die Puppe auf die Erde und sagte: *Heb die Puppe auf, oder ich schlage dich mit der Rute!* Mein Konrad blieb aber bei seinem Nein.
Da ging es nun Fick! fick! fick! Willst du die Puppe aufheben? fragte ich.
Nein! war seine Antwort.
Da bekam er die Rute noch viel derber, und nun sagte ich wieder: Gleich heb die Puppe auf!
Da hob er sie endlich auf, ich nahm ihn bei der Hand, führte ihn in die andere Stube und sagte: Gib die Puppe Christelchen!
Er gab sie ihr.
Nun lief er lautschreiend *zur Mutter und wollte seinen Kopf in ihren Schoß legen.* Diese hatte aber *so viel Verstand, daß sie ihn zurückwies und sagte: Geh, bist kein guter Konrad.*
Freilich rollten ihr die Tränen über die Backen, da sie es sagte. Da ich es merkte, bat ich sie, daß sie zur Stube hinausgehen möchte. Da es geschehen war, schrie Konrädchen etwa noch eine Viertelstunde, *dann wurde er ruhig.*
Ich kann wohl sagen, daß durch diesen Auftritt mein Herz gewaltig angegriffen wurde, teils weil mich das Kind dauerte; teils weil ich mich über seine Hartnäckigkeit betrübte.
Bei Tisch konnte ich nicht essen, ließ die Mahlzeit stehen und ging zum Herrn Pfarrer, um mein Herz vor ihm auszuschütten. *Da bekam ich nun wieder Trost.* Er hat recht getan, lieber Herr Kiefer, sagte er zu mir. *Wenn die Nessel noch jung ist*, so kann man sie leicht ausraufen; läßt man sie aber lange stehen, so wachsen die Wurzeln, und wenn man sie hernach ausraufen will, so

bleiben die Wurzeln stecken. Mit den Unarten der Kinder ist es ebenso. Je länger man ihnen nachsieht, desto schwerer sind sie hernach wegzubringen. Daß er den kleinen Starrkopf tüchtig durchgehauen hat, das war auch gut. Das wird er in einem halben Jahr nicht vergessen.
Hätte er ihn nur sanft gehauen, so hätte es nicht nur diesmal nichts geholfen, sondern er würde ihn nun immer haben schlagen müssen, und der Junge würde sich so an die Schläge gewöhnt haben, daß er sich am Ende gar nichts mehr daraus gemacht hätte. Daher kommt's, daß die Kinder sich gemeiniglich so wenig aus den Schlägen der Mütter machen, *weil diese den Mut nicht haben, derb zuzuschlagen.* Das ist auch die Ursache, warum es Kinder gibt, die so verstockt sind, daß man durch die stärksten Prügel nichts mehr bei ihnen ausrichten kann. [. . .]
Da nun bei seinem Konrädchen die Hiebe noch im frischen Andenken sind, so *rate ich ihm, daß er diese Zeit benutze. Wenn er nach Hause kommt, so kommandiere er ihn fein oft.* Lasse er sich Stiefeln, Schuhe, die Tabakspfeife *beiholen und wieder wegtragen;* lasse er ihn *die Steine im Hofe von einem Platz zum andern legen.* Er wird alles tun und sich zum Gehorsam gewöhnen. (C. G. Salzmann, 1796, zit. n. KR, S. 158 ff.)

Der Trost des Herrn Pfarrers – klingt er denn so altmodisch? Haben wir nicht im Jahre 1979 gehört, daß zwei Drittel der deutschen Bevölkerung für die Prügelstrafe sind? In England ist die Prügelstrafe noch nicht verboten, und in den Internaten gehört sie dort zur Norm. Wen wird später die Antwort auf diese Demütigungen treffen, wenn die Kolonien nicht mehr herhalten? Es kann ja nicht jeder ehemalige Schüler zum Lehrer werden und auf diesem Wege seine Rache einziehen . . .

Zusammenfassung

Die oben angeführten Zitate hatten das Ziel, eine *Haltung* zu charakterisieren, die nicht nur in der faschistischen, sondern in verschiedenen Ideologien mehr oder weniger offen zutage tritt. Die Verachtung und Verfolgung des schwachen Kindes sowie die Unterdrückung des Lebendigen, Kreativen, Emotionalen im Kind und im eigenen

Selbst durchziehen so viele Bereiche unseres Lebens, daß sie uns kaum mehr auffallen. Mit verschiedener Intensität und unter verschiedenen Sanktionen, aber fast überall findet sich die Tendenz, das Kindliche, d. h. das schwache, hilflose, abhängige Wesen so schnell wie möglich in sich loszuwerden, um endlich das große, selbständige, tüchtige Wesen zu werden, das Achtung verdient. Begegnen wir diesem Wesen in unseren Kindern wieder, so verfolgen wir es mit ähnlichen Mitteln, wie wir es mit uns bereits taten, und nennen das »Erziehung«.

Ich werde im folgenden gelegentlich den Begriff »Schwarze Pädagogik« auf diese sehr komplexe Haltung anwenden, wobei aus dem jeweiligen Zusammenhang ersichtlich sein wird, welchen Aspekt ich dort gerade in den Vordergrund stelle. Die einzelnen Aspekte lassen sich direkt aus den oben angeführten Zitaten ableiten, aus denen wir folgendes lernen können:

1. daß die Erwachsenen Herrscher (nicht Diener!) des abhängigen Kindes seien;
2. daß sie über Recht und Unrecht wie Götter bestimmen;
3. daß ihr Zorn aus ihren eigenen Konflikten stammt;
4. daß sie das Kind dafür verantwortlich machen;
5. daß die Eltern immer zu schützen seien;
6. daß die lebendigen Gefühle des Kindes für den Herrscher eine Gefahr bedeuten;
7. daß man dem Kind so früh wie möglich seinen »Willen benehmen« müsse;
8. daß alles sehr früh geschehen sollte, damit das Kind »nichts merke« und den Erwachsenen nicht verraten könne.

Die Mittel der Unterdrückung des Lebendigen sind: Fallen stellen, Lügen, Listanwendung, Verschleierung, Manipulation, Ängstigung, Liebesentzug, Isolierung, Mißtrauen, Demütigung, Verachtung, Spott, Beschämung, Gewaltanwendung bis zur Folter.

Zur »Schwarzen Pädagogik« gehört es auch, dem Kind von Anfang an falsche *Informationen und Meinungen zu vermitteln.* Diese werden seit Generationen weitergegeben und von den Kindern respektvoll übernommen, obwohl sie nicht nur nicht ausgewiesen, sondern *nachweisbar falsch sind.* Dazu gehören z. B. Meinungen wie:

1. daß das Pflichtgefühl Liebe erzeuge;
2. daß man den Haß mit Verboten töten könne;
3. daß Eltern a priori als Eltern Achtung verdienen;
4. daß Kinder a priori keine Achtung verdienen;
5. daß Gehorsam stark mache;
6. daß eine hohe Selbsteinschätzung schädlich sei;
7. daß eine niedrige Selbsteinschätzung zur Menschenfreundlichkeit führe;
8. daß Zärtlichkeiten schädlich seien (Affenliebe);
9. daß das Eingehen auf kindliche Bedürfnisse schlecht sei;
10. daß Härte und Kälte eine gute Vorbereitung fürs Leben bedeuten;
11. daß vorgespielte Dankbarkeit besser sei als ehrliche Undankbarkeit;
12. daß das Verhalten wichtiger sei als das Sein;
13. daß die Eltern und Gott keine Kränkung überleben würden;
14. daß der Körper etwas Schmutziges und Ekelhaftes sei;
15. daß die Heftigkeit der Gefühle schädlich sei;
16. daß die Eltern triebfreie und schuldlose Wesen seien;
17. daß die Eltern immer Recht hätten.

Wenn man bedenkt, welcher Terror von dieser Ideologie ausgeht und daß sie um die Jahrhundertwende noch auf ihrem Höhepunkt stand, wird man sich kaum wundern, daß Sigmund Freud seinen unerwarteten Einblick in die sexuelle Verführung im Kindesalter durch Erwachsene, den er den Aussagen seiner Patienten verdankte, mit Hilfe einer Theorie zudecken mußte, die sein unerlaubtes Wissen ungeschehen machte. Ein Kind seiner Zeit durfte unter schwersten Sanktionen nicht merken, was die Erwachsenen mit ihm machten, und wäre Freud bei der Verführungstheorie geblieben, so hätte er nicht nur seine introjizierten Eltern fürchten müssen, sondern wäre zweifellos auch realen Schmähungen, wahrscheinlich einer völligen Isolierung und Ausstoßung aus der bürgerlichen Gesellschaft ausgesetzt worden. Er mußte aus Selbstschutz eine Theorie entwickeln, in der *die Diskretion gewahrt wurde*, in der alles »Böse«, Schuldhafte, Ungerechte der kindlichen Phantasie zugeschrieben wurde und die Eltern nur als Projektionsscheiben dieser Phantasien erschienen. Daß die Eltern ihrerseits sexuelle und aggressive Phantasien auf ihr Kind nicht nur projizieren, sondern auch an ihm befriedigen können, weil sie die Macht besitzen, wurde aus dieser Theorie begreiflicherweise ausgespart. Dieser Aussparung ist es wohl zu verdanken, daß so viele pädagogisch konditionierte Fachleute der Triebtheorie folgen durften, ohne die Idealisierung ihrer Eltern in Frage stellen zu müssen. Mit der Trieb- und Strukturtheorie konnte das in der frühen Kindheit verinnerlichte Gebot: »Du sollst nicht merken, was Deine Eltern dir antun«, aufrecht erhalten werden.*

Der Einfluß der »Schwarzen Pädagogik« auf Theorie und Praxis der Psychoanalyse scheint mir so wichtig, daß ich mich mit diesem Thema noch ausführlicher befassen möchte (vgl. S. 12).

Hier muß ich mich mit den wenigen Andeutungen begnügen, weil ich zunächst ganz allgemein den Sinn dafür

* Zu dieser Einsicht bin ich erst im Laufe der letzten Jahre, ausschließlich aufgrund meiner analytischen Erfahrung, gekommen und war überrascht, im faszinierenden Buch von Marianne Krüll (1979) auffallende Übereinstimmungen zu finden. Marianne Krüll ist eine Soziologin, die sich nicht mit Theorien begnügt, sondern das Verstandene erleben und das Erlebte verstehen will. Sie ist an den Geburtsort Sigmund Freuds gefahren, in dem Zimmer gestanden, in dem Freud seine ersten Lebensjahre zusammen mit den Eltern verbrachte, und hat, nachdem sie viele Bücher darüber gelesen hatte, versucht, sich *vorzustellen und zu fühlen,* was das Kind Sigmund Freud in diesem Zimmer gespeichert haben muß.

wecken möchte, daß das mit Hilfe der Erziehung tief in uns verankerte Gebot, die Eltern zu schonen, bestens geeignet ist, die für uns lebenswichtigen Wahrheiten zu verschleiern oder sogar in das pure Gegenteil zu wenden, wofür viele von uns mit schweren Neurosen bezahlen müssen.

Was geschieht mit den zahlreichen Menschen, an denen die Anstrengungen der Erzieher erfolgreich waren?
Es ist undenkbar, daß sie als Kinder ihre echten Gefühle leben und entwickeln konnten, denn zu diesen Gefühlen hätten doch auch der verbotene Zorn und die ohnmächtige Wut gehören müssen – ganz besonders, wenn diese Kinder geschlagen, gedemütigt, belogen und hintergangen wurden. Was geschieht nun mit diesem ungelebten, weil verbotenen Zorn? Er löst sich leider nicht auf, sondern verwandelt sich mit der Zeit in einen mehr oder weniger bewußten Haß gegen das eigene Selbst oder gegen andere Ersatzpersonen, der sich verschiedene, *für den Erwachsenen bereits erlaubte* und gut angepaßte Wege der Entladung sucht.
Die Käthchens und Konrädchens aller Zeiten waren sich als Erwachsene immer darüber einig, daß ihre Kindheit die glücklichste Zeit ihres Lebens gewesen war. Erst in der jungen Generation von heute vollzieht sich eine Wandlung in dieser Hinsicht. Lloyd de Mause ist wohl der erste Wissenschaftler, der die Geschichte der Kindheit ausführlich untersuchte, ohne die Tatsachen zu beschönigen und ohne die Ergebnisse seiner Forschungen mit idealisierenden Kommentaren wieder zurückzunehmen. Weil sich dieser Psychohistoriker einfühlen kann, muß er die Wahrheit nicht verdrängen. Die Wahrheit, die sein Buch (1977) enthüllt, ist traurig und bedrückend, aber bringt mit sich die Chance einer Wende: Wer dieses Buch liest und sehen kann, daß die hier beschriebenen Kinder später selber Erwachsene waren, der wird sich auch über die schlimmsten Greueltaten unserer Geschichte nicht

mehr wundern. Er wird die Stellen entdecken, an denen Grausamkeit gesät wurde und dank dieser Entdeckung Hoffnung schöpfen, daß die Menschheit diesen Grausamkeiten nicht für immer ausgeliefert bleiben muß, weil wir durch das Aufdecken der unbewußten Spielregeln der Macht und der Methoden ihrer Legitimierung tatsächlich in der Lage sind, grundsätzlich etwas zu verändern. Ohne das Verständnis für den Engpaß der frühen Kindheit, in der sich die Erziehungsideologie fortpflanzt, sind aber diese Spielregeln nicht in ihrem vollen Umfang zu begreifen.

Die bewußten Ideale der jungen Eltern haben sich in unserer Generation zweifellos geändert. Gehorsam, Zwang, Härte und Gefühllosigkeit gelten nicht mehr als absolut anerkannte Werte. Aber der Weg zur Realisierung der neuen Ideale ist häufig blockiert durch die Notwendigkeit, das Leiden der eigenen Kindheit in der Verdrängung zu halten, die zum Mangel an Empathie führt. Es sind gerade die einstigen Käthchens und Konrädchens, die von Kindesmißhandlungen nichts hören wollen (oder deren Gefahr verharmlosen), weil sie selber angeblich eine »glückliche Kindheit« gehabt haben. Doch gerade ihr Mangel an Einfühlung verrät das Gegenteil: sie haben sehr früh auf die Zähne beißen müssen. Menschen, die tatsächlich in einer empathischen Umgebung aufwachsen durften (was äußerst selten ist, denn bis vor kurzem wußte man nicht, wie sehr ein Kind leiden kann) oder solche, die später ein empathisches Objekt in ihrem Innern kreiert haben, werden sich eher dem Leiden anderer öffnen können oder es zumindest nicht bestreiten. Dies wäre eine notwendige Voraussetzung, damit alte Wunden heilen könnten und nicht mit Hilfe der nächsten Generation zugedeckt werden müßten.

> Dann gewährt es uns aber auch einen ganz besonderen heimlichen Genuß, zu sehen, wie die Leute um uns nicht gewahr werden, was mit ihnen wirklich geschieht.
>
> *(Adolf Hitler, zit. n. Rauschning, S. 181)*

Menschen, die im Wertsystem der »Schwarzen Pädagogik« aufgewachsen und von psychoanalytischen Erfahrungen unberührt geblieben sind, werden meiner antipädagogischen Haltung vermutlich entweder mit bewußter Angst oder mit intellektueller Ablehnung begegnen. Sie werden mir vorwerfen, daß ich heiligen Werten gegenüber indifferent sei oder einen naiven Optimismus an den Tag lege und keine Ahnung habe, wie böse Kinder sein können. Solche Vorwürfe würden mich nicht wundern, denn ihre Gründe sind mir allzu gut bekannt. Trotzdem möchte ich mich zur Frage der Wertindifferenz äußern:
Es ist für jeden Pädagogen eine ausgemachte Sache, daß es böse ist, zu lügen, einem anderen Menschen weh zu tun oder ihn zu kränken, auf die Grausamkeit der Eltern mit Grausamkeit zu reagieren, statt Verständnis für die guten Absichten aufzubringen usw. Andererseits gilt es als gut und wertvoll, wenn das Kind die Wahrheit sagt, den Eltern für ihre Absichten dankbar ist und die Grausamkeit ihrer Handlungen übersieht, wenn es die Ideen seiner Eltern übernimmt, aber sich seinen eigenen Ideen gegenüber kritisch äußern kann und vor allem, wenn es in dem, was man von ihm fordert, ja keine Schwierigkeiten macht. Damit man dem Kind diese beinahe allgemein gültigen, sowohl in der jüdisch-christlichen als auch in anderen Traditionen verwurzelten Werte beibringen kann, muß der Erwachsene manchmal zu Lüge, Verstellung, Grausamkeit, Mißhandlung, Demütigung greifen, aber bei ihm handelt es sich nicht um »negative Werte«, weil er selber bereits erzogen ist und diese Mittel nur zum heiligen Ziel anwenden muß, nämlich *damit* das Kind einmal frei werde von Lüge, Verstellung, Bosheit, Grausamkeit, Egoismus.

Aus dem oben Angeführten wird deutlich, daß eine Relativierung der traditionellen moralischen Werte diesem Wertsystem bereits immanent ist: die Rangordnung und die Macht entscheiden letztlich darüber, ob eine Handlung zu den guten oder schlechten gezählt wird. Das gleiche Prinzip beherrscht die ganze Welt. Der Starke diktiert die Meinung; und der Sieger im Krieg wird früher oder später anerkannt, unabhängig davon, welche Verbrechen er auf seinem Wege zu diesem Ziel begangen hat.
Zu dieser altbekannten Relativierung der Werte nach der Machtstellung möchte ich eine andere hinzufügen, die sich aus psychoanalytischen Gesichtspunkten ergibt. Sobald man nämlich aufhört, den Kindern Vorschriften zu machen, muß man selber feststellen, daß es unmöglich ist, gleichzeitig die Wahrheit zu sagen und niemanden zu verletzen, Dankbarkeit zu zeigen, wenn man sie nicht empfindet, ohne zu lügen, die Grausamkeiten der Eltern zu übersehen und ein autonomer kritischer Mensch zu werden. Diese Zweifel müssen sich notgedrungen ergeben, sobald man das abstrakte Wertsystem der religiösen oder auch philosophischen Ethik verläßt und sich der konkreten psychischen Wirklichkeit zuwendet. Menschen, die mit diesem konkreten Denken nicht vertraut sind, mögen meine Relativierung der traditionellen Erziehungswerte und die Infragestellung der Erziehung als Wert überhaupt als schockierend, nihilistisch, bedrohlich oder sogar als naiv empfinden. Das wird von ihrer eigenen Geschichte abhängen. Von mir aus kann ich nur sagen, daß es für mich durchaus Werte gibt, die ich nicht zu relativieren brauche und von deren Realisierungsmöglichkeit vermutlich auf die Dauer unsere Überlebenschancen abhängen. Dazu gehören: die Achtung für den Schwächeren, also auch für das Kind, und der Respekt vor dem Leben und dessen Gesetzlichkeit, ohne den jede Kreativität ersticken müßte. Der Faschismus in all seinen Schattierungen hat diesen Respekt nicht, verbreitet den seelischen

Tod und kastriert die Seele mit Hilfe seiner Ideologie. Unter allen führenden Gestalten des Dritten Reiches habe ich keine einzige gefunden, die nicht streng und hart erzogen worden wäre. Muß uns das nicht sehr nachdenklich machen?

Menschen, denen es von Anfang an in der Kindheit möglich und erlaubt war, auf die ihnen bewußt oder unbewußt zugefügten Schmerzen, Kränkungen und Versagungen adäquat, d. h. mit Zorn, zu reagieren, werden diese Fähigkeit der adäquaten Reaktion auch im reiferen Alter behalten. Als Erwachsene werden sie es spüren und verbal ausdrücken können, wenn man ihnen wehgetan hat. Aber sie werden kaum das Bedürfnis haben, dem andern deshalb an die Gurgel zu fahren. Dieses Bedürfnis kommt nur bei Menschen auf, die immer auf der Hut sein müssen, daß ihre Staudämme nicht reißen. Wenn diese reißen, ist alles unberechenbar. So ist es begreiflich, daß ein Teil dieser Menschen, aus Angst vor unberechenbaren Folgen, jede spontane Reaktion fürchten muß und daß es beim andern Teil zu gelegentlichen Entladungen auf Ersatzpersonen im unverständlichen Jähzorn oder zu regelmäßigen Gewaltakten in Form von Mord und Terroranschlägen kommt. Ein Mensch, der seinen Zorn als Teil von sich selbst verstehen und integrieren kann, wird nicht gewalttätig. Er hat erst das Bedürfnis, den andern zu schlagen, wenn er seine Wut *eben nicht begreifen kann*, wenn er mit diesem Gefühl als kleines Kind nicht vertraut werden durfte, es nie als Stück von sich selbst erleben konnte, weil dies in seiner Umgebung völlig undenkbar war.

Wenn man sich diese Dynamik vor Augen hält, wird man nicht überrascht sein, von der Statistik zu erfahren, daß 60% der deutschen Terroristen der letzten Jahre aus Pfarrersfamilien stammen. Die Tragik dieser Situation liegt darin, daß die Eltern zweifellos die besten Absichten mit ihren Kindern hatten. Sie wollten eben von Anfang an, daß diese Kinder *gut, verständnisvoll, brav, lieb, anspruchslos, an andere denkend, nicht egoistisch, beherrscht, dankbar, nicht eigensinnig, nicht hartnäckig, nicht trotzig und vor allem fromm* werden. Sie wollten diese Werte ihren Kindern *mit allen Mitteln anerziehen*, und wenn es nicht anders ging, mußten sie für diese guten Erziehungszwecke auch Gewalt anwenden. Falls diese Kinder in ihrem Jugendalter gewalttätig wurden, dann brachten sie zugleich die ungelebte Seite ihrer Kindheit sowie die ungelebte, unterdrückte und nur dem eigenen Kind bekannte verborgene Seite der Eltern zum Ausdruck.

Wenn Terroristen unschuldige Frauen und Kinder als Geiseln nahmen, um einem großen, idealen Zweck zu dienen, taten sie dann etwas anderes, als das, was man mit ihnen einmal getan hatte? Für das große Erziehungswerk, für die hohen religiösen Werte hatte man einst das lebendige kleine Kind geopfert, aber mit dem Gefühl, ein großes und gutes Werk begangen zu haben. Weil sich diese jungen Menschen nie auf ihre eigenen Gefühle haben verlassen dürfen, fuhren sie damit fort, ihre eigenen Gefühle zugunsten einer Ideologie zu unterdrücken. Diese einst der »höheren« Moral geopferten, intelligenten und oft sehr differenzierten Menschen machten sich als Erwachsene zu Opfern einer anderen – oft entgegengesetzten – Ideologie, für deren Zwecke sie sich in ihrem Innersten wie damals in der Kindheit völlig beherrschen ließen.

Das ist die unbarmherzige, tragische Gesetzmäßigkeit des unbewußten Wiederholungszwanges. Seine positive Funktion allerdings darf auch nicht übersehen werden. Wäre es nicht noch viel schlimmer, wenn das Erziehungswerk vollständig gelänge, wenn ein tatsächlich gelungener, unwiderbringlicher Seelenmord am Kind geschehen könnte, ohne daß die Öffentlichkeit je etwas davon erfahren würde? Wenn ein Terrorist im Namen seiner Ideale wehrlose Menschen gewalttätig überfällt und sich sowohl den ihn manipulierenden Führern als auch der Polizei des von ihm bekämpften Systems ausliefert, dann *erzählt er unbewußt in seinem Wiederholungszwang, was ihm einmal im Namen der hohen Ideale der Erziehung geschehen ist.* Die von ihm erzählte Geschichte kann von der Öffentlichkeit als ein Alarmsignal verstanden oder völlig mißverstanden werden, aber als Alarmsignal ist sie ein Zeichen des Lebens, das noch gerettet werden kann.

Was geschieht aber, wenn von diesem Leben keine Spur mehr geblieben ist, weil die Erziehung restlos und perfekt gelungen war, wie das z. B. bei Menschen wie Adolf Eichmann oder Rudolf Höss der Fall war? Man hat sie so früh und so erfolgreich zum Gehorsam erzogen, daß diese Erziehung nie versagt hat, daß dieses Gebäude nirgends Löcher aufwies, an keinem Ort Wasser eingedrungen ist, kein Gefühl es erschüttert hat; diese Menschen haben bis zu ihrem Lebensende die Befehle ausgeführt, die ihnen gegeben wurden, ohne je ihren Inhalt in Frage zu stellen. Nicht aus Einsicht in die Richtigkeit der Befehle, sondern einfach weil es Befehle waren, haben sie sie ausgeführt, genau wie es die »Schwarze Pädagogik« empfiehlt (vgl. Seite 56f).
Deshalb konnte Eichmann während seines Prozesses die erschütterndsten Berichte der Zeugen ohne Gemütsbewegungen über sich ergehen lassen; aber als er bei der Urteilsverkündung aufzustehen vergaß, errötete er verlegen, nachdem er darauf aufmerksam gemacht worden war.
Rudolf Höss' Erziehung zum Gehorsam im frühesten Alter überstand ebenfalls alle Wandlungen der Zeit. Sein Vater wollte ihn sicher nicht zu einem Auschwitzkommandanten erziehen, sondern hatte als strenger Katholik eine Missionarenlaufbahn für ihn im Auge. Aber er hat ihm sehr früh das Prinzip eingeimpft, daß man der Obrigkeit immer gehorchen müsse, was sie auch von einem verlange.
In der Hauptsache verkehrten Geistliche aus allen Kreisen bei

uns. Mein Vater wurde im Laufe der Jahre immer religiöser. Sooft es ihm seine Zeit erlaubte, fuhr er mit mir zu all den Wallfahrtsstätten und Gnadenorten meiner Heimat, sowohl nach Einsiedeln in der Schweiz wie nach Lourdes in Frankreich. Inbrünstig erflehte er den Segen des Himmels für mich, daß ich dereinst ein gottbegnadeter Priester würde. Ich selbst war auch tief gläubig, soweit man dies als Knabe in den Jahren sein kann, und nahm es mit meinen religiösen Pflichten sehr ernst. Ich betete in wahrhaft kindlichem Ernst und war sehr eifrig als Ministrant tätig. – Von meinen Eltern war ich so erzogen, daß ich allen Erwachsenen und besonders Älteren mit Achtung und Ehrerbietung zu begegnen hätte, ganz gleich aus welchen Kreisen sie kämen. Überall, wo es notwendig ist, behilflich zu sein, wurde mir zur obersten Pflicht gemacht. Ganz besonders wurde ich immer darauf hingewiesen, daß ich Wünsche oder Anordnungen der Eltern, der Lehrer, Pfarrer usw., ja aller Erwachsenen bis zum Dienstpersonal unverzüglich durchzuführen bzw. zu befolgen hätte und *mich durch nichts davon abhalten lassen dürfe. Was diese sagten, sei immer recht.*
Diese Erziehungsgrundsätze sind mir *in Fleisch und Blut übergegangen* (R. Höss, 1979, S. 25).

Wenn nun die Obrigkeit verlangte, daß man als Leiter der Todesmaschinerie in Auschwitz funktionierte, wie hätte sich Höss dem entgegensetzen können? Und auch später, nach seiner Verhaftung, als man ihm den Auftrag erteilte, über sein Leben zu berichten, hat er diesen Auftrag nicht nur treu und gewissenhaft ausgeführt, sondern auch seine Dankbarkeit für die Verkürzung der Gefängniszeit (»mit der interessanten Beschäftigung«) brav zum Ausdruck gebracht. Diesem Bericht verdankt die Welt einen tiefen Einblick in die Vorgeschichte eines unfaßbaren, tausendfachen Verbrechens.
Die ersten Erinnerungen Rudolf Höss' berichten von einem Waschzwang in seiner Kindheit, in dem er sich wahrscheinlich von allem zu befreien versuchte, was seine Eltern in ihm als unrein oder schmutzig empfanden. Da er bei den Eltern keine Zärtlichkeit fand, suchte er sie bei den Tieren, um so mehr als diese vom Vater nicht wie er

geschlagen wurden und somit in der Rangordnung höher als die Kinder standen.

Ähnliche Wertvorstellungen finden sich bei Heinrich Himmler. Er sagt z. B.

Wie können Sie nur ein Vergnügen daran haben, auf die armen Tiere, die so unschuldig, wehrlos und ahnungslos am Waldrand äsen, aus dem Hinterhalt zu schießen, Herr Kersten. Denn es ist, richtig gesehen, reiner Mord ... Die Natur ist so wunderschön, und jedes Tier hat schließlich auch ein Recht zu leben (J. Fest, 1963, S. 169).

Und der gleiche Himmler sagt auch folgendes:

Ein Grundsatz muß für den SS-Mann absolut gelten: Ehrlich, anständig, treu und kameradschaftlich haben wir zu Angehörigen unseres eigenen Blutes zu sein und zu sonst niemandem. Wie es den Russen geht, wie es den Tschechen geht, ist mir total gleichgültig. Das, was in den Völkern an gutem Blut unserer Art vorhanden ist, werden wir uns holen, indem wir ihnen, wenn notwendig, die Kinder rauben und sie bei uns großziehen. Ob die anderen Völker in Wohlstand leben oder ob sie verrecken vor Hunger, das interessiert mich nur soweit, als wir sie als Sklaven für unsere Kultur brauchen, anders interessiert mich das nicht. Ob bei dem Bau eines Panzergrabens 10 000 russische Weiber an Entkräftung umfallen oder nicht, interessiert mich nur soweit, als der Panzergraben für Deutschland fertig wird. Wir werden niemals roh oder herzlos sein, wo es nicht sein muß; das ist klar. Wir Deutsche, die wir als einzige auf der Welt eine anständige Einstellung zum Tier haben, werden ja auch zu diesen Menschentieren eine anständige Einstellung einnehmen, aber es ist ein Verbrechen gegen unser eigenes Blut, uns um sie Sorge zu machen und ihnen Ideale zu bringen ... (J. Fest, 1963, S. 161 f.).

Himmler war, ähnlich wie Höss, ein beinahe perfektes Produkt seines Vaters, der *ein Berufserzieher* war. Auch Heinrich Himmler träumte davon, Menschen und Völker zu erziehen. Fest schreibt:

Der Medizinalrat Felix Kersten, der ihn seit dem Jahre 1939 laufend behandelt hat und eine Art Vertrauensstellung besaß, hat behauptet, Himmler hätte selbst die Fremdvölker *lieber erzogen als ausgerottet*, und während des Krieges schwärmte er, im Gedanken an die Friedenszeit, von seiner Aufgabe, militärische Einheiten aufzustellen, die »ausgebildet sind und *erzogen sind, wo wieder erzogen, erzogen wird«* (S. 163).

Im Gegensatz zu Rudolf Höss, dessen Erziehung zum blinden Gehorsam so vollkommen erfolgreich war, ist es Himmler offenbar nicht ganz gelungen, die an ihn gestellten Forderungen an innerer Härte zu erfüllen. Joachim Fest interpretiert sehr überzeugend Himmlers Greueltaten als einen dauernden Versuch, sich selber und der Welt seine Härte doch noch unter Beweis stellen zu können. Er meint:

In der heillosen Konfusion aller Maßstäbe, wie sie sich unter dem Einfluß der Maximen totalitärer Sittlichkeit einstellt, erhielt die den Opfern gegenüber praktizierte Härte ihr Recht gerade daher, daß *sie die Härte gegenüber sich selbst voraussetzte.* »Hart zu sein gegen uns und andere, den Tod zu geben und zu nehmen«, lautete eine der von Himmler wiederholt apostrophierten Devisen der SS: *weil das Morden schwerfiel, war es gut und gerechtfertigt.* Aus dem gleichen Grunde hat er immer wieder stolz und wie auf ein »Ruhmesblatt« darauf verweisen können, daß der Orden an seiner mörderischen Aktivität »keinen Schaden im Innern« genommen habe und »anständig« geblieben sei (S. 167).

Hören wir in diesen Worten nicht die Prinzipien der »Schwarzen Pädagogik«, die Vergewaltigung der Regungen der kindlichen Seele?

Das sind nur drei Beispiele aus der unendlichen Zahl von Menschen, die eine ähnliche Laufbahn eingeschlagen und ohne jeden Zweifel eine sogenannte gute, strenge Erziehung genossen haben. Die totale Unterwerfung der Kinder unter den Willen der Erwachsenen wirkte sich nicht erst in der späteren politischen Hörigkeit aus (z. B. im totalitären System des Dritten Reiches), sondern vorher schon in der inneren Bereitschaft zur neuen Unterwerfung, sobald der Jugendliche aus dem Haus kam. Wie

sollte jemand, der nichts anderes in sich entwickeln durfte, als den Befehlen anderer zu gehorchen, mit dieser inneren Leere selbständig leben können? Das Militär war wohl die beste Möglichkeit, sich weiter vorschreiben zu lassen, was man zu tun hatte. Wenn nun einer wie Adolf Hitler kam und wie einst der Vater behauptete, *genau zu wissen, was für die anderen gut, richtig und notwendig sei*, da muß man sich nicht wundern, daß so viele mit ihrer Sehnsucht nach Unterwerfung diesem Hitler zugejubelt und ihm geholfen haben, zur Macht zu kommen. Endlich hatten diese jungen Menschen eine Fortsetzung ihrer Vaterfigur gefunden, ohne die sie nicht fähig waren zu leben. Im Buch von Joachim Fest (*Das Gesicht des Dritten Reiches*, [1]1963) kann man nachlesen, mit welcher *Unterwürfigkeit, Kritiklosigkeit und nahezu kleinkindlicher Naivität* die später berühmt gewordenen Männer über die *Allwissenheit, Unfehlbarkeit, und Göttlichkeit* von Adolf Hitler gesprochen haben. So sieht ein kleines Kind seinen Vater. Und aus diesem Stadium sind diese Männer nie herausgekommen. Ich zitiere einige Stellen, weil es für die heutige Generation ohne diese Zitate wohl kaum vorstellbar ist, wie wenig inneren Halt diese Menschen besaßen, die später deutsche Geschichte machen sollten:
Hermann Göring meinte:

Wenn der katholische Christ überzeugt ist, daß der Papst in allen religiösen und sittlichen Dingen unfehlbar sei, so erklären wir Nationalsozialisten mit der gleichen innersten Überzeugung, daß auch für uns der Führer in allen politischen und sonstigen Dingen, die das nationale und soziale Interesse des Volkes angehen, *glattweg unfehlbar ist* . . . Es ist für Deutschland zum Segen geworden, daß in Hitler die seltene Vereinigung stattgefunden hat zwischen dem schärfsten logischen Denker und wahrhaft tiefgründigen Philosophen und dem eisernen Tatmenschen, zäh bis zum äußersten (S. 108).

Oder:

Wer nur irgend die Verhältnisse bei uns kennt, . . . weiß, daß jeder von uns genau so viel Macht besitzt, als der Führer ihm zu geben wünscht. Und nur mit dem Führer und hinter ihm stehend ist man tatsächlich mächtig und hält die starken Machtmittel des Staates in der Hand, aber gegen seinen Willen, ja auch nur ohne seinen Wunsch, wäre man im gleichen Augenblick *vollständig machtlos*. Ein Wort des Führers und jeder stürzt, den er beseitigt zu sehen wünscht. Sein Ansehen, seine Autorität sind grenzenlos ... (S. 109).

Das ist *real* die Situation eines kleinen Kindes neben seinem autoritären Vater, die hier beschrieben wird. Göring gab offen zu:

Nicht ich lebe, sondern Hitler lebt in mir ...
Jedesmal, wenn ich ihm (Hitler) gegenüberstehe, fällt mir das Herz in die Hosen ...
Ich konnte oft erst gegen Mitternacht wieder etwas essen, da ich mich sonst in meiner Erregung hätte erbrechen müssen. Wenn ich gegen 9 Uhr nach Karinhall zurückgekommen war, mußte ich tatsächlich erst einige Stunden im Stuhl sitzen, um mich wieder zu beruhigen. Dieses Verhältnis ist für mich geradezu seelische Prostitution gewesen ... (S. 108).

In Rudolf Hess' Rede vom 30. Juni 1934 wird diese Haltung ebenfalls offen zugegeben, ohne daß der Redner durch Gefühle von Scham oder Unbehagen daran gehindert worden wäre – ein Phänomen, das wir uns heute, 46 Jahre später, kaum vorstellen können. In dieser Rede heißt es:

Mit Stolz sehen wir: Einer *bleibt von aller Kritik ausgeschlossen*, das ist der Führer. Das kommt daher, daß jeder fühlt und weiß: *Er hat immer recht*, und er wird immer recht haben. *In der kritiklosen Treue*, in der Hingabe an den Führer, *die nach dem Warum im Einzelfalle nicht fragt*, in der stillschweigenden Ausführung seiner Befehle liegt unser aller Nationalsozialismus verankert. Wir glauben daran, daß der Führer einer höheren Berufung zur Gestaltung deutschen Schicksals folgt. An diesem Glauben gibt es keine Kritik (S. 260).

Dazu bemerkt Joachim Fest:

In seinem unbalancierten Verhältnis zur Autorität gleicht Hess auffallend vielen führenden Nationalsozialisten, die wie er aus sogenannten *strengen Elternhäusern* stammten. Es spricht denn auch einiges dafür, daß Hitler beträchtlich von den Erziehungsschäden einer Epoche profitierte, die ihre pädagogischen Leitbilder von den Kasernenhöfen holte und ihre Söhne in den Härtekategorien von Kadetten aufzog. In der eigentümlichen *Mischung aus Aggressivität und hündischer Geducktheit,* wie sie doch für den Typus des Alten Kämpfers vielfach bezeichnend war, aber auch der inneren Unselbständigkeit und Befehlsabhängigkeit, kamen nicht zuletzt die Fixierungen auf die Kommandowelt zum Vorschein, die der *bestimmende Erfahrungshintergrund ihrer frühen Entwicklung war.* Was immer in dem jungen Rudolf Hess an verborgenen Gefühlen der Auflehnung gegen jenen Vater lebendig war, der seine Macht zum letzten Male nachdrücklich demonstriert hatte, als er den Sohn, ohne Rücksicht auf dessen Wünsche und die Intervention der Lehrer, nicht studieren ließ, sondern die kaufmännische Vorbereitung auf die Übernahme des eigenen Unternehmens in Alexandria erzwang – der immer wieder gebrochene Wille suchte sich von nun an Vater und Vaterersatz, wo immer er ihn fand: Man muß Führer wollen! (S. 260)

Wenn Ausländer Adolf Hitlers Auftritte in den Wochenschauen beobachtet haben, konnten sie den Jubel und die Wahlen von 1933 nie begreifen. Sie hatten es leicht, seine menschlichen Schwächen, seine aufgesetzte, künstliche Sicherheit, seine unwahren Argumente zu durchschauen: Er ist nicht wie ihr Vater zu ihnen gekommen. Für die Deutschen aber war das viel schwieriger. Die negativen Seiten des Vaters kann ein Kind nicht registrieren, und doch sind sie irgendwo gespeichert, denn der Erwachsene *wird sich gerade von diesen negativen, verleugneten Seiten* in seinen Vatersubstituten *angezogen fühlen.* Ein Außenstehender hat Mühe, das zu verstehen.
Wir fragen uns oft, wie eine Ehe bestehen kann, wie z. B. diese Frau mit diesem Mann zusammenleben kann oder umgekehrt. Möglicherweise hält diese Frau dieses Zusammenleben nur unter größten Qualen aus, nur unter der Aufgabe ihrer Lebendigkeit. Aber sie meint, aus Angst sterben zu müssen, falls ihr Mann sie verlassen sollte. Real

wäre eine solche Trennung vermutlich die große Chance ihres Lebens. Sie kann sie aber gar nicht wahrnehmen, solange sie mit diesem Mann die ins Unbewußte verdrängten frühen Qualen mit ihrem Vater wiederholen muß. So erlebt sie in Gedanken daran, von diesem Mann verlassen zu werden, nicht die gegenwärtige Situation, sondern ihre frühkindlichen Verlassenheitsängste und die Zeit, als sie tatsächlich auf diesen Vater angewiesen war. Ich denke hier ganz konkret an eine Frau, die als Tochter eines Musikers aufgewachsen war, der ihr zwar die verstorbene Mutter ersetzte, aber häufig plötzlich verschwand, wenn er auf Tourneen ging. Sie war damals viel zu klein, um diese plötzlichen Trennungen ohne Panik durchzustehen. In der Analyse wußten wir das längere Zeit, aber die Ängste, von ihrem Mann verlassen zu werden, ließen erst nach, als auch die andere, die brutale und grausame Seite ihres Vaters neben der liebevollen und zärtlichen aus ihrem Unbewußten mit Hilfe von Träumen auftauchte. Der Konfrontation mit diesem Wissen verdankt sie ihre innere Befreiung und die nun mögliche Entwicklung zur Autonomie.

Ich habe dieses Beispiel gebracht, weil es Mechanismen aufzeigt, die möglicherweise bei den Wahlen 1933 wirksam waren. Der Jubel für Hitler ist nicht nur aus seinen Versprechen verständlich (wer macht vor den Wahlen keine Versprechen?), nicht aus ihrem Inhalt, sondern aus der Form der Darbietung. Es war gerade die theatralische, ja für einen Fremden lächerliche Gestik, die den Massen so gut vertraut war und deshalb mit einer solchen Suggestivkraft auf sie wirkte. Unter dieser Suggestion steht jedes kleine Kind, wenn sein großer, bewunderter, geliebter Vater mit ihm redet. Was er dann sagen mag, spielt keine Rolle. Wichtig ist, *wie er redet.* Je größer er sich aufbaut, um so mehr wird er bewundert, vor allem bei einem Kind, das nach den Prinzipien der »Schwarzen Pädagogik« erzogen wurde. Wenn der strenge, unzugängliche, ferne Vater sich einmal herabläßt, mit dem Kind zu reden, dann ist es ohne Zweifel ein großes Fest, und alle Opfer an Selbstaufgabe sind nicht groß genug, um diese Ehre zu verdienen. Daß dieser Vater u. U. machtsüchtig, unehrlich und im Grunde unsicher sein könnte, dieser große gewaltige Mann, das kann ein gut erzogenes Kind niemals durchschauen. Und so geht es weiter; ein solches Kind kann in dieser Beziehung nichts dazulernen, weil seine Lernfähigkeit durch den früh erworbenen Gehorsam und die Unterdrückung der eigenen Gefühle blockiert ist.

Der Nimbus des Vaters wird oft von Attributen genährt (wie Weisheit, Güte, Mut), die ihm fehlen, aber auch von solchen, die jeder Vater (in der Perspektive *seiner* Kinder) zweifellos besitzt: Einzigartigkeit, Größe, Bedeutsamkeit und Macht. Mißbraucht der Vater seine Macht, indem er beim Kind die Fähigkeit zur Kritik unterdrückt, dann werden seine Schwächen hinter diesen festen Attributen verborgen bleiben. Er könnte seinen Kindern ähnlich wie Adolf Hitler seinen Zeitgenossen allen Ernstes zurufen: »Welch Glück, daß Ihr mich habt!«

Wenn man sich das vor Augen hält, verliert Hitlers legendärer Einfluß auf die Männer seiner Umgebung die Qualität der Rätselhaftigkeit. Zwei Stellen aus dem Buch von Hermann Rauschning (1973) können das illustrieren:

Gerhart Hauptmann wurde vorgestellt. Der Führer schüttelte seine Hand. Er sah ihm in die Augen. Es war der bekannte Blick, der alle schauern macht, der Blick, von dem ein alter hoher Jurist einmal sagte, er hätte darnach nur einen Wunsch gehabt, zu Hause zu sein, um in Einsamkeit mit diesem Erlebnis fertig werden zu können. Hitler schüttelte noch einmal die Hand Hauptmanns. Jetzt, dachten die Umstehenden, jetzt wird das große Wort kommen, das in die Geschichte eingehen wird. Jetzt – dachte Gerhart Hauptmann. Und der Führer des Deutschen Reiches schüttelte zum dritten Mal und mit Nachdruck die Hand des großen Dichters und ging zum Nebenmann. Es sei der größte Augenblick seines Lebens gewesen, sagte Gerhart Hauptmann später zu seinen Freunden (S. 274).

Rauschning berichtet weiter:

Ich habe wiederholt das Geständnis gehört, man fürchte sich vor ihm, man gehe – als erwachsener Mensch – nicht ohne Herzklopfen zu ihm. Man habe das Gefühl: der Mensch springe einem plötzlich an den Hals und erwürge einen, oder werfe mit dem Tintenfaß oder begehe sonst eine sinnlose Tat. Es ist sehr viel unehrliche Begeisterung mit falschem Augenaufschlag, sehr viel Selbstbetrug hinter diesen Redereien von dem großen Erlebnis. Die meisten Besucher *wollen* dieses Erlebnis haben. Aber diese Besucher, die sich nicht eingestehen wollten, enttäuscht zu sein, kamen doch, wenn man sie näher beklopfte, allmählich mit der Sprache heraus. Ja, eigentlich, so recht etwas gesagt habe er nicht. Nein, bedeutend sehe er nicht aus. Das könne man nicht behaupten. Warum also sich etwas vormachen? Ja, bei Lichte besehen, sei es doch ein ziemlich gewöhnlicher Mensch. Der Nimbus, das ist alles der Nimbus (S. 275).

Wenn also ein Mann daherkommt und ähnlich redet, sich ähnlich gebärdet wie der eigene Vater, dann wird auch der Erwachsene seine demokratischen Rechte vergessen oder sie nicht wahrnehmen, wird sich diesem Mann unterwerfen, ihm zujubeln, sich von ihm manipulieren lassen, ihm sein Vertrauen gewähren, schließlich sich ihm vollständig ausliefern und die Sklaverei nicht merken, *wie man alles nicht merkt, was die Fortsetzung der eigenen Kindheit bedeutet.* Wenn man sich aber von jemandem so abhängig macht, wie man es als kleines Kind von seinen Eltern war, so gibt es kein Entrinnen mehr. Das Kind kann nicht davonlaufen, und der Bürger eines totalitären Regimes kann sich nicht freimachen. Das einzige, was einem als Ventil bleibt, ist die Erziehung der eigenen Kinder. Und so mußten die unfreien Bürger des Dritten Reiches auch ihre Kinder zu unfreien Menschen erziehen, um irgendwo doch noch ihre eigene Macht zu spüren.

Aber diese Kinder, die jetzt selber Eltern sind, hatten auch andere Möglichkeiten. Viele von ihnen haben die Gefahren der Erziehungsideologie erkannt und suchen mit sehr viel Mut und Einsatz neue Wege für sich und ihre Kinder.

Einige, vor allem die Dichter, haben den Weg zum kindlichen *Erlebnis der Wahrheit* gefunden, der den früheren Generationen versperrt war. So schreibt z. B. Brigitte Schwaiger:

Ich höre Vaters Stimme, er ruft meinen Vornamen. Er will etwas von mir. Weit weg ist er, in einem anderen Zimmer. Und will etwas von mir, daher gibt es mich. Er geht an mir vorbei, ohne etwas zu sagen. Überflüssig bin ich. Mich sollte es nicht geben (Schwaiger, 1980, S. 27).
Wenn du deine Hauptmannsuniform aus dem Krieg daheim getragen hättest von Anfang an, dann wäre vielleicht vieles deutlicher gewesen. – Ein Vater, ein richtiger Vater, ist einer, den man nicht umarmen darf, dem man antworten muß, auch wenn er zum fünften Mal dasselbe fragt und es aussieht, als frage er zum fünften Mal, um sich zu vergewissern, ob die Töchter auch willig sind, stets zu antworten, ein Vater, der einem das Wort abschneiden darf (ebd., S. 24 f.).

Sobald die *Kinderaugen* das Machtspiel der Erziehung durchschauen dürfen, besteht Hoffnung auf eine Befreiung aus dem Panzer der »Schwarzen Pädagogik«, denn diese Kinder werden mit *Erinnerungen* leben.

Wo Gefühle zugelassen werden, bricht das Schweigen zusammen, und der Einzug der Wahrheit kann nicht mehr aufgehalten werden. Auch intellektuelle Diskussionen darüber, ob es »überhaupt eine Wahrheit gebe«, ob nicht »alles relativ sei« usw., werden in ihrer Schutzfunktion durchschaut, sobald der Schmerz die Wahrheit entdeckt hat. Ein deutliches Beispiel dafür fand ich in Christoph Meckels Darstellung seines Vaters (*Suchbild*, 1980).

Im erwachsenen Menschen steckt ein Kind, das will spielen.
Es steckt in ihm ein Befehlshaber, der will strafen.
In meinem erwachsenen Vater steckte ein Kind, das mit den Kindern Himmel auf Erden spielte. Es klebte in ihm eine Sorte Offizier, die bestrafen wollte im Namen der Disziplin.
Nutzlose Affenliebe des glücklichen Vaters. Hinter dem Verschwender von Zuckerbroten kam ein Offizier mit der Peitsche

daher. Der hielt für seine Kinder Strafen bereit. Der beherrschte so etwas wie ein System von Strafen, ein ganzes Register. Zu Anfang gab es Schelte und Wutausbruch – das war erträglich und ging wie der Donner vorbei. Dann kam das Ziehen, Drehen und Kneifen am Ohr, die Ohrfeige und der berühmte Katzenkopf. Es folgte die Verbannung aus dem Zimmer, danach das Fortgesperrtsein ins Kellerloch. Und weiter: die Kindsperson wurde ignoriert, durch strafendes Schweigen gedemütigt und beschämt. Es wurde zu Besorgungen mißbraucht, ins Bett verurteilt oder zum Kohleschleppen abkommandiert. Zum Schluß, als Mahnmal und Höhepunkt, erfolgte die Strafe, die Strafe schlechthin, die exemplarische Bestrafung. Das war die Strafe des Vaters, die ihm vorbehaltene, eisern gehandhabte Maßnahme. Im Sinn von Ordnung, Gehorsam und Menschlichkeit, damit Recht geschähe und das Recht sich dem Kind einpräge, wurde die Prügelstrafe angesetzt. Die Sorte Offizier griff zum Tatzenstock und ging schon mal in den Keller voraus. Ihm folgte, wenig schuldbewußt, das Kind. Es hatte die Hände auszustrecken (Handflächen nach oben) oder sich über die Knie des Vaters zu beugen. Die Prügel erfolgten gnadenlos und präzis, laut oder leise gezählt, und ohne Bewährung. Die Sorte Offizier äußerte ihr Bedauern, zu dieser Maßnahme gezwungen zu sein, behauptete, darunter zu leiden, und litt darunter. Auf den Schock der Maßnahme folgte das lange Entsetzen: der Offizier verordnete Heiterkeit. Mit betonter Heiterkeit ging er voraus, gab ein gutes Beispiel in dicker Luft und war gereizt, wenn das Kind von der Heiterkeit nichts wissen wollte. An mehreren Tagen, jeweils vor dem Frühstück, wurde die Strafe im Keller wiederholt. Sie wurde zum Ritual und die Heiterkeit zur Schikane.
Für den Rest des Tages hatte die Strafe vergessen zu sein. Von Schuld und Sühne wurde nicht gesprochen, und Recht und Unrecht lagen auf hoher Kante. Die Heiterkeit der Kinder blieb aus. Kalkweiß, sprachlos oder heimlich weinend, tapfer, trübe, verbissen und bitter ratlos steckten sie – nachts noch – in der Gerechtigkeit fest. Die prasselte nieder und hatte den letzten Schlag, die hatte das letzte Wort aus dem Mund des Vaters. Die Sorte Offizier strafte noch im Urlaub und war deprimiert, wenn sein Kind ihn fragte, ob er nicht wieder wegwolle in den Krieg (S. 55-57).

Ohne Zweifel wird hier schmerzhaft erlittene Erfahrung dargestellt; zumindest die subjektive Wahrheit offenbart sich in jedem der oben zitierten Sätze. Wer an ihren objektiven Gehalt nicht glaubt, weil er die Tatsachen zu ungeheuerlich findet, müßte nur in den Ratschlägen der »Schwarzen Pädagogik« nachlesen, um sich dessen zu vergewissern. Es gibt ausgeklügelte analytische Theorien, nach denen es möglich ist, die Wahrnehmungen des Kindes, wie sie Christoph Meckel hier schildert, mit vollem Ernst als Projektionen seiner »aggressiven oder homosexuellen Wünsche« zu sehen und die hier dargestellte Realität als Ausdruck der kindlichen Phantasie zu interpretieren. Ein durch die »Schwarze Pädagogik« in seinen Wahrnehmungen verunsichertes Kind läßt sich später als Erwachsener leicht durch solche Theorien zusätzlich verunsichern und beherrschen, auch wenn diese seinen Erfahrungen kraß widersprechen.
Deshalb ist es jedesmal ein Wunder, wenn Darstellungen wie die von Christoph Meckel möglich sind, trotz der »guten Erziehung«, die er genossen hat. Vielleicht verdankt er diese Möglichkeit der Tatsache, daß seine Erziehung, zumindest väterlicherseits, für einige Jahre des Krieges und der Gefangenschaft unterbrochen wurde. Menschen, die kontinuierlich ihre ganze Kindheit und Jugend hindurch so behandelt wurden, werden kaum so aufrichtig über ihre Väter schreiben können, weil sie in den entscheidenden Jahren täglich lernen mußten, das Erlebnis der Schmerzen, die zur Wahrheit führen, abzuwehren. Sie werden an der Wahrheit ihrer Kindheit zweifeln und werden sich Theorien zu eigen machen, denen zufolge das Kind nicht Opfer der Projektionen des Erwachsenen, sondern das alleinprojizierende Subjekt ist.

Das plötzliche Dreinschlagen eines wütenden Menschen ist meistens der Ausdruck einer tiefen Verzweiflung, aber *die Ideologie des Schlagens* und der Glaube, daß das Schlagen unschädlich sei, haben die Funktion, *die Folgen der Tat* zu verdecken und sie *unkenntlich zu machen*; die Abstumpfung des Kindes gegen Schmerzen führt nämlich dazu, daß ihm sein Leben lang der Zugang zu seiner Wahrheit verwehrt bleibt. Nur erlebte Gefühle wären stärker als dieser Torhüter, aber gerade diese dürfen nicht sein . . .

Der Hauptmechanismus der »Schwarzen Pädagogik«: Abspaltung und Projektion

Im Jahre 1943 hielt Himmler seine berühmte »Posener Rede«, in der er im Namen des deutschen Volkes den SS-Truppen seine Anerkennung für die vollzogene Vernichtung der Juden zum Ausdruck brachte. Ich zitiere den Teil der Rede, der mir geholfen hat, 1979 schließlich ein Geschehen zu begreifen, um dessen psychologische Erklärung ich mich seit dreißig Jahren vergeblich bemüht hatte:

Ich will hier vor Ihnen in aller Offenheit auch ein ganz schweres Kapitel erwähnen. Unter uns soll es einmal ganz offen ausgesprochen sein, und trotzdem werden wir in der Öffentlichkeit nie darüber reden . . . Ich meine jetzt die Judenevakuierung, die Ausrottung des Jüdischen Volkes. Es gehört zu den Dingen, die man leicht ausspricht – »Das jüdische Volk wird ausgerottet«, sagt ein jeder Parteigenosse, »ganz klar, steht in unserem Programm. Ausschaltung der Juden. Ausrottung, machen wir.« Und dann kommen sie alle an, die braven 80 Millionen Deutschen, und jeder hat seinen anständigen Juden. Es ist ja klar, die anderen sind Schweine, aber dieser eine ist ein prima Jude. Von allen, die so reden, hat keiner zugesehen, keiner hat es durchgestanden. Von euch werden die meisten *wissen, was es heißt*, wenn 100 Leichen beisammenliegen, wenn 500 daliegen oder wenn 1000 daliegen. *Dies durchgehalten zu haben, und dabei* – abgesehen von Ausnahmen menschlicher Schwächen – *anständig geblieben zu sein, das hat uns hartgemacht*. Dies ist ein niemals geschriebenes und niemals zu schreibendes *Ruhmesblatt* unserer Geschichte . . . Die Reichtümer, die sie hatten, haben wir ihnen abgenommen. Ich habe einen strikten Befehl gegeben, . . .daß diese Reichtümer selbstverständlich restlos an das Reich abgeführt wurden. Wir haben uns nichts davon genommen. Einzelne, die sich verfehlt haben, werden gemäß einem von mir zu Anfang gegebenen Befehl bestraft, der androhte: Wer sich auch nur eine Mark davon nimmt, der ist des Todes. Eine Anzahl SS-Männer – es sind nicht sehr viele – haben sich dagegen verfehlt, und sie werden des Todes sein, gnadenlos. Wir hatten das moralische Recht, wir hatten die Pflicht gegenüber unserem Volk, dieses Volk, das uns umbringen wollte, umzubringen. Wir haben aber nicht das Recht uns auch nur mit einem Pelz, mit einer Uhr, mit einer Mark oder mit einer Zigarette oder mit sonst etwas zu bereichern. Wir wollen nicht am Schluß, weil wir *einen Bazillus ausrotteten, an dem Bazillus krank werden und sterben.* Ich werde niemals zusehen, daß hier *auch nur eine kleine Fäulnisstelle entsteht oder sich festsetzt.* Wo sie sich bilden sollte, *werden wir sie gemeinsam ausbrennen.* Insgesamt aber können wir sagen, daß wir diese schwerste Aufgabe in Liebe zu unserem Volk erfüllt haben. *Und wir haben keinen Schaden in unserem Inneren, in unserer Seele, in unserem Charakter daran genommen.* (J. Fest, 1963, S. 162 und 166)

Diese Rede enthält alle Elemente des komplizierten psychodynamischen Mechanismus, den man mit *Abspaltung und Projektion der Selbstteile* umschreiben kann und dem wir in den Schriften der »Schwarzen Pädagogik« so oft begegnet sind. Die Erziehung zur sinnlosen Härte macht es notwendig, daß *alles Schwache* (d. h. auch Emotionalität, Tränen, Mitleid, Einfühlung in sich und andere, Gefühle von Ohnmacht, Angst, Verzweiflung) »gnadenlos« im Selbst *niedergekämpft werden muß.* Um diesen Kampf gegen das Menschliche im eigenen Innern zu erleichtern, wurde den Bürgern im Dritten Reich ein Objekt als Träger aller dieser verabscheuten (weil in der eigenen Kindheit verbotenen und gefährlichen) Eigenschaften angeboten – das jüdische Volk. Ein sogenannter »Arier« konnte sich rein, stark, hart, klar, gut, eindeutig und moralisch in Ordnung fühlen, von den »bösen«, weil schwachen und unkontrollierten Gefühlsregungen befreit, wenn alles, was er seit seiner Kindheit in seinem Innern befürchtete, den Juden zugeschrieben und bei ihnen unerbittlich und *immer aufs Neue* kollektiv bekämpft werden mußte und durfte.

Es scheint mir, daß wir immer noch von der Möglichkeit eines ähnlichen Verbrechens umgeben sind, solange wir seine Gründe und seinen psychologischen Mechanismus nicht verstanden haben.

Je mehr ich in der analytischen Arbeit Einblick in die Dynamik der Perversion bekam, um so fraglicher erschien mir die seit Kriegsende immer wieder vertretene Ansicht, Holocaust sei das Werk von einigen Perversen gewesen. Die für die perversen Erkrankungen spezifischen Merkmale, wie *Isolierung*, *Einsamkeit*, *Scham* und *Verzweiflung* fehlten eben vollständig bei den Massenmördern: diese waren nicht isoliert, sondern aufgehoben in der Gruppe; sie haben sich nicht geschämt, sondern waren stolz, sie waren nicht verzweifelt, sondern euphorisch oder stumpf.
Die andere Erklärung, daß es sich nämlich um autoritätsgläubige Menschen handelte, die gewohnt waren zu gehorchen, ist nicht falsch, aber sie reicht nicht aus, um ein Phänomen wie Holocaust zu erklären, falls wir unter Gehorsam das Ausführen von Befehlen verstehen, die *bewußt als aufgezwungen erlebt* werden.
Fühlende Menschen lassen sich nicht über Nacht zu Massenmördern umfunktionieren. Aber bei der Ausführung der »Endlösung« handelte es sich um Männer und Frauen, denen ihre eigenen Gefühle nicht im Wege standen, weil sie *vom Säuglingsalter an* dazu erzogen worden waren, *keine eigenen Gefühlsregungen zu spüren*, sondern *die Wünsche der Eltern als die eigenen zu erleben*. Es handelte sich um ehemalige Kinder, die stolz waren, hart zu sein und nicht zu weinen, mit »Freude« alle Pflichten zu erfüllen, keine Angst zu empfinden, d. h. im Grunde: kein Innenleben zu haben.

Unter dem Titel *Wunschloses Unglück* beschreibt Peter Handke seine Mutter, die im Alter von 51 Jahren Suizid begangen hat. Das Mitleid mit der Mutter und das Verständnis für sie durchziehen das ganze Buch wie ein roter Faden und machen es dem Leser begreiflich, warum dieser Sohn in all seinen Werken die »wahren Empfindungen« (der Titel einer anderen Erzählung) so verzweifelt suchen muß. Irgendwo auf dem Friedhof seiner Kindheit mußten die Wurzeln dieser Empfindungen begraben worden sein, um die gefährdete Mutter in der gefährdeten Zeit zu schonen. Mit folgenden Worten schildert Handke die Atmosphäre des Dorfes, in dem er aufgewachsen ist:

Es gab nichts von einem selber zu erzählen; auch in der Kirche bei der Osterbeichte, wo wenigstens einmal im Jahr etwas von einem selber zu Wort kommen konnte, wurden nur die Stichworte aus dem Katechismus hingemurmelt, in denen das Ich einem wahrhaftig fremder als ein Stück vom Mond erschien. Wenn jemand von sich redete und nicht einfach schnurrig etwas erzählte, nannte man ihn »eigen«. Das persönliche Schicksal, wenn es sich überhaupt jemals als etwas Eigenes entwickelt hatte, wurde bis auf Traumreste entpersönlicht und ausgezehrt in den Riten der Religion, des Brauchtums und der guten Sitten, so daß von den Individuen kaum etwas Menschliches übrigblieb; »Individuum« war auch nur bekannt als ein Schimpfwort. Spontan zu leben – das hieß schon, eine Art von Unwesen treiben.
Um eine eigene Geschichte und eigene Gefühle betrogen, fing man mit der Zeit, wie man sonst von Haustieren, zum Beispiel Pferden, sagte, zu »fremdeln« an; man wurde scheu und redete kaum mehr, oder wurde ein bißchen verdreht und schrie in den Häusern herum (P. Handke, 1975, S. 51 und 52).

Das Ideal der Gefühllosigkeit findet bei vielen Autoren bis ca. 1975 und in der geometrischen Richtung der Malerei seinen Niederschlag. In Karin Strucks spezifischer Sprache heißt es:

Dietger kann nicht weinen. Vom Tod seiner Oma sei er erschüttert gewesen, die Oma habe er intensiv geliebt. Von der Beerdigung kommend, habe er gesagt, ich überlege mir, ob ich mir einige Tränen abquetschen soll, abquetschen hat er gesagt ... Dietger sagt, ich brauche keine Träume. Dietger ist stolz darauf, daß er nicht träumt. Er sagt: ich träume nie, ich habe einen gesunden Schlaf. Jutta sagt, Dietger leugnet seine unbewußten Wahrnehmungen und Gefühle wie seine Träume (K. Struck, 1973, S. 279).

Dietger ist ein Nachkriegskind. Und wie fühlten Dietgers Eltern? Darüber gibt es wenige Zeugnisse, weil diese Generation ihre wahren Gefühle noch weniger als die heutige artikulieren durfte.

Christoph Meckel zitiert in seinem *Suchbild* Aufzeichnungen seines Vaters, eines liberalen Dichters und Schriftstellers aus dem letzten Weltkrieg:

Im Abteil eine Frau, ... sie erzählt ... von den ... Geschäftsmethoden der Deutschen allenthalben in der Verwaltung. Bestechungen, Überpreise und dergleichen mehr, vom KZ in Auschwitz usw. – Als Soldat ist man doch *so fern dieser Dinge*, die einen im Grunde auch *gar nicht interessieren*; man steht für ein ganz anderes Deutschland draußen und *will später im Kriege sich nicht bereichert haben*, sondern ein *sauberes Empfinden besitzen*. Ich habe nur Verachtung für diesen zivilen Unrat. Man ist vielleicht dumm, aber Soldaten sind ja stets die Dummen, die es bezahlen müssen. Dafür haben wir aber eine Ehre, die uns keiner raubt (24. 1. 44).

Auf einem Umweg zum Mittagessen Zeuge der Erschießung von 28 Polen, die öffentlich an der Böschung eines Sportplatzes vor sich geht. Tausende umsäumen Straßen und Ufer des Flusses. Ein wüster Leichenhaufen, in allem Schauerlichen und *Unschönen* jedoch *ein Anblick, der mich äußerst kalt läßt*. Die Erschossenen hatten zwei Soldaten und einen Reichsdeutschen überfallen und erschlagen. Muster eines Volksschauspiels der neuen Zeit (27. 1. 44).

Ist das Gefühl einmal ausgeschaltet, so funktioniert der hörige Mensch tadellos und zuverlässig auch da, wo er keine Kontrolle von außen befürchten müßte:

Einen Oberst, der etwas von mir will, lasse ich kommen, und so klettert er aus dem Wagen und kommt heran. Er beklagt sich mit Hilfe eines radebrechenden Oberleutnants, daß es nicht gut sei, sie fünf Tage fast ohne Brot zu lassen. Ich entgegne, es sei nicht gut, ein Badogliohöriger Offizier zu sein und bin sehr kurz. Einer anderen Gruppe von angeblich faschistischen Offizieren, die mir alle möglichen Papiere entgegenhalten, lasse ich den Wagen heizen und bin höflicher (27. 10. 43; Chr. Meckel, 1980, S. 62 und 63).

Diese perfekte Anpassung an die Normen der Gesellschaft, also an das, was man als »gesunde Normalität« bezeichnet, birgt in sich die Gefahr, daß ein solcher Mensch zu vielem gebraucht werden kann. *Nicht ein Verlust von Autonomie* tritt hier ein, *weil es diese Autonomie nie gegeben hat*, sondern ein Auswechseln der Werte, die ja im einzelnen für den Betreffenden ohnehin ohne Bedeutung sind, solange das Prinzip des Gehorsams das ganze Wertsystem beherrscht. Es blieb bei der Idealisierung der fordernden Eltern, die ja leicht auf den Führer oder auf die Ideologie übertragen werden kann. Da die fordernden Eltern immer recht haben, muß man sich nicht darüber im einzelnen den Kopf zerbrechen, ob das von ihnen Geforderte auch richtig ist. Und wie soll das auch beurteilt werden, woher sollen die Maßstäbe jetzt vorhanden sein, wenn man sich immer sagen ließ, was recht und unrecht war, wenn man keine Gelegenheit bekam, Erfahrungen mit eigenen Gefühlen zu machen, und darüber hinaus Ansätze zur Kritik, die die Eltern nicht ertrugen, lebensgefährlich waren? Hat der Erwachsene nichts Eigenes aufgebaut, dann erlebt er sich in der gleichen Art auf Gedeih und Verderb der Obrigkeit ausgeliefert, wie der Säugling bei den Eltern; ein »Nein« den Mächtigeren gegenüber erscheint ihm für immer lebensgefährlich.

Zeugen von plötzlichen politischen Umstürzen berichten immer wieder, mit welch erstaunlicher Leichtigkeit sich viele Menschen an die neue Situation anpassen können. Sie können über Nacht Überzeugungen vertreten, die mit den gestrigen im völligen Widerspruch stehen – ohne sich daran zu stoßen. Das Gestern ist für sie mit dem Machtwechsel völlig ausgelöscht.

Und doch – auch wenn diese Beobachtung für viele, vielleicht sogar für die meisten Menschen zutreffen sollte, so gilt sie nicht für alle. Es gab immer einzelne Menschen, die sich nicht so schnell oder nie umfunktionieren ließen. Mit unserem psychoanalytischen Wissen könnten wir versuchen, der Frage nachzugehen, was diese wichtige und so schwerwiegende Differenz ausmacht, das hieße herauszufinden, was die einen Menschen für Führer- und Gruppendiktate so außerordentlich anfällig und was die anderen dagegen immun macht.

Wir bewundern Menschen, die in totalitären Staaten Widerstand leisten, und denken: die haben Mut oder eine »feste Moral« oder sind »ihren Prinzipien treu« geblieben oder ähnlich. Wir können sie auch als naiv belächeln und finden: »Merken die nicht, daß ihre Worte gegen diese erdrückende Macht gar nichts nützen werden? Daß sie ihr Aufbegehren teuer werden büßen müssen?«
Aber möglicherweise sehen beide, sowohl der Bewundernde als auch der Verachtende, am Eigentlichen vorbei: Der Einzelne, der seine Anpassung im totalitären Regime verweigert, tut es kaum aus Pflichtbewußtsein oder Naivität, sondern weil er nicht anders kann als sich treu zu bleiben. Je länger ich mich mit diesen Fragen befasse, um so mehr neige ich dazu, Mut, Ehrlichkeit und Liebesfähigkeit nicht als »Tugenden«, nicht als moralische Kategorien, sondern als Folgen eines mehr oder weniger gnädigen Schicksals aufzufassen.
Die Moral, die Pflichterfüllung sind Prothesen, die notwendig werden, wenn etwas Entscheidendes fehlt. Je umfassender die Gefühlsentleerung in der Kindheit war, um so größer muß das Arsenal an intellektuellen Waffen und die Vorratskammer an moralischen Prothesen sein, weil die Moral und das Pflichtbewußtsein keine Kraftquellen, kein fruchtbarer Boden für echte menschliche Zuwendung sind. In den Prothesen fließt kein Blut, sie sind zu kaufen und können verschiedenen Herren dienen. Was gestern noch als gut galt, kann heute, je nach der Bestimmung der Regierung oder der Partei, als das Böse und Verdorbene gelten und umgekehrt. Aber ein Mensch

mit lebendigen Gefühlen kann nur er selber sein. Er hat keine andere Wahl, will er sich nicht verlieren. Die Ablehnung, die Ausstoßung, der Liebesverlust und die Schmähungen lassen ihn nicht gleichgültig, er wird unter ihnen leiden und sich vor ihnen fürchten, aber er wird sein Selbst nicht verlieren wollen, wenn er es einmal hat. Und wenn er spürt, daß etwas von ihm verlangt wird, zu dem sein ganzes Wesen »nein« sagt, dann kann er es nicht tun. Er kann es einfach nicht.

So geht es Menschen, die das Glück hatten, der Liebe ihrer Eltern sicher zu sein, auch wenn sie für deren Ansprüche ein »nein« haben mußten. Oder Menschen, die dieses Glück zwar nicht hatten, aber später, z. B. in der Analyse, gelernt haben, das Risiko des Liebesverlustes einzugehen, um ihr verlorenes Selbst wieder zu spüren. Um keinen Preis der Welt sind sie bereit, dieses nochmals herzugeben.

Der prothetische Charakter von moralischen Gesetzen und Verhaltensregeln läßt sich da am deutlichsten erkennen, wo alle Lügen und Verstellungen machtlos sind, nämlich in der Mutter-Kind-Beziehung. Das Pflichtbewußtsein ist zwar kein fruchtbarer Boden für die Liebe, wohl aber für gegenseitige Schuldgefühle. Mit lebenslänglichen Schuldgefühlen und lähmender Dankbarkeit ist das Kind für immer an die Mutter gebunden. Robert Walser sagte einmal: »Es gibt Mütter, die sich aus der Schar ihrer Kinder einen Liebling auswählen, den sie vielleicht küssend steinigen, dessen Existenz sie ... untergraben.« Hätte er gewußt, *emotional* gewußt, daß er hier sein Schicksal beschrieb, hätte sein Leben vermutlich nicht in der psychiatrischen Klinik enden müssen.

Es ist unwahrscheinlich, daß eine rein intellektuelle Aufklärungsarbeit und Einsicht im Erwachsenenalter genügen könnte, um die sehr frühe Konditionierung aus der Kindheit aufzuheben. Wer unter Lebensbedrohung im zartesten Alter gelernt hat, ungeschriebenen Gesetzen zu folgen und seine Gefühle aufzugeben, der wird den geschriebenen Gesetzen um so schneller folgen und keinen Schutz dagegen in sich finden. Da aber der Mensch nicht ganz ohne Gefühle leben kann, wird er sich Gruppen anschließen, in denen seine bisher verbotenen Gefühle sanktioniert oder sogar gefordert werden und im Kollektiv endlich einmal ausgelebt werden dürfen.

Jede Ideologie bietet diese Möglichkeit *einer kollektiven Entladung aufgestauter Affekte* und zugleich *des Festhaltens am idealisierten Primärobjekt*, das auf neue Führergestalten oder auf die Gruppe als Ersatz der *vermißten* guten Symbiose mit der eigenen Mutter übertragen wird. Die Idealisierung der narzißtisch besetzten Gruppe garantiert die kollektive Grandiosität. Da jede Ideologie zugleich einen Sündenbock außerhalb der eigenen großartigen Gruppe anbietet, kann wiederum dort das abgespaltene, *seit je verachtete, schwache Kind*, das zum eigenen Selbst gehört, aber nie wirklich in ihm wohnen durfte, *verachtet und bekämpft werden*. Himmlers Rede über den »Bazillus der Schwäche«, der auszurotten und zu verbrennen sei, bringt sehr klar zum Ausdruck, welche Rolle in diesem Abspaltungsprozeß des Grandiosen den Juden zugefallen ist.

Wie uns die analytische Kenntnis der Abspaltungs- und Projektionsmechanismen helfen kann, das Phänomen Holocaust zu verstehen, so hilft uns die Geschichte des Dritten Reiches, die Folgen der »Schwarzen Pädagogik« deutlicher zu sehen: Auf dem Hintergrund der aufgestauten Ablehnung des Kindlichen in unserer Erziehung läßt es sich beinahe leicht begreifen, daß Männer und Frauen ohne auffallende Schwierigkeiten eine Million Kinder als Träger der gefürchteten eigenen Seelenanteile in die Gaskammer geleitet haben. Man kann sich sogar vorstellen, daß sie sie angeschrien, geschlagen oder photographiert haben und hier endlich ihren frühkindlichen Haß ableiten konnten. Ihre Erziehung war von Anfang an darauf ausgerichtet, alles Kindliche, Spielerische, Lebendige in sich abzutöten. Die Grausamkeit, die ihnen zugefügt wurde, der seelische Mord am Kind, das sie einst waren, mußten sie in der gleichen Weise weitergeben: sie mordeten im Grunde immer wieder neu das eigene Kindsein in den zu vergasenden jüdischen Kindern.

Gisela Zenz berichtet in ihrem Buch *Kindesmißhandlung und Kindesrechte* über Steeles und Pollocks psychotherapeutische Arbeit mit mißhandelnden Eltern in Denver. Dort werden auch die Kinder dieser Eltern behandelt. Die Beschreibung dieser Kinder kann uns helfen, das Verhalten der Massenmörder, die zweifellos geschlagene Kinder waren, genetisch zu verstehen.

Altersentsprechende Objektbeziehungen konnten die Kinder kaum entwickeln. Spontane und offene Reaktionen gegenüber den Therapeuten waren selten, ebenso die direkte Äußerung von Zuneigung oder Ärger. Nur wenige zeigten direktes Interesse an der Person des Therapeuten. Ein Kind konnte sich – nach sechs Monaten Therapie zweimal wöchentlich – außerhalb des Therapiezimmers nicht an den Namen des Therapeuten erinnern. Trotz offensichtlich intensiver Beschäftigung mit den Therapeuten und zunehmender Bindung an sie, veränderte sich die Beziehung am Ende der Stunde jedesmal abrupt, und die Kinder verließen ihren Therapeuten, als bedeute er ihnen gar nichts. Den Therapeuten schien darin einerseits eine Anpassung an die bevorstehende Rückkehr in das häusliche Milieu zu liegen, andererseits ein Mangel an Objektkonstanz, der sich auch bei Unterbrechungen der Therapie durch Ferien oder Krankheit zeigte. Nahezu gleichförmig verleugneten alle Kinder die Bedeutung des Objektverlustes, den die meisten mehrfach erlebt hatten. Erst ganz allmählich konnten einige Kinder zugeben, daß die Trennung vom Therapeuten während der Ferien ihnen etwas bedeutete, sie traurig und wütend machte.
Als das eindruckvollste Phänomen bezeichnen die Autoren *die Unfähigkeit der Kinder, sich zu entspannen und zu freuen.* Manche lachten monatelang nicht, betraten den Therapieraum als »finstere kleine Erwachsene«, deren Traurigkeit oder Depression nur zu offensichtlich war. Wenn sie sich an Spielen beteiligten, *schien es mehr dem Therapeuten zuliebe* zu sein als zum eigenen Vergnügen. Viele Kinder schienen Spielzeug und Spielen kaum

zu kennen, insbesondere nicht mit Erwachsenen. Sie waren überrascht, wenn die Therapeuten Freude am Spiel zeigten und Spaß daran hatten, mit den Kindern zu spielen. Über die Identifizierung mit ihnen konnten sie allmählich selbst Freude und Lust am Spiel erleben.

Die meisten Kinder *sahen sich selbst außerordentlich negativ*, beschrieben sich selbst als *»dumm«*, als »ein Kind, das niemand mag«, das »nichts kann« und *»schlimm«* ist. Sie konnten nie zugeben, stolz auf etwas zu sein, was sie offensichtlich gut konnten. Sie zögerten, etwas Neues zu unternehmen, *waren voller Angst, etwas falsch zu machen* und *schämten sich leicht*. Einige schienen ein Selbstgefühl kaum entwickelt zu haben. Darin kann man eine Spiegelung der Vorstellung von Eltern erkennen, die *das Kind nicht als eigenständige Person, sondern ausschließlich in Relation zur Befriedigung ihrer eigenen Bedürfnisse wahrnehmen*. Eine wichtige Rolle schien auch ein mehrfacher Wechsel der Unterbringung zu spielen. Ein sechsjähriges Mädchen, das *in zehn Pflegefamilien* gewesen war, *konnte nicht begreifen, daß es einen eigenen Namen behielt*, gleichgültig, in wessen Haus es sich aufhielt. Die Personenzeichnungen der Kinder waren durchweg primitiv, und manche konnten *sich selbst überhaupt nicht malen*, während ihre Zeichnungen von unbelebten Gegenständen durchaus altersentsprechend ausfielen.

Das Gewissen oder besser: das Wertsystem der Kinder war extrem rigide und punitiv. Die Kinder waren sich selbst wie anderen gegenüber sehr kritisch, *empörten sich oder gerieten in große Aufregung, wenn andere Kinder ihre absoluten Regeln für Gut und Böse übertraten*. [...]

Ärger und Aggression gegenüber Erwachsenen konnten die Kinder kaum direkt ausdrücken. Dagegen waren die Geschichten und *Spiele voll von Aggression und Brutalität. Puppen und fiktive Personen* wurden *unaufhörlich geschlagen, gequält und getötet*. Manche Kinder *wiederholten ihre eigene Mißhandlung im Spiel*. Ein Kind, das *als Säugling dreimal einen Schädelbruch* gehabt hatte, spielte ständig Geschichten mit Menschen oder Tieren, die *Kopfverletzungen* hatten. Ein anderes *Kind, dessen Mutter versucht hatte, es als Baby zu ertränken, begann seine Spieltherapie damit, daß es eine Babypuppe in der Badewanne ertränkte* und dann *die Mutter von der Polizei ins Gefängnis bringen ließ*. So wenig diese Ereignisse in den offen geäußerten Ängsten der Kinder eine Rolle spielten, so sehr mußten sie sie

unbewußt beschäftigen. Kaum jemals konnten sie ihre Besorgnis verbal zum Ausdruck bringen, gleichwohl waren *intensive Wut und Rachsucht tief verankert*, aber verbunden *mit großer Angst, was geschehen könnte, wenn diese Impulse durchbrachen.* Mit der Entwicklung von Übertragungsbeziehungen in der Therapie richteten sich solche Gefühle auch gegen die Therapeuten, aber fast immer in indirekter passiv-aggressiver Form: Unfälle nahmen überhand, bei denen der Therapeut von einem Ball getroffen wurde oder aber seine Sachen wurden »zufällig« beschädigt. [. . .]
Trotz der geringen Kontakte zu den Eltern drängte sich den Therapeuten der Eindruck auf, daß *die Eltern-Kind-Beziehungen in hohem Maße von Verführung und Sexualisierung gekennzeichnet waren.* Eine Mutter legte sich zu ihrem siebenjährigen Sohn ins Bett, sobald sie sich einsam oder unglücklich fühlte, und viele Eltern wandten sich immer wieder mit starken, oft konkurrierenden Zärtlichkeitsansprüchen an ihre Kinder, von denen sich viele mitten in der ödipalen Entwicklungsphase befanden. Eine Mutter bezeichnete ihre vierjährige Tochter als »sexy« und kokett, und meinte, es sei offensichtlich, daß sie unerfreuliche Männergeschichten haben würde. Es schien, *als seien die Kinder, die allgemein zur Befriedigung der Bedürfnisse der Eltern da sein mußten, auch von der Befriedigung ihrer sexuellen Bedürfnisse nicht befreit,* die sich meist *in verdeckten unbewußten Ansprüchen an die Kinder* niederschlugen (G. Zenz, 1979, S. 291 ff.).

Es mag als Hitlers »genialer Wurf« gelten, den so früh zur Härte, zum Gehorsam, zur Unterdrückung der Gefühle erzogenen Deutschen die Juden für ihre Projektionen angeboten zu haben. Doch der Gebrauch dieses Mechanismus ist keineswegs neu. Er ist in den meisten Eroberungskriegen, in der Geschichte der Kreuzzüge, der Inquisition, auch in der neuesten Geschichte zu beobachten. Was aber bisher wenig beachtet wurde, ist die Tatsache, daß das, was man als Erziehung des Kindes bezeichnet, zum großen Teil auf diesem Mechanismus beruht und umgekehrt, daß die Ausnützung dieser Mechanismen für politische Zwecke *ohne diese Erziehung nicht möglich* wäre.

Das Bezeichnende für diese Verfolgungen ist, daß es hier um einen narzißtischen Bereich handelt. *Ein Tei Selbst* wird bekämpft, nicht ein wirklich gefährlicher Feind, wie z. B. bei realer Existenzbedrohung. Von einem aggressiven Angriff auf eine fremde, getrennte Person im objektalen Sinn ist diese Verfolgung deshalb deutlich zu unterscheiden.

Die Erziehung dient in sehr vielen Fällen dazu, das Aufleben des einst in sich Umgebrachten und Verachteten im eigenen Kind zu verhindern. Morton Schatzman zeigt in seinem Buch *Die Angst vor dem Vater* sehr eindrücklich, wie das Erziehungssystem des seinerzeit berühmten und einflußreichen Pädagogen Dr. Daniel Gottlob Moritz Schreber mit der Bekämpfung bestimmter Teile des eigenen Selbst zusammenhängt. Wie so viele Eltern verfolgt Schreber in seinen Kindern das, was ihm *in seinem Innern* Angst macht.

Die edlen Keime der menschlichen Natur sprießen in ihrer Reinheit fast von selbst hervor, wenn die unedlen, das Unkraut, *rechtzeitig verfolgt und ausgerottet* werden. Dies freilich muß mit Rastlosigkeit und Nachdruck geschehen. Es ist ein verderblicher und doch so häufiger Irrtum, wenn man sich durch die Hoffnung einschläfert, daß Unarten und Charakterfehler kleiner Kinder später sich von selbst verlieren. Die scharfen Spitzen und Ecken dieser oder jener geistigen Fehler runden sich zwar nach Umständen etwas ab, aber, sich überlassen, bleibt der Wurzelstock in der Tiefe stecken, fährt mehr oder weniger immer fort, in giftigen Trieben emporzuwuchern und somit das Gedeihen des edlen Lebensbaumes zu beeinträchtigen. Die Unart des Kindes wird am Erwachsenen zum ernsthaften Charakterfehler, bahnt den Weg zu Laster und Verworfenheit (zit. n. M. Schatzman, 1978, S. 24 f.).

Unterdrücke im Kinde alles, halte von ihm fern alles, was es sich nicht aneignen soll; leite es aber beharrlich hin auf alles, was es sich angewöhnen soll (ebd., S. 25).

Die Sehnsucht nach dem »wahren Seelenadel« rechtfertigt jede Grausamkeit dem fehlbaren Kinde gegenüber, und wehe ihm, wenn es die Verlogenheit durchschaut.

Die pädagogische Überzeugung, man müsse das Kind von Anfang an in eine Richtung »bringen«, entspringt dem Bedürfnis nach *Abspaltung der beunruhigenden Teile des eigenen Inneren und ihrer Projektion auf ein verfügbares Objekt. Die große Plastizität, Flexibilität, Wehrlosigkeit und Verfügbarkeit des Kindes machen es zum idealen Objekt einer solchen Projektion. Der innere Feind kann endlich draußen verfolgt werden.*

Friedensforscher werden sich dieser Mechanismen immer deutlicher bewußt, aber solange ihr Ursprung in der Erziehung der Kinder übersehen bzw. verschleiert bleibt, wird man wenig dagegen unternehmen können. Denn Kinder, die als bekämpfte Träger der gehaßten Teile ihrer Eltern aufgewachsen sind, können es kaum erwarten, diese Teile jemandem anderen anhängen zu können, um sich wieder gut, »moralisch«, edel, menschenfreundlich zu erleben. Solche Projektionen können sich mit jeder Weltanschauung leicht verbinden.

Die sanfte Gewalt

Die Mittel der Bekämpfung des Lebendigen im Kind sind nicht immer mit äußerlich faßbaren Mißhandlungen gepaart. Das wird am Beispiel einer Familie, deren Geschichte ich in mehreren Generationen verfolgen konnte, deutlich.

Noch im 19. Jahrhundert ging ein junger Missionar mit seiner Frau nach Afrika, um dort Andersgläubige zum Christentum zu bekehren. Damit gelang es ihm, die ihn in seiner Jugend quälenden Glaubenszweifel loszuwerden. Nun war *er* endlich der echte Christ geworden, der wie einst sein Vater mit größtem Aufwand seinen Glauben anderen Menschen zu vermitteln versuchte. Das Ehepaar bekam 10 Kinder, von denen 8 nach Europa geschickt wurden, sobald sie das Schulalter erreicht hatten. Eines der Kinder wurde später zum Vater von Herrn A. und pflegte häufig seinem einzigen Sohn zu sagen, wie gut dieser es doch hätte, zu Hause aufwachsen zu dürfen. Er selber hatte seine Eltern zum ersten Mal wiedergesehen, als er bereits 30 Jahre alt war. Mit bangen Gefühlen hatte er am Bahnhof auf die ihm unbekannten Eltern gewartet und sie dann tatsächlich nicht erkannt. Er hatte oft diese Szene ohne Gefühle von Trauer, eher lachend, erzählt. Herr A. beschrieb seinen Vater als gütig, lieb, verständnisvoll, dankbar, zufrieden und echt fromm. Auch alle Familienangehörigen und Bekannten bewunderten an ihm diese Qualitäten, und nirgends gab es zunächst eine Erklärung dafür, daß sein Sohn, neben einem so gütigen Vater, eine schwere Zwangsneurose hatte entwickeln müssen.

Herr A. mußte sich seit seiner Kindheit mit befremdenden Zwangsgedanken aggressiven Inhalts abquälen, war aber kaum fähig, Gefühle von Ärger oder Unzufriedenheit,

geschweige denn Zorn oder Wut, als adäquate Reaktionen auf Versagungen zu erleben. Er litt auch seit seiner Kindheit darunter, daß er nicht die »heitere, natürliche, vertrauensvolle« Frömmigkeit seines Vaters »geerbt« hätte, versuchte, sie mit der Lektüre frommer Texte zu erreichen, wurde aber immer wieder von »bösen«, weil kritischen Gedanken, die in ihm panische Angst auslösten, daran gehindert. Es dauerte sehr lange, bis Herr A. im Laufe seiner Analyse zum ersten Mal eine Kritik äußern konnte, ohne sie in die Form von erschreckenden Phantasien kleiden und dann abwehren zu müssen. Da kam es ihm zu Hilfe, daß sein Sohn sich gerade einer marxistischen Schülerbewegung anschloß. Herr A. hatte es nun leicht, bei seinem Sohn Widersprüche, Einengungen und Intoleranz dieser Ideologie zu entdecken, was ihm anschließend ermöglichte, auch die Psychoanalyse als die »Religion« seines Analytikers kritisch durchleuchten zu können. In den einzelnen Phasen der Übertragung trat die Tragik seiner Vaterbeziehung immer deutlicher in seine Erlebniswelt. Es häuften sich Enttäuschungen an Ideologien verschiedener Männer, deren Abwehrcharakter ihm immer deutlicher wurde. Starke Affekte der Empörung über alle möglichen Mystifikationen brachen durch. Der nun erwachte Zorn des betrogenen Kindes ließ ihn schließlich an allen Religionen und politischen Ideologien zweifeln. Die Zwänge nahmen ab, sie verschwanden aber erst ganz, als diese Gefühle mit dem längst verstorbenen und verinnerlichten Vater seiner Kindheit erlebt werden konnten.
Herr A. erlebte nun in der Analyse immer wieder die ohnmächtige Wut auf die unheimliche Einengung seines Lebens, die von der Haltung des Vaters ausging. Man mußte wie er lieb, gütig und dankbar sein, keine Ansprüche stellen, keine Tränen weinen, immer alles »von der positiven Seite« sehen, nirgends Kritik üben, niemals unzufrieden sein, immer an die denken, denen es »noch viel schlimmer ging«. Die bisher unbekannten Gefühle der

Auflehnung erschlossen A. den engen Raum seiner Kindheit, aus dem alles verbannt werden mußte, was nicht in dieses fromme »sonnige« Kinderzimmer paßte. Und erst nachdem diese Revolte (die er früher auf seinen eigenen Sohn hatte abspalten müssen, um sie in ihm zu bekämpfen) in seinem Innern leben und reden durfte, erschloß sich ihm die andere Seite seines Vaters. In der eigenen Wut und Trauer hat er sie gefunden, kein Mensch hätte ihm je darüber erzählen können, weil diese labile Seite des Vaters *nur in der Seele seines Sohnes*, in seiner Zwangsneurose, ihren Wohnsitz genommen hatte, sich hier in einer grausamen Art ausbreitete und den Sohn 42 Jahre lang lähmte. Mit seiner Krankheit half der Sohn, die Frömmigkeit des Vaters zu erhalten.

Jetzt, da Herr A. seine kindliche Erlebnisart wiedergefunden hat, konnte er sich auch in das Kind, das sein Vater einmal war, einfühlen. Er fragte sich: Wie wurde mein Vater damit fertig, daß seine Eltern 8 Kinder so weit weggeschickt hatten, ohne sie je zu besuchen, *um in Afrika christliche Nächstenliebe zu verbreiten?* Hätte er nicht an dieser Liebe und an dem Sinn einer solchen Tätigkeit, die zugleich Grausamkeit gegen eigene Kinder fordert, zutiefst zweifeln müssen? Aber er durfte nicht zweifeln, sonst hätte ihn die fromme und strenge Tante nicht bei sich behalten. Und was soll ein kleiner, sechsjähriger Junge, dessen Eltern tausende von Kilometern entfernt von ihm leben, allein machen? Er muß an diesen Gott glauben, der solche unbegreiflichen Opfer verlangt (dann sind seine Eltern ja gehorsame Diener einer guten Sache), er muß ein frommes und heiteres Wesen entwickeln, um geliebt zu werden, er muß im Dienste des Überlebens zufrieden, dankbar usw. werden, einen sonnigen, leichten Charakter entwickeln, um ja niemandem zur Last zu fallen.
Wird ein so gewordener Mensch selber Vater, dann muß er mit Ereignissen konfrontiert werden, die das ganze

mühsam erbaute Gebäude ins Wanken bringen könnten: er sieht ein lebendiges Kind vor sich, er sieht, wie ein Mensch eigentlich beschaffen ist, wie er sein könnte, wenn man ihn nur nicht daran hindern würde. Aber da kommen bereits eigene Ängste ins Spiel: Das darf nicht sein. Wenn man das Kind, so wie es ist, leben ließe, hieße das nicht, daß die eigenen Opfer und Selbstverleugnungen nicht nötig gewesen wären? Wäre es möglich, daß ein Kind ohne den Zwang zum Gehorsam, ohne die Willensunterdrückung, ohne die seit Jahrhunderten empfohlene Bekämpfung des Egoismus und Eigensinns gedeihen könnte? Eltern können solche Gedanken nicht zulassen; sie würden sonst in die größte Not kommen und den eigenen Boden verlieren, den Boden der überlieferten Ideologie, in der die Unterdrückung und Manipulierung des Lebendigen den höchsten Wert darstellen. Und so erging es auch dem Vater von Herrn A.*
Schon beim kleinen Säugling versuchte er eine ausgedehnte Kontrolle über dessen körperliche Funktionen zu erlangen und hat eine sehr frühe Verinnerlichung dieser Kontrolle erreicht. Er half der Mutter, den Säugling zur Reinlichkeit zu erziehen und ihm das ruhige Warten auf Nahrung auf »liebevolle Art« mit Ablenkung beizubringen, damit das Füttern genau nach Vorschrift eingehalten werden konnte. Als Herr A. noch ein kleines Kind war und bei Tisch etwas nicht mochte, oder »zu gierig« aß, oder sich »unartig« verhielt, wurde er in die Ecke gestellt und mußte zuschauen, wie die beiden Eltern ruhig ihre Mahlzeit zu Ende aßen. Wahrscheinlich stand damals in dieser Ecke das nach Europa weggeschickte Kind und fragte sich, wegen welcher Sünden es so weit von seinen geliebten Eltern entfernt werden mußte.

* Auch die Mutter war in dieser Ideologie aufgewachsen; ich beschränke mich aber auf die Schilderung des Vaters, weil bei Herrn A. der Zweifel am und der Zwang zum Glauben eine besondere Rolle spielten und weil diese Problematik vor allem mit der Person des Vaters verbunden war.

Herr A. erinnerte sich nicht daran, von seinem Vater je geschlagen worden zu sein. Trotzdem ging der Vater mit seinem Kind, ohne es zu wollen und zu wissen, in einer ähnlichen Art grausam um, wie er mit dem Kind in sich umgegangen ist, um aus ihm ein »zufriedenes Kind« *zu machen*. Er hat systematisch versucht, *alles Lebendige in seinem Erstgeborenen abzutöten*. Hätte sich der vitale Rest nicht in die Zwangsneurose geflüchtet und von dorther seine Not angemeldet, dann wäre der Sohn tatsächlich seelisch tot, denn er war nur der Schatten des Anderen, hatte keine eigenen Bedürfnisse, kannte keine spontanen Gefühlsregungen mehr, kannte nur die depressive Leere und die Angst vor seinen Zwängen. In der Analyse erfuhr er erst als 42jähriger Mann, was für ein lebendiges, neugieriges, intelligentes, waches, humorvolles Kind er eigentlich gewesen war, das nun zum ersten Mal in ihm leben konnte und schöpferische Kräfte entwickelte. Es wurde Herrn A. mit der Zeit klar, daß seine schweren Symptome einerseits die Folge der Unterdrückung der wichtigen vitalen Teile seines Selbst waren, anderseits die ungelebten, unbewußten Konflikte seines Vaters spiegelten. In den quälenden Zwängen des Sohnes verrieten sich die brüchige Frömmigkeit und die abgespaltenen, ungelebten Zweifel des Vaters. Hätte dieser sie bewußt erleben, austragen und integrieren können, dann hätte sein Sohn die Chance gehabt, frei davon aufzuwachsen und sein eigenes, reiches Leben früher und ohne Hilfe der Analyse leben zu können.

Erzieher – nicht Kinder – brauchen die Pädagogik

Der Leser wird längst gemerkt haben, daß die »Lehren« der »Schwarzen Pädagogik« eigentlich die ganze Pädagogik durchziehen, mögen sie heute noch so gut verschleiert sein. Da die Bücher von Ekkehard von Braunmühl den Widersinn und die Grausamkeit der erzieherischen Einstellung im heutigen Leben sehr deutlich entlarven, kann ich mich hier darauf beschränken, auf sie hinzuweisen (s. Literaturverzeichnis). Wenn es mir schwerer fällt als ihm, seinen Optimismus zu teilen, so mag das daran liegen, daß ich die Idealisierung der eigenen Kindheit als ein großes, unbewußtes Hindernis im Lernprozeß der Eltern ansehe.

Auch meine antipädagogische Haltung wendet sich nicht gegen eine bestimmte Art von Erziehung, sondern gegen Erziehung überhaupt, auch gegen die antiautoritäre. Diese Haltung beruht auf Erfahrungen, die ich später darstellen werde. Zunächst aber möchte ich betonen, daß sie mit dem Rousseauschen Optimismus über die menschliche »Natur« nichts gemeinsam hat.

Erstens sehe ich das Kind nicht in einer abstrakten »Natur« aufwachsen, sondern in einer konkreten Umgebung seiner Bezugspersonen, deren Unbewußtes einen wesentlichen Einfluß auf seine Entwicklung ausübt.

Zweitens ist Rousseau's Pädagogik im tiefsten Sinne manipulatorisch. Dies scheint unter Pädagogen nicht immer erkannt worden zu sein, ist aber von Ekkehard von Braunmühl eindringlich herausgearbeitet und belegt worden. Als eines seiner zahlreichen Beispiele zitiere ich die folgende Stelle aus dem *Emile oder die Erziehung*:

Folgt mit eurem Zögling dem umgekehrten Weg. Laßt ihn immer im Glauben, er sei der Meister, seid es in Wirklichkeit aber selbst. *Es gibt keine vollkommenere Unterwerfung als die, der man den Schein der Freiheit zugesteht.* So bezwingt man sogar seinen Willen. *Ist das arme Kind*, das nichts weiß, nichts kann und erkennt, *euch nicht vollkommen ausgeliefert?* Verfügt ihr nicht über alles in seiner Umgebung, was auf es Bezug hat? *Seid ihr nicht Herr seiner Eindrücke nach eurem Belieben?* Seine Arbeiten, seine Spiele, sein Vergnügen und sein Kummer – *liegt nicht alles in euren Händen, ohne daß es davon weiß?* Zweifellos darf es tun, was es will, aber *es darf nur das wollen, von dem ihr wünscht, daß es es will. Es darf keinen Schritt tun, den ihr nicht für es vorgesehen habt, es darf nicht den Mund auftun, ohne daß ihr wißt, was es sagen will* (zit. n. E. v. Braunmühl, 1979, S. 35).

Meine Überzeugung von der Schädlichkeit der Erziehung beruht auf folgenden Erfahrungen:
Sämtliche Ratschläge zur Erziehung der Kinder verraten mehr oder weniger deutlich zahlreiche, sehr verschieden geartete *Bedürfnisse des Erwachsenen*, deren Befriedigung dem lebendigen Wachstum des Kindes nicht nur nicht förderlich ist, sondern es geradezu verhindert. Das gilt auch für die Fälle, in denen der Erwachsene ehrlich davon überzeugt ist, im Interesse des Kindes zu handeln.
Zu diesen Bedürfnissen gehören: *erstens*, das unbewußte Bedürfnis, die *einst erlittenen Demütigungen* anderen *weiterzugeben; zweitens,* ein Ventil für die abgewehrten Affekte zu finden; *drittens,* ein *verfügbares und manipulierbares* lebendiges *Objekt* zu besitzen; *viertens, die eigene Abwehr,* d. h. *die Idealisierung der eigenen Kindheit* und der eigenen Eltern *zu erhalten*, indem durch die Richtigkeit der eigenen Erziehungsprinzipien diejenige der elterlichen bestätigt werden soll; *fünftens,* die *Angst vor der Freiheit; sechstens,* die *Angst vor der Wiederkehr des Verdrängten,* dem man im eigenen Kind nochmals begegnet und das man dort nochmals bekämpfen muß, nachdem man es vorher bei sich abgetötet hat, und schließlich *siebtens,* die *Rache für die erlittenen Schmerzen.* Da jede Erziehung mindestens eines der hier erwähnten Motive enthält, ist sie höchstens dazu geeignet, *aus dem Zögling einen guten Erzieher zu machen.* Niemals wird sie ihm aber zur freien Lebendigkeit verhelfen können. *Wenn man ein Kind erzieht, lernt es erziehen.* Wenn man einem Kind Moral predigt, lernt es Moral predigen, wenn man es warnt, lernt es warnen, wenn man mit ihm schimpft, lernt es schimpfen, wenn man es auslacht, lernt es auslachen, wenn man es demütigt, lernt es demütigen, wenn man seine Seele tötet, lernt es töten. Es hat dann nur die Wahl, ob sich selbst oder die anderen oder beides.

Das heißt aber nicht, daß das Kind ganz wild aufwachsen kann. Was es für seine Entfaltung braucht, ist der Respekt seiner Bezugspersonen, die Toleranz für seine Gefühle, die Sensibilität für seine Bedürfnisse und Kränkungen, die Echtheit seiner Eltern, *deren eigene Freiheit – und nicht erzieherische Überlegungen – dem Kind natürliche Grenzen setzt.*

Gerade letzteres macht aber den Eltern und Erziehern große Schwierigkeiten, und zwar aus folgenden Gründen:

1. Wenn die Eltern sehr früh in ihrem Leben lernen mußten, *ihre eigenen Gefühle zu überhören,* sie nicht ernstzunehmen, ja sie zu verachten oder zu verspotten, so wird ihnen das wichtigste *Sensorium* im Umgang mit ihren Kindern *fehlen.* Als Ersatz dafür werden sie versuchen, *erzieherische Prinzipien als Prothesen* einzusetzen. So werden sie z. B. unter Umständen Angst haben, ihre Zärtlichkeit zu zeigen, in der Meinung, daß sie damit das Kind verwöhnen, oder sie werden in einem andern Falle ihr eigenes persönliches Gekränktsein hinter dem Vierten Gebot verstecken.
2. Eltern, die als Kinder nicht gelernt haben, ihre eigenen *Bedürfnisse zu spüren* und *ihre Interessen zu verteidigen,* weil ihnen kein Recht dazu eingeräumt wurde, bleiben darin ihr Leben lang orientierungslos und deshalb auf feste *Erziehungsregeln angewiesen.* Diese *Orientierungslosigkeit* führt aber trotz der Regeln zu einer großen Verunsicherung des Kindes, unabhängig davon, ob sie in *sadistischem* oder *masochistischem Gewande* auftritt. Dazu ein Beispiel: Ein Vater, der sehr früh zum Gehorsam dressiert wurde, muß unter Umständen sein Kind grausam und gewalttätig zum Gehorsam zwingen, um hier zum ersten Mal in seinem Leben seine Bedürfnisse nach Respekt durchzusetzen. Doch dieses Verhalten schließt nicht aus, daß dazwischen Perioden eines masochistischen Verhaltens liegen, in denen der gleiche Vater sich alles gefallen läßt, weil er nie gelernt hatte, die Grenzen seiner Toleranz zu verteidigen. So wird er aus Schuldgefühlen wegen der vorangegangenen, ungerechten Züchtigung plötzlich ungewöhnlich gewährend, so daß er damit die Unruhe des

Kindes weckt, das die Ungewißheit über das echte Gesicht seines Vaters nicht aushält und *ihn mit zunehmend aggressivem Verhalten dazu provoziert, endlich die Geduld zu verlieren.* So übernimmt schließlich das Kind die Rolle des sadistischen Gegenparts in Vertretung der Großeltern, mit dem Unterschied aber, daß der Vater sich ihrer bemächtigen kann. *Solche Situationen* – in denen es »zu weit gegangen ist« – *dienen den Pädagogen als Beweis für die Notwendigkeit der Züchtigungen und Bestrafungen.*

3. Da das Kind oft als Ersatz der eigenen Eltern gebraucht wird, werden unendlich viele *widerspruchsvolle Wünsche* und Erwartungen an es herangetragen, die es unmöglich erfüllen kann. In krassen Fällen bleibt dann eine Psychose, Drogensucht oder der Suizid die einzige Lösung. Aber oft führt diese Ohnmacht zu gesteigerter Aggressivität, die wiederum den Erziehern die Notwendigkeit strenger Maßnahmen bestätigt.

4. Eine ähnliche Situation ergibt sich, wenn Kinder wie in der »antiautoritären« Erziehung der sechziger Jahre darauf *gedrillt werden, ein bestimmtes Verhalten anzunehmen,* das ihre Eltern sich selbst einmal gewünscht haben und das sie deshalb als allgemein wünschenswert betrachten. Die eigentlichen Bedürfnisse des Kindes können dabei vollständig übersehen werden. In einem mir bekannten Fall wurde z. B. ein trauriges Kind dazu ermutigt, ein Glas kaputtzuschlagen, in einem Moment, in dem es am liebsten auf den Schoß seiner Mutter geklettert wäre. Wenn sich Kinder dauernd so mißverstanden und *manipuliert* fühlen, bricht eine echte Ratlosigkeit und begründete Aggressivität durch.

Im Gegensatz zur allgemein verbreiteten Meinung und zum Schrecken der Pädagogen kann ich dem Wort »Erziehung« keine positive Bedeutung abgewinnen. Ich sehe in ihr *die Notwehr des Erwachsenen,* die *Manipulation aus der eigenen Unfreiheit und Unsicherheit,* die ich zwar verstehen kann, deren Gefahren ich aber nicht übersehen darf. So kann ich verstehen, daß man Delinquenten in Gefängnisse einsperrt, aber nicht sehen, daß der Freiheitsentzug und das Leben in Gefängnissen, das allein auf Anpassung, Hörigkeit und Unterwürfigkeit ausgerichtet ist, wirklich zur Besserung, d. h. zur Entfaltung des Gefangenen beitragen kann. Im Wort »Erziehung« liegt die Vorstellung bestimmter Ziele, die der Zögling erreichen soll – und damit wird schon seine Entfaltungsmöglichkeit beeinträchtigt. Aber der ehrliche Verzicht auf jede Manipulation und auf diese Zielvorstellungen bedeutet nicht, daß man das Kind sich selbst überläßt. Denn das Kind braucht die seelische und körperliche *Begleitung* des Erwachsenen in einem sehr hohen Maße. Um dem Kind seine volle Entfaltung zu ermöglichen, muß diese Begleitung folgende Züge aufweisen:

1. Achtung vor dem Kind;
2. Respekt für seine Rechte;
3. Toleranz für seine Gefühle;
4. Bereitschaft, aus seinem Verhalten zu lernen:
   a) über das Wesen dieses einzelnen Kindes,
   b) über das eigene Kindsein, das die Eltern zur Trauerarbeit befähigt,
   c) über die Gesetzmäßigkeit des Gefühlslebens, die beim Kind viel deutlicher als beim Erwachsenen zu beobachten ist, weil das Kind viel intensiver und im optimalen Fall unverstellter als der Erwachsene seine Gefühle erleben kann.

Die Erfahrungen in der neuen Generation zeigen, daß eine solche Bereitschaft auch bei Menschen möglich ist, die selber Opfer von Erziehung waren.

Doch die Befreiung von jahrhundertealten Zwängen kann sich wohl kaum in einer Generation vollziehen. Der Gedanke, daß wir als Eltern von jedem neu geborenen Kind mehr über die Gesetze des Lebens erfahren und lernen können als von unseren Eltern, wird vielen älteren Personen absurd und lächerlich vorkommen. Aber auch bei jüngeren Menschen mag ein Mißtrauen vorhanden

sein, weil viele von ihnen durch eine Mischung von psychologischer Literatur und verinnerlichter »Schwarzer Pädagogik« verunsichert sind. So fragte mich z. B. ein sehr intelligenter, hochsensibler Vater, ob es nicht ein Mißbrauch des Kindes wäre, wenn man von ihm lernen wollte. Weil diese Frage von einem Menschen kam, der, 1942 geboren, die Tabus seiner Generation in einem außergewöhnlichen Maß hatte überwinden können, machte sie mir klar, wie sehr wir bei psychologischen Veröffentlichungen an die Möglichkeit von Mißverständnissen und einer neuen Verunsicherung denken müssen.
Kann das ehrliche Lernen einen Mißbrauch bedeuten? Ohne das Offensein für das, was der andere uns mitteilt, ist uns kaum eine echte Zuwendung möglich. Wir brauchen die Artikulation des Kindes, um es verstehen, begleiten und lieben zu können. Auf der anderen Seite braucht das Kind seinen freien Raum, um sich adäquat artikulieren zu können. Hier besteht keine Diskrepanz zwischen Zielen und Mitteln, sondern vielmehr ein dialogischer und dialektischer Vorgang. Das Lernen ergibt sich aus dem Zuhören, was wiederum zum noch besseren Zuhören und Eingehen auf den andern führt. Oder anders ausgedrückt: Um vom Kind zu lernen, brauchen wir Empathie, andererseits steigt die Empathie mit dem Lernen. Im Gegensatz dazu steht das Anliegen des Erziehers, der das Kind so oder so haben möchte oder haben zu müssen meint und es für diese geheiligten Zwecke nach seinem Bild zu formen versucht. Damit unterbindet er die freie Artikulation des Kindes und verpaßt zugleich seine eigene Lernchance. Dies ist zweifellos ein oft ungewollter Mißbrauch, der nicht nur Kindern gegenüber verübt wird, sondern, wenn man genau hinschaut, die meisten menschlichen Beziehungen durchzieht, weil die Partner häufig mißbrauchte Kinder waren und nun unbewußt zeigen, was sie in ihrer Kindheit bekommen haben.
Die antipädagogischen Schriften (von E. von Braunmühl u. a.) können eine große Hilfe für junge Eltern bedeuten,

wenn sie *nicht als »Erziehung zur Elternschaft«* aufgefaßt werden, sondern als *Zuwachs an Informationen,* als *Ermutigung zu neuen Erfahrungen* und als *Befreiung zum vorurteilsfreieren Lernen.*

Der letzte Akt des stummen Dramas – die Welt ist entsetzt

Es ist nicht leicht, über Kindesmißhandlungen zu schreiben, ohne in eine moralisierende Haltung auszurutschen. Die Empörung über den schlagenden Erwachsenen und das Mitleid mit dem hilflosen Kind stellen sich so selbstverständlich ein, daß man, ungeachtet der tieferen Menschenkenntnis, schnell in die Versuchung kommt, den Erwachsenen als brutal und grausam zu verurteilen und zu verdammen. Doch wo gibt es diese Menschen, die nur gut, und die anderen, die nur grausam sind? Ob jemand seine Kinder mißhandelt, hängt nicht so sehr von seinem Charakter und Naturell ab, sondern von der Tatsache, daß er selber als Kind mißhandelt worden ist und sich nicht dagegen wehren durfte. Es gibt unzählige Menschen, die ähnlich wie der Vater von Herrn A. liebenswürdig, zart und hochsensibel sind und ihren Kindern täglich Grausamkeiten zufügen, die sie Erziehung nennen. Solange das Schlagen von Kindern als notwendig und nützlich galt, war diese Grausamkeit legitimiert. Heute leiden diese Menschen, wenn ihnen »die Hand ausrutscht«, wenn sie das Kind aus einem unverständlichen Zwang, aus einer unbegreiflichen Verzweiflung heraus angeschrieen, gedemütigt oder geschlagen haben, seine Tränen sehen und doch spüren, daß sie nicht anders können und daß es beim nächsten Mal wieder so kommen wird. Und es muß wieder so kommen, solange die Geschichte der eigenen Kindheit idealisiert bleibt.

Paul Klee ist als der große Maler zauberhafter poetischer Bilder bekannt. Daß er auch eine andere Seite hatte, erfuhr vielleicht nur sein einziges Kind. Der jetzt 72jährige Sohn des Malers, Felix Klee, sagt zu seinem Interviewer (Brückenbauer vom 29. 2. 1980): »Er hatte zwei Seiten, er machte gern s'Chalb (Späße), konnte aber auch vehement mit dem Stock in die Erziehung eingreifen.« Paul Klee hat, angeblich für diesen Sohn, wundervolle Puppen angefertigt, von denen immer noch 30 erhalten sind. Der Sohn berichtet: »In unserer engen Wohnung baute Papa im Türrahmen das Theater auf. Wenn ich in der Schule war, spielte er, so gestand er selber, manchmal für die Katze . . .« Doch der Vater spielte *nicht nur* für die Katze, sondern auch für seinen Sohn. Konnte ihm dieser dann die Schläge übelnehmen?

Ich habe dieses Beispiel angeführt, um dem Leser zu helfen, von den Clichés der guten oder bösen Eltern loszukommen. Es gibt tausend Formen von Grausamkeit, die man bis heute noch nicht kennt, weil die Verletzungen des Kindes und seine Folgen bisher noch so wenig bekannt sind. Mit diesen Folgen beschäftigt sich der vorliegende Teil des Buches. Die einzelnen Stationen im Leben der meisten Menschen heißen:

1. als kleines Kind Verletzungen zu empfangen, die niemand als Verletzungen ansieht;
2. auf den Schmerz nicht mit Zorn zu reagieren;
3. Dankbarkeit für die sogenannten Wohltaten zeigen;
4. alles vergessen;
5. im Erwachsenenalter den gespeicherten Zorn auf andere Menschen abladen oder ihn gegen sich selber richten.

Die größte Grausamkeit, die man den Kindern zufügt, besteht wohl darin, daß sie ihren Zorn und Schmerz nicht artikulieren dürfen, ohne Gefahr zu laufen, die Liebe und Zuwendung der Eltern zu verlieren. Dieser frühkindliche Zorn wird im Unbewußten gespeichert, und da er im Grunde ein gesundes, vitales Kraftpotential darstellt, muß ebensoviel Energie dafür verwendet werden, um dieses Potential in der Verdrängung zu halten. Die auf Kosten der Lebendigkeit gelungene Erziehung zur Schonung der Eltern führt nicht selten zum Selbstmord oder zur extremen Drogenabhängigkeit, die einem Selbstmord nahekommt. Wenn die Droge dazu gedient hat, das aus der Unterdrückung der Gefühle und aus der Selbstentfremdung entstandene Loch zu füllen, dann macht die Entziehungskur das Loch wieder sichtbar. Wenn die Entziehungskur nicht mit der Wiedergewinnung der Lebendigkeit einhergeht, muß mit neuen Rückfällen gerechnet werden. Christiane F., die Autorin des Buches *Wir Kinder vom Bahnhof Zoo,* führt uns die Tragik eines solchen Lebens mit erschütternder Klarheit vor Augen.

Die ungenützte Chance der Pubertät

Es gelingt den Eltern sehr oft, das kleine Kind mit den zahlreichen Methoden der Beherrschung so zu zähmen, daß sie bis zur Pubertät keine Probleme mit ihm haben. Die »Abkühlung« der Gefühle und Triebe in der Latenzzeit kommt diesem Wunsch nach problemlosen Kindern entgegen. In dem Buch *Der goldene Käfig* von Hilda Bruch erzählen Eltern von magersüchtigen Töchtern, wie begabt, gelungen, gepflegt, erfolgreich, angepaßt und rücksichtsvoll ihre Kinder einst gewesen seien, und sie können diese plötzliche Veränderung nicht begreifen. Sie stehen hilf- und verständnislos vor einem Jugendlichen, der alle Normen abzulehnen scheint und dessen selbstzerstörerisches Verhalten nun weder mit logischen Argumenten noch mit den Finessen der »Schwarzen Pädagogik« zu beeinflussen ist.

Die Pubertät konfrontiert den Jugendlichen oft ganz unerwartet mit der Intensität seiner wahren Gefühle, nachdem es ihm bereits gelungen sein mag, sie während der Latenzzeit von sich fernzuhalten. Mit dem biologischen Aufbruch seines Wachstums wollen diese Gefühle (Wut, Zorn, Auflehnung, Verliebtheit, sexuelle Wünsche, Begeisterung, Freude, Verzauberung, Trauer) voll leben, doch in vielen Fällen würde das für das psychische Gleichgewicht der Eltern eine Gefahr bedeuten. Würde ein Jugendlicher nüchtern seine wahren Gefühle äußern, so müßte er riskieren, als gefährlicher Terrorist im Gefängnis oder als Verrückter in einer Irrenanstalt eingesperrt zu werden. Für Shakespeares Hamlet oder Goethes Werther hätte unsere Gesellschaft zweifellos nur eine psychiatrische Klinik zur Verfügung, und Karl Moor wäre vielleicht in einer ähnlichen Gefahr. So versucht der Drogensüchtige, sich der Gesellschaft anzupassen, indem er seine echten Gefühle bekämpft; da er aber im Ansturm der Pubertät nicht mehr ganz ohne sie leben kann, sucht er seine Gefühle mit Hilfe der Droge wiederzugewinnen, was ihm – wenigstens am Anfang – zu gelingen scheint. Aber die von den Eltern repräsentierte und vom Jugendlichen längst verinnerlichte Einstellung der Gesellschaft muß ihr Recht behalten: starke, intensive Gefühle zu erleben führt zum Verachtetwerden, zur Isolierung, Ausstoßung, Todesgefahr, d. h. zur Selbstzerstörung.

Die Sehnsucht nach dem wahren Selbst, die eigentlich so berechtigt und lebensnotwendig ist, wird in ähnlicher Weise vom Drogensüchtigen selbst bestraft, wie seine ersten vitalen Regungen in der frühen Kindheit einst bestraft wurden – mit der Tötung des Lebendigen. Fast jeder Heroinabhängige erzählt, daß er am Anfang Gefühle von bisher unbekannter Intensität erlebt habe. Dadurch wurde ihm die Flachheit und Leere seines gewöhnlichen Gefühlslebens noch deutlicher bewußt.
Da er sich gar nicht vorstellen kann, *daß es diese Möglichkeit auch ohne Heroin geben* kann, beginnt die begreifliche Sehnsucht nach der Wiederholung. Denn in diesen Ausnahmezuständen erlebte der junge Mensch, wie er hätte sein können, er ist mit seinem Selbst in Berührung gekommen, und diese Begegnung wird ihm begreiflicherweise keine Ruhe mehr lassen. Er bringt es nicht mehr fertig, sein Leben neben seinem Selbst zu »absolvieren«, gewissermaßen so, als ob es ihn nie gegeben hätte. *Er weiß jetzt, daß es ihn gibt.* Aber zugleich weiß er seit seiner frühen Kindheit, daß dieses wahre Selbst keine Lebenschance hat. So geht er einen Kompromiß mit seinem Schicksal ein: er darf seinem Selbst zeitweise begegnen, ohne daß jemand es erfährt. Nicht einmal er selber darf es wissen, denn es ist ja der »Stoff«, der es »tut«, die Wirkung kommt »von außen«, ist schwer zu beschaffen, sie wird nie zum integrierten Teil seines Selbst, er wird nie für diese Gefühle Verantwortung übernehmen müssen oder können. Das

zeigen die Intervalle zwischen dem einen und dem anderen Schuß: die völlige Apathie, Lethargie, Leere oder Unruhe und Angst – der Schuß ging vorüber wie ein vergessener Traum, der auf die Ganzheit des Lebens keine Wirkung haben kann.

Auch die Abhängigkeit von einem absurden Zwang hat ihre Vorgeschichte. Da sie das ganze frühere Leben von Anfang an durchdrungen hat, *fällt sie dem Süchtigen kaum auf*. Eine 24jährige, seit ihrem 16. Lebensjahr Heroinsüchtige spricht vor der TV-Kamera von der Stoffbeschaffung durch den Strich und von der Notwendigkeit, den Stoff zu haben, um »diese Tiere zu ertragen«. Sie wirkt sehr echt, und alles, was sie sagt, ist einfühlbar und nahe. Einzig die Selbstverständlichkeit, mit der *dieser Teufelskreis als die für sie einzig mögliche Lebensform erlebt wird*, läßt uns aufhorchen. Diese Frau kann sich offenbar ein anderes, ein von diesem Teufelskreis unabhängiges Leben überhaupt nicht vorstellen, weil sie nie so etwas wie eine freie Entscheidung erlebt hat. Unter einem zerstörenden Zwang zu stehen, war die einzige ihr bekannte Lebensform, und die kann ihr deshalb in ihrer Absurdität nicht auffallen. Es wird uns nicht erstaunen, daß beide Elternfiguren – wie häufig bei den Drogensüchtigen – völlig idealisiert bleiben. Sie selber fühlt sich schuldig, daß sie schwach sei, ihren Eltern so viel Schande bringe und sie so enttäuscht habe. Auch die »Gesellschaft« sei schuld – was natürlich nicht abzustreiten ist. Aber die innere Not, der Konflikt zwischen der Sehnsucht nach dem wahren Selbst und der Notwendigkeit der Anpassung an die Bedürfnisse der Eltern, wird nicht erlebt, solange die Eltern vor dem eigenen Vorwurf geschützt werden müssen. Am Beispiel von Christiane F.s Bericht über ihr Leben können wir im Konkreten diese Not verstehen lernen.

Selbstsuche und Selbstzerstörung in der Droge (Das Leben von Christiane F.)

Die ersten 6 Jahre ihres Lebens wohnte Christiane auf dem Lande, wo sie den ganzen Tag beim Bauern war, Tiere fütterte und »mit den andern im Heu« tobte. Dann zog ihre Familie nach Berlin, und sie lebte dort mit ihren Eltern und der um ein Jahr jüngeren Schwester in einer 2 ½-Zimmerwohnung im 11. Stock der Hochhaussiedlung Gropiusstadt. Der plötzliche Verlust der ländlichen Umgebung, der vertrauten Spielkameraden und der Bewegungsfreiheit auf dem Lande ist für ein Kind an sich schwer genug, um so tragischer aber, wenn es mit diesen Erlebnissen allein bleibt und ständig auf unberechenbare Schläge und Strafen gefaßt sein muß.

Ich wäre ganz glücklich mit meinen Tieren gewesen, wenn es mit meinem Vater nicht immer schlimmer geworden wäre. Während meine Mutter arbeitete, saß er zu Hause. Mit der Ehevermittlung war es ja nichts geworden. Nun wartete mein Vater auf einen anderen Job, der ihm gefiel. Er saß auf dem abgeschabten Sofa und wartete. Und seine irrsinnigen Wutausbrüche wurden immer häufiger.
Schularbeiten machte meine Mutter mit mir, wenn sie von der Arbeit kam. Ich hatte eine Zeitlang Schwierigkeiten, die Buchstaben H und K auseinanderzuhalten. Meine Mutter erklärte mir das eines Abends mit einer Affengeduld. Ich konnte aber kaum zuhören, weil ich merkte, wie mein Vater immer wütender wurde. Ich wußte immer, wann es gleich passierte: Er holte den Handfeger aus der Küche und drosch auf mir rum. Dann sollte ich ihm den Unterschied von H und K erklären. Ich schnallte natürlich überhaupt nichts mehr, bekam noch einmal den Arsch voll und mußte ins Bett.
Das war seine Art, mit mir Schularbeiten zu machen. Er wollte, daß ich tüchtig bin und was Besseres werde. Schließlich hatte sein Großvater noch unheimlich Kohle gehabt. Ihm gehörte in Ostdeutschland sogar eine Druckerei und eine Zeitung, unter anderem. Nach dem Kriege war das in der DDR alles enteignet worden. Nun flippte mein Vater aus, wenn er glaubte, ich würde in der Schule was nicht schaffen.

Da gab es Abende, an die ich mich noch in allen Einzelheiten erinnere. Einmal sollte ich ins Rechenheft Häuser malen. Die sollten sechs Kästchen breit und vier Kästchen hoch sein. Ich hatte ein Haus schon fertig und wußte genau, wie es ging, als mein Vater sich plötzlich neben mich setzte. Er fragte, von wo bis wo das nächste Häuschen gezeichnet werden müsse. Vor lauter Angst zählte ich die Kästchen nicht mehr, sondern fing an zu raten. Immer, wenn ich auf ein falsches Kästchen zeigte, bekam ich eine geklebt. Als ich nur noch heulte und überhaupt keine Antworten mehr geben konnte, da ging er zum Gummibaum. Ich wußte schon, was das bedeutete. Er zog den Bambusstock, der den Gummibaum hielt, aus dem Blumentopf. Dann drosch er mit dem Bambusstock auf meinen Hintern, bis man buchstäblich die Haut abziehen konnte.
Meine Angst fing schon beim Essen an. Wenn ich kleckerte, hatte ich ein Ding weg. Wenn ich etwas umstieß, versohlte er mir den Hintern. Ich wagte kaum noch, mein Milchglas zu berühren. Vor lauter Angst passierte mir dann bei fast jedem Essen irgendein Unglück.
Abends fragte ich meinen Vater immer ganz lieb, ob er nicht wegginge. Er ging ziemlich oft weg, und wir drei Frauen atmeten dann erst einmal tief durch. Diese Abende waren herrlich friedlich. Wenn er dann allerdings in der Nacht nach Hause kam, konnte es wieder ein Unglück geben. Er hatte meistens etwas getrunken. Irgendeine Kleinigkeit dann, und er rastete total aus. Es konnten Spielsachen oder Kleidungsstücke sein, die unordentlich rumlagen. Mein Vater sagte immer, Ordnung sei das Wichtigste im Leben. Und wenn er nachts Unordnung sah, dann *zerrte er mich aus dem Bett und schlug mich.* Meine kleine Schwester bekam anschließend auch noch etwas ab. Dann warf mein Vater unsere Sachen auf den Fußboden und befahl, in fünf Minuten wieder alles ordentlich einzuräumen. Das schafften wir meistens nicht und bekamen noch mal Kloppe.
Meine Mutter stand dabei meistens weinend in der Tür. Sie wagte selten, uns zu verteidigen, weil er dann auch sie schlug. Nur Ajax, meine Dogge, sprang oft dazwischen. Sie winselte ganz hoch und hatte sehr traurige Augen, wenn in der Familie geschlagen wurde. Sie brachte meinen Vater am ehesten zur Vernunft, denn er liebte ja Hunde wie wir alle. *Er hatte Ajax mal angeschrien, aber nie geschlagen.*

Trotzdem liebte und achtete ich meinen Vater irgendwie. Ich dachte, er sei anderen Vätern haushoch überlegen. Aber vor allem hatte ich Angst vor ihm. Dabei fand ich es ziemlich normal, daß er so oft um sich schlug. Bei anderen Kindern in der Gropiusstadt war es zu Hause nicht anders. Die hatten sogar manchmal richtige Veilchen im Gesicht und ihre Mütter auch. Es gab Väter, die lagen betrunken auf der Straße oder auf dem Spielplatz rum. So schlimm betrank sich mein Vater nie. Und es passierte in unserer Straße auch, daß Möbelstücke aus den Hochhäusern auf die Straße flogen, Frauen um Hilfe schrien und die Polizei kam. So schlimm war es bei uns also nicht.

Das Auto, der Porsche, war wohl das, was mein Vater am meisten liebte. Er wienerte ihn fast jeden Tag, wenn er nicht gerade in der Werkstatt stand. Einen zweiten Porsche gab es wohl nicht in der Gropiusstadt. Jedenfalls bestimmt keinen Arbeitslosen mit Porsche.

Ich hatte natürlich damals keine Ahnung, was mit meinem Vater los war, warum er ständig regelrecht ausrastete. Mir dämmerte es erst später, als ich mich auch mit meiner Mutter häufiger über meinen Vater unterhielt. Allmählich habe ich einiges durchschaut. Er packte es einfach nicht. Er wollte immer wieder hoch hinaus und fiel jedesmal auf den Arsch. Sein Vater verachtete ihn deshalb. Opa hatte schon meine Mutter vor der Ehe mit dem Taugenichts gewarnt. Mein Opa hatte eben immer große Pläne mit meinem Vater gehabt (S. 18-20).

Mein *sehnlichster Wunsch* war, schnell älter zu werden, erwachsen zu sein wie mein Vater, wirkliche *Macht zu haben über andere Menschen.* Was ich an Macht hatte, probierte ich inzwischen aus.

Mit meiner kleinen Schwester spielten wir fast jeden Tag das Spiel, das wir gelernt hatten. Wenn wir aus der Schule kamen, suchten wir Zigarettenkippen aus Aschenbechern und Mülleimern. Wir strichen sie glatt, klemmten sie zwischen die Lippen und pafften. Wenn meine Schwester auch eine Kippe haben wollte, bekam sie was auf die Finger. Wir befahlen ihr, die Hausarbeit zu machen, also abwaschen, staubwischen und was uns die Eltern noch so aufgetragen hatten. Dann nahmen wir unsere Puppenwagen, schlossen die Wohnungstür hinter uns ab und gingen spazieren. Wir schlossen meine Schwester solange ein, bis sie die Arbeit gemacht hatte (S. 22).

Christiane, die häufig aus ihr unverständlichen Gründen vom Vater verprügelt wird, fängt schließlich an, sich so zu benehmen, daß ihr Vater »einen guten Grund zum Prügeln« bekommt. Auf diese Art *wertet sie ihn auf*, sie macht aus dem ungerechten und unberechenbaren Vater *wenigstens einen gerecht strafenden.* Das ist die einzige Möglichkeit, die ihr bleibt, um das Bild des idealisierten geliebten Vaters *zu retten.* Sie fängt auch an, andere Männer herauszufordern und sie zu strafenden Vätern zu machen, zunächst den Hauswart, dann die Lehrer und schließlich, in der Drogenszene, die Polizisten. Auf diese Art wird der Konflikt mit dem Vater auf andere Menschen verschoben. Da Christiane nicht mit dem Vater über die Konflikte sprechen, sie nicht mit ihm austragen kann, wird der ursprüngliche Haß auf den Vater aus dem Bewußtsein verdrängt und *im Unbewußten aufgestaut.* Mit anderen männlichen Autoritäten wird dafür stellvertretend ein Kampf geführt, und schließlich wird die ganze aufgestaute Wut des gedemütigten, nicht respektierten, nicht verstandenen, alleingelassenen Kindes in der Sucht gegen das eigene Selbst gerichtet. In der weiteren Entwicklung macht Christiane mit sich das, was früher ihr Vater mit ihr gemacht hat: sie zerstört systematisch ihre Würde, manipuliert mit Drogen ihre Gefühle, verurteilt sich (dieses besonders sprachbegabte Kind!) zur Sprachlosigkeit und Isolierung und ruiniert schließlich sowohl ihren Körper wie ihre Seele.

Bei der Schilderung der Kinderwelt von Christiane mußte ich manchmal an bestimmte Beschreibungen des Lebens im KZ denken, so z. B. bei den folgenden Szenen:

Zunächst mal ging es natürlich darum, andere Kinder zu ärgern. Da griffen wir uns ein Kind, sperrten es in einen Fahrstuhl und drückten alle Knöpfe. Den anderen Fahrstuhl hielten wir fest. Dann mußte der bis zum obersten Stock hochjuckeln mit einem Halt in jedem Stockwerk. Mit mir haben sie das auch oft gemacht. Gerade wenn ich mit meinem Hund zurückkam und

rechtzeitig zum Abendbrot zu Hause sein mußte. Dann haben die alle Knöpfe gedrückt, und es dauerte eine elend lange Zeit, bis ich im elften Stock war, und Ajax wurde dabei wahnsinnig nervös.
Gemein war es, jemandem alle Knöpfe zu drücken, der hochwollte, weil er mußte. Der pullerte am Ende in den Fahrstuhl. Noch gemeiner allerdings war es, einem Kind den Kochlöffel wegzunehmen. Alle kleinen Kinder gingen nur mit einem Kochlöffel nach draußen. Denn nur mit einem langen hölzernen Kochlöffel kamen wir an die Fahrstuhlknöpfe ran. Ohne Kochlöffel war man also total aufgeschmissen. Wenn man ihn verloren hatte oder andere Kinder ihn weggenommen hatten, konnte man elf Stockwerke zu Fuß hochlatschen. Denn die anderen Kinder halfen einem natürlich nicht, und die Erwachsenen dachten, man wolle nur im Fahrstuhl spielen und ihn kaputt machen (S. 27).
Eines Nachmittags lief eine Maus in das Gras, das wir nicht betreten durften. Wir fanden sie nicht wieder. Ich war ein bißchen traurig, tröstete mich aber mit dem Gedanken, daß es der Maus draußen viel besser gefallen würde als im Käfig.
Ausgerechnet am Abend dieses Tages kam mein Vater in das Kinderzimmer, sah in den Mäusekäfig und fragte ganz komisch: »Wieso sind da nur zwei? Wo ist denn die dritte Maus?« Ich witterte noch kein Unheil, als er so komisch fragte. Mein Vater hatte die Mäuse nie gemocht und mir immer wieder gesagt, ich solle sie weggeben. Ich erzählte, daß mir die Maus auf dem Spielplatz weggelaufen sei.
Mein Vater sah mich an wie ein Irrer. Ich wußte, daß er nun total ausrastete. Er schrie und schlug sofort zu. Er schlug, und ich war eingezwängt in meinem Bett und kam nicht raus. Er hatte noch nie so zugeschlagen, und ich dachte, er haut mich tot. Als er dann auch auf meine Schwester eindrosch, hatte ich ein paar Sekunden Luft und versuchte instinktiv zum Fenster zu kommen. Ich glaube, ich wäre rausgesprungen, aus dem 11. Stock. Aber mein Vater packte mich und warf mich auf das Bett zurück. Meine Mutter stand wohl wieder weinend in der Tür, aber ich sah sie gar nicht. Ich sah sie erst, als sie sich zwischen meinen Vater und mich warf. Sie schlug mit Fäusten auf meinen Vater ein.
Er war völlig von Sinnen. Er prügelte meine Mutter auf den Flur. Ich hatte plötzlich mehr Angst um meine Mutter als um

mich. Ich ging hinterher. Meine Mutter versuchte ins Badezimmer zu fliehen und die Tür vor ihm zuzumachen. Aber mein Vater hielt sie an den Haaren fest. In der Badewanne war wie an jedem Abend Wäsche eingeweicht. Denn zu einer Waschmaschine hatte es bisher bei uns nicht gereicht. Mein Vater stieß den Kopf meiner Mutter in die volle Badewanne. Irgendwie kam sie wieder frei. Ich weiß nicht, ob mein Vater sie losließ oder ob sie sich selbst befreite.
Mein Vater verschwand leichenblaß im Wohnzimmer. Meine Mutter ging zur Garderobe und zog sich den Mantel an. Ohne ein Wort zu sagen, ging sie aus der Wohnung.
Das war wohl einer der schrecklichsten Momente in meinem Leben, als meine Mutter einfach, ohne ein Wort zu sagen, aus der Wohnung ging und uns allein ließ. Im ersten Moment dachte ich nur, nun kommt er wieder und schlägt weiter. Aber im Wohnzimmer blieb es ruhig bis auf den Fernseher, der lief (S. 34f.).

Niemand wird ernsthaft daran zweifeln können, daß die Häftlinge eines Konzentrationslagers Schreckliches gelitten haben. Wenn aber von körperlichen Mißhandlungen der Kinder berichtet wird, reagieren wir erstaunlich gelassen; wir sagen, je nach Ideologie: »das ist ja ganz normal«, oder »Kinder muß man schließlich erziehen«, oder »das war damals Sitte«, oder »wer nicht hören will, muß fühlen« usw. Ein älterer Herr erzählte einmal vergnügt in einer Gesellschaft, daß seine Mutter ihn als kleines Kind über einem eigens dazu entfachten Strohfeuer geschaukelt hatte, um seine Hose zu trocknen und ihm das Einnässen abzugewöhnen. »Meine Mutter war der beste Mensch, den man sich denken kann, aber das war damals der Brauch bei uns«, sagte er. Dieser Mangel an Einfühlung in die eigenen Kindheitsleiden führt dazu, daß man auch dem Leiden anderer Kinder gegenüber erstaunlich stumpf bleiben kann. Wenn das, was mir geschah, zu meinem Wohl geschehen mußte, so ist diese Behandlung als notwendiger Teil des Lebens zu akzeptieren und nicht zu hinterfragen.
Diese Abstumpfung hat also ihre Vorgeschichte im eigenen Mißhandeltwerden, dessen Erinnerung zwar erhalten

geblieben sein kann, dessen emotionaler Gehalt aber, das ganze Erlebnis des Geschlagen- und Gedemütigtwerdens, in den meisten Fällen vollständig verdrängt werden mußte.

Da liegt der Unterschied zwischen der Folterung eines Erwachsenen und der eines Kindes. Beim letzteren ist das Selbst noch nicht so ausgebildet, um eine Erinnerungsspur mit den dazugehörigen Gefühlen erhalten zu können. Es wird zwar (obwohl nicht immer) das Wissen gespeichert, daß man geschlagen worden ist und daß dies – wie die Eltern gesagt haben – zum eigenen Wohle geschah, aber das Leiden der eigenen Mißhandlung wird unbewußt bleiben und später eine Einfühlung in andere behindern. Deshalb werden die ehemals geschlagenen Kinder zu schlagenden Vätern und Müttern, aus denen sich auch die zuverlässigsten Henker, KZ-Aufseher, Kapos, Gefängniswärter, Folterer rekrutieren. Sie schlagen, mißhandeln, foltern aus dem inneren Zwang, ihre eigene Geschichte zu wiederholen, und können das ohne jegliches Mitgefühl für das Opfer tun, weil sie vollständig mit dem attackierenden Teil identifiziert sind. Diese Menschen wurden selber so früh geschlagen und gedemütigt, daß es ihnen gar nie möglich war, das hilflose, attackierte Kind in sich bewußt zu erleben, denn dazu hätte eine verstehende, begleitende erwachsene Person gehört, die ihnen fehlte. Nur unter diesen Bedingungen würde sich das Kind auch als das, was es im Moment ist, nämlich *als das schwache, hilflose, ausgelieferte, geschlagene Kind erleben und diesen Teil in sein Selbst integrieren können.*

Man könnte sich theoretisch vorstellen, daß ein Kind von seinem Vater zwar geschlagen wurde, sich aber danach bei einer gütigen Tante ausweinen konnte, erzählen konnte, wie es ihm ergangen sei, und daß diese Tante nicht versucht hätte, dem Kind seinen Schmerz auszureden oder den Vater zu rechtfertigen, sondern dem ganzen Gesche-

hen sein Gewicht belassen hätte. Aber solche Glücksfälle sind selten. Der Ehepartner eines schlagenden Elternteils teilt diese Erziehungsprinzipien oder aber ist selber sein Opfer, auf jeden Fall selten ein Anwalt des Kindes. Eine solche vorgestellte »Tante« ist deshalb eine große Ausnahme, weil das geschlagene Kind wohl kaum die innere Freiheit haben wird, sie aufzusuchen und zu gebrauchen. Ein Kind wird eher die entsetzliche innere Isolierung und Aufspaltung der Gefühle auf sich nehmen, als den Vater oder die Mutter bei fremden Leuten zu »verpetzen«. Psychoanalytiker wissen, wie lange es u. U. dauern kann, bis der seit 30, 40, 50 Jahren unterdrückte Vorwurf eines Kindes formulierbar und erlebbar wird.
Deshalb ist die Situation eines kleinen mißhandelten Kindes u. U. noch schlimmer und in den Folgen für die Gesellschaft eher gravierender als die Situation eines Erwachsenen im KZ-Lager. Zwar wird auch der ehemalige Lagerhäftling zuweilen vor Situationen stehen, in denen er spürt, daß er den ganzen Abgrund seines damaligen Leidens niemals wird adäquat vermitteln können, daß man ihm verständnislos, kalt, stumpf, gleichgültig, ja sogar ungläubig gegenübersteht*, aber *er selber* wird, von wenigen Ausnahmen abgesehen, *nicht an der Tragik seiner Erlebnisse zweifeln.* Er wird niemals versuchen, sich *die ihm zugefügte Grausamkeit als Wohltat einzureden,* die Absurdität des Lagers als eine für ihn notwendige Erziehungsmaßnahme zu verstehen, wird meistens nicht versuchen, *sich in die Beweggründe seiner Henker einzufühlen.* Er wird Menschen finden, die ähnliche Erlebnisse hatten, und seine Gefühle von Empörung, Haß und Verzweiflung über die erlittene Grausamkeit mit ihnen teilen.
All diese Möglichkeiten fehlen dem mißhandelten Kind. Es ist mit seinem Leiden, wie ich es am Beispiel von

* William G. Niederlands Buch *Folgen der Verfolgung* (1980) vermittelt dem Leser sehr eindringlich die verständnislose Umwelt des ehemaligen Häftlings im Spiegel der psychiatrischen Gutachterpraxis.

Christiane F. zu zeigen versuche, *nicht nur einsam in der Familie, sondern auch im eigenen Selbst.* Und weil es mit niemandem diesen Schmerz teilen kann, wird es sich auch in der eigenen Seele keinen Ort schaffen können, wo es sich ausweinen könnte. Der Schoß einer »gütigen Tante« in seinem Selbst wird nicht kreiert, es bleibt bei der Ideologie »man muß auf die Zähne beißen und tapfer sein«. Das Wehr- und Hilflose bekommt im Selbst keine Heimat und wird später, in der Identifikation mit dem Aggressor, überall in der Welt verfolgt.
Ein Mensch, der von Anfang an mit oder ohne Hilfe von körperlichen Züchtigungen gezwungen war, das lebendige Kind in sich abzutöten bzw. zu verdammen, abzuspalten und zu verfolgen, wird sein ganzes Leben damit zu tun haben, diese innere Gefahr nicht wieder aufkommen zu lassen. Doch die seelischen Kräfte sind von einer solchen Zähigkeit, daß sie selten endgültig umzubringen sind. Sie suchen sich immer wieder Auswege, um überleben zu können, oft in sehr verzerrten und für die Gesellschaft nicht ungefährlichen Formen. Eine der Formen ist die Projektion des Kindlichen nach außen, wie z. B. in der Grandiosität, eine andere ist die Bekämpfung des »Bösen« im eigenen Innern. Die »Schwarze Pädagogik« zeigt, wie sich die beiden Formen verbinden und wie sie in der traditionellen religiösen Erziehung gekoppelt sind.

Der Vergleich zwischen der Mißhandlung des Kindes und der des Erwachsenen hat neben den Gesichtspunkten *des Reifegrades des Selbst*, der *Loyalität*, der *Isolierung* noch einen anderen Aspekt. Der mißhandelte Häftling darf zwar keinen Widerstand leisten, darf sich gegen Demütigungen nicht wehren, aber er ist *innerlich frei*, seinen Verfolger zu hassen. Diese Möglichkeit, *seine Gefühle zu erleben,* ja sie sogar mit anderen Häftlingen zu teilen, gibt ihm die Chance, sein Selbst nicht aufgeben zu müssen. Gerade diese Chance hat ein Kind nicht. *Es darf* seinen Vater *nicht hassen,* das geht ja aus dem Vierten Gebot hervor und wurde ihm von klein auf anerzogen, aber es *kann* ihn auch *nicht hassen,* wenn es *Angst haben muß, seine Liebe zu verlieren,* und es *will ihn gar nicht hassen, weil es ihn liebt.* Ein Kind steht also nicht wie ein Lagerinsasse vor dem gehaßten, sondern *vor dem geliebten Verfolger,* und es ist gerade diese tragische Komplikation, die auf sein ganzes späteres Leben den stärksten Einfluß nehmen wird. Christiane F. schreibt:

Ich hatte ihn ja nie gehaßt, sondern nur Angst vor ihm gehabt. Ich war auch immer stolz auf ihn gewesen. Weil er tierlieb war, und weil er ein so starkes Auto hatte, seinen 62er Porsche (S. 36).

Diese Sätze sind so erschütternd, weil sie wahr sind: Genauso empfindet ein Kind. Seine Toleranz hat keine Grenzen, es ist immer treu und sogar stolz, daß sein Vater, der es brutal schlägt, niemals einem Tier etwas zuleide täte; es ist bereit, ihm alles zu verzeihen, die ganze Schuld immer auf sich zu nehmen, keinen Haß zu empfinden, alles Vorgefallene schnell zu vergessen, nichts nachzutragen, niemandem etwas zu erzählen, mit seinem Verhalten zu versuchen, neue Schläge zu vermeiden, herauszufinden, weshalb der Vater unzufrieden ist, ihn zu verstehen usw. Es kommt selten vor, daß sich umgekehrt der Erwachsene einem Kind gegenüber so verhält – es sei denn, er ist sein Psychotherapeut –, doch beim abhängigen, sensiblen Kind ist es fast die Regel. Was geschieht aber mit all den unterdrückten Affekten? Man kann sie ja nicht aus der Welt schaffen. So müssen sie auf Ersatzobjekte gerichtet werden, um den Vater zu schonen. Auch darüber gibt uns Christianes Bericht einen anschaulichen Unterricht, als sie ihr Leben mit der inzwischen geschiedenen Mutter und deren Freund Klaus beschreibt:

Wir bekamen dann auch Krach miteinander. Wegen Kleinigkeiten. Ich provozierte manchmal diesen Krach. Meistens ging es ums Plattenspielen. Meine Mutter hatte mir zum 11. Geburtstag einen Plattenspieler, so eine kleine Funzel, gekauft, und ich hatte ein paar Platten, Disco-Sound, Teeny-Musik. Und abends legte ich mir dann eine Scheibe auf und drehte die Funzel so weit auf, daß es zum Ohrenzerreißen war. Eines Abends kam Klaus in das Kinderzimmer und sagte, ich solle den Plattenspieler leiser stellen. Ich tat das nicht. Er kam wieder und riß den Arm von der Platte. Ich legte ihn wieder auf und stellte mich so vor den Plattenspieler, daß er nicht dran kam. Da faßte er mich an und schubste mich weg. Als dieser Mann mich anfaßte, flippte ich aus (S. 38).

Das gleiche Kind, das die unheimlichsten Schläge seines Vaters wehrlos ertrug, »flippte« nun sofort aus, als »dieser Mann« es anfaßte. Ähnliches kann man in Analysen öfters miterleben. Frauen, die unter ihrer Frigidität leiden oder während der Analyse Ekelgefühle beim Berühren ihrer Männer entwickeln, kommen auf dieser Spur zu sehr frühen Erinnerungen von sexuellem Mißbrauch durch ihre Väter oder andere Männer der Familie. In der Regel tauchen diese Erinnerungen mit spärlichen Gefühlen auf, der starke Affekt ist zunächst beim gegenwärtigen Partner gebannt. Erst mit der Zeit wird die ganze Skala der Enttäuschungen am geliebten Vater erlebt: die Scham, die Demütigung, die Wut, die Empörung.
Es kommt häufig in Analysen vor, daß kurz bevor das Wissen über die sexuelle Verführung durch den Vater ins Bewußtsein durchbrechen darf, Deckerinnerungen über ähnliche Szenen mit weniger nahen Personen erzählt werden.
Wer ist hier »der Mann«? Wenn es nicht der eigene Vater war, warum hat sich das Kind nicht gewehrt? Warum hat es den Eltern nichts davon erzählt? Hat es nicht vorher schon Ähnliches mit seinem Vater erlebt und dort die Schweigepflicht als selbstverständlich eingeübt? Die Verschiebung der »bösen« Affekte auf eher gleichgültigere Personen ermöglicht es, die bewußt »gute« Beziehung zum Vater aufrechtzuerhalten. Als Christiane ihre Kräche mit Klaus haben konnte, schien ihr ihr Vater »wie ausgewechselt«. »Er tat unheimlich nett. Und er war es eigentlich auch. Er schenkte mir wieder eine Dogge. Eine Hündin« (S. 39). Und etwas weiter heißt es:

Mein Vater war prima. Ich merkte, daß er mich auf eine Art auch liebte. Er behandelte mich jetzt fast wie eine Erwachsene. Ich durfte sogar abends mit ihm und seiner Freundin noch ausgehen.
Er war richtig vernünftig geworden. Er hatte jetzt auch gleichaltrige Freunde und allen hatte er erzählt, daß er schon verheiratet gewesen war. Ich mußte ihn nicht mehr Onkel Richard nennen. Ich war seine Tochter. Und er schien richtig stolz darauf, daß ich seine Tochter war. Allerdings, typisch für ihn: er hatte den Urlaub so gelegt, wie es ihm und seinen Freunden am besten paßte. Ans Ende meiner Ferien. Und ich kam gleich zwei Wochen zu spät in meine neue Schule. Ich begann also gleich mit Schulschwänzen (S. 40).

Der nie geleistete Widerstand gegen die Prügel des Vaters zeigt sich nun im Kampf mit den Lehrern:

Ich fühlte mich nicht anerkannt in der Schule. Die anderen hatten ja diese zwei Wochen Vorsprung. Das ist in einer neuen Schule ein großer Vorsprung. Ich probierte mein Rezept aus der Grundschule auch hier. Ich unterbrach die Lehrer mit Zwischenrufen, ich widersprach. Manchmal, weil ich recht hatte, und manchmal nur so. Ich kämpfte wieder einmal. Gegen die Lehrer und die Schule. Ich wollte Anerkennung (S. 41).

Dieser Kampf dehnt sich nachher auch auf Polizisten aus. Der Jähzorn des Vaters gerät so in Vergessenheit, so sehr, daß Christiane sogar schreiben kann:

Ich kannte bisher eigentlich nur (!) Hauswärte als Autoritätstypen, die man hassen mußte, weil sie einem immer im Nacken waren, wenn man Spaß hatte. Polizisten waren für mich noch eine unangreifbare Autorität. Jetzt lernte ich, daß die Hauswarts-Welt von Gropiusstadt eine Bullen-Welt sei. Daß Bullen viel gefährlicher als Hauswarte waren. Was Piet und Kathi sagten, war für mich sowieso die reine und letzte Wahrheit (S. 46).

Die andern bieten ihr Haschisch an, und es ist ihr klar, daß sie »nicht nein sagen konnte«.

Kathi begann, mich zu streicheln. Da wußte ich nicht mehr, ob ich das gutfinden sollte (S. 47).

Ein konditioniertes, braves Kind darf nicht spüren, was es empfindet, sondern fragt sich, wie es *fühlen sollte*.

Ich wehrte mich nicht. Ich war richtig gelähmt. Ich hatte wahnsinnige Angst vor irgend etwas. Einmal wollte ich rauslaufen. Dann dachte ich wieder: »Christiane, das ist der Preis dafür, daß du jetzt in dieser Clique bist«. Ich habe alles über mich ergehen lassen und nichts gesagt. Ich hatte ja irgendwo auch die wahnsinnige Hochachtung vor diesen Typen (S. 48).

Christiane hat früh lernen müssen, daß Liebe und Anerkennung nur mit der Verleugnung der eigenen Bedürfnisse, Regungen und Gefühle (wie Haß, Ekel, Widerwille) zu erkaufen ist, also um den Preis der Selbstaufgabe. Das ganze Bestreben geht nun dahin, diese Selbstaufgabe zu erreichen, d.h. *cool zu sein*. Das Wort cool kommt daher fast auf jeder Seite dieses Buches vor. Um diesen Zustand zu erreichen, um frei von unerwünschten Gefühlen zu werden, brauchte man Haschisch:

Anders als die Alkis, die ihren Streß noch im Club mit sich rumtrugen und aggressiv waren, konnten die Typen in unserer Clique total abschalten. Sie schmissen sich nach Feierabend in ihre geilen Sachen, rauchten Dope, hörten coole Musik, und es war der totale Frieden. Da vergaßen wir die ganze Scheiße, durch die wir den übrigen Tag draußen gehen mußten.
Ich fühlte mich noch nicht genauso wie die anderen. Dazu glaubte ich, sei ich noch zu jung. Aber die anderen waren meine Vorbilder. Ich wollte möglichst so sein wie sie oder so werden. Von ihnen wollte ich lernen, weil ich dachte, sie wüßten, wie man cool lebt und sich von all den Arschlöchern und der ganzen Scheiße nicht anmachen läßt (S. 49).
Ich mußte mich immer irgendwie antörnen. Ich war ständig im totalen Tran. Das wollte ich auch, um ja nicht mit dem ganzen Dreck in der Schule und zu Hause konfrontiert zu werden (S. 51).
Ich wollte geheimnisvoll aussehen. Niemand sollte mich durchschauen. Es sollte niemand merken, daß ich gar nicht die coole Braut war, die ich sein wollte (S. 52).
Probleme gab es in der Clique nicht. *Wir redeten nie über unsere Probleme*. Keiner belästigte den anderen mit seinem Scheiß zu

Hause oder auf der Arbeit. Wenn wir zusammen waren, gab es für uns die miese Welt der anderen gar nicht (S. 60f.).

Das falsche Selbst wird bewußt und mit viel Mühe aufgebaut und perfektioniert. Einige Sätze illustrieren diese Bemühung:

Da waren also unheimlich coole Typen ... Er war irgendwie noch cooler als die Typen in unserer Clique ... (S. 63).
Es gab irgendwie *überhaupt keinen Kontakt* zwischen den Menschen (S. 64).
Das war eine ganz coole Clique (S. 68).
Auf der Treppe ... unheimlich ruhig (S. 67).

Doch dieses Ideal einer vollständigen Ruhe ist für einen Pubertierenden am wenigsten erreichbar. Gerade in dieser Zeit erlebt der Mensch seine Gefühle am intensivsten, und der Kampf gegen diese Gefühle mit Hilfe der Pille kommt einem *seelischen Mord* nahe. Um also doch noch etwas von ihrer Lebendigkeit, von ihrer Fähigkeit zu fühlen, retten zu können, muß eine andere Droge herhalten, eine, die nicht beruhigt, sondern gerade im Gegenteil aufregt, aufputscht und wieder *das Gefühl gibt, noch am Leben zu sein.* Die Hauptsache ist aber, daß man *alles selber regulieren, kontrollieren, manipulieren kann.* Wie die Eltern früher mit Hilfe des Schlagens die Gefühle des Kindes nach ihren Bedürfnissen erfolgreich unter Kontrolle bekamen, so versucht jetzt das zwölfjährige Mädchen, ihre Stimmungen mit Hilfe der Drogen zu manipulieren.

Auf der Szene am Sound gab es alles an Drogen. Ich nahm alles an Drogen bis auf H. Valium, Mandrax, Ephedrin, Cappis, also Captagon, natürlich jede Menge Shit und wenigstens zweimal die Woche einen Trip. Aufputsch- und Schlafmittel schmissen wir mittlerweile gleich handvoll rein. Die Pillen lieferten sich im Körper einen wahnsinnigen Kampf, und das gab das geile Feeling. Man konnte sich Stimmungen machen, wie man Bock hatte. Man konnte entweder mehr Aufputscher oder mehr Beruhigungspillen fressen. Wenn ich also Bock hatte, im Sound abzuhotten, dann schluckte ich mehr Cappis und Ephedrin, wenn ich nur ruhig in der Ecke sitzen wollte oder im Sound-

Kino, dann schmiß ich ordentlich Valium und Mandrax ein. Ich war mal wieder ein paar Wochen rundum glücklich (S. 70).

Wie geht das weiter?

Ich versuchte in den nächsten Tagen, alle Gefühle für andere in mir abzutöten. Ich nahm keine Tabletten und nicht einen einzigen Trip. Ich trank den ganzen Tag Tee mit Haschisch drin und machte mir einen Joint nach dem anderen. Ich fand mich nach ein paar Tagen schon wieder echt cool. Ich hatte es geschafft, daß ich außer mir selber niemanden und nichts mehr liebte oder gern hatte. Ich dachte, nun hätte ich also meine Gefühle unter Kontrolle (S. 73f.).
Ich wurde sehr ruhig. Das lag auch daran, daß ich immer mehr Beruhigungspillen einschmiß und nur noch selten Aufputscher. Meine ganze Hippeligkeit war weg. Ich ging nur noch selten auf die Tanzfläche. Ich hottete eigentlich nur noch ab, wenn ich kein Valium aufreißen konnte.
Zu Hause muß ich für meine Mutter und ihren Freund richtig angenehm geworden sein. Ich widersprach nicht, ich kämpfte nicht mehr mit ihnen. Ich lehnte mich gegen nichts mehr auf, weil ich es aufgegeben hatte, für mich zu Hause irgend etwas zu verändern. Und ich merkte, daß dadurch die Situation einfacher wurde (S. 75).
Ich nahm immer mehr Tabletten. Als ich einen Samstag Geld hatte und alles an Pillen auf der Scene war, übertrieb ich es. Weil ich irgendwie sehr down war, spülte ich zwei Captagon, drei Ephedrin und noch ein paar Coffies, also Coffein-Tabletten mit einem Bier runter. Als ich dann total aufgedreht war, gefiel mir das auch nicht. Da schmiß ich Mandrax und jede Menge Valium nach (S. 78).

Sie geht zum Konzert von David Bowie, darf sich aber nicht darauf freuen und muß vorher eine ganze Menge Valium schlucken. »Nicht, um sich zu berauschen, sondern um bei David Bowie ganz cool zu bleiben« (S. 80).

Als David Bowie anfing, da war es beinah so geil, wie ich es mir vorgestellt hatte. Es war wahnsinnig. Als er dann aber zu dem Stück kam »It is too late«, es ist zu spät, kam ich mit einem Schlag runter. Ich war mit einem Mal ganz blöde drauf. Schon in den letzten Wochen, als ich nicht mehr wußte, wozu und wohin, war mir dies »It is too late« an den Nerv gegangen. Ich dachte, daß der Song genau meine Situation beschrieb. Nun haute mich dieses »It is too late« um. Ich hätte mein Valium gebraucht (S. 81).

Als die alten Mittel die erwünschte Kontrolle nicht mehr leisten können, steigt Christiane, mit 13 Jahren, auf Heroin um, und alles geht zunächst wie gewünscht:

Mir ging es zu gut zum Nachdenken. Entzugserscheinungen gibt es ja noch nicht, wenn man anfängt. Bei mir hielt das coole Feeling die ganze Woche an. Alles lief prima. Zu Hause gab es überhaupt keinen Krach mehr. Die Schule nahm ich ganz relaxed, arbeitete manchmal mit und bekam gute Zensuren. In den nächsten Wochen arbeitete ich mich in vielen Fächern von vier auf zwei rauf. Ich meinte plötzlich, mit allen Menschen und allem klarzukommen. Ich schwebte richtig cool durchs Leben (S. 84f.).

Menschen, die in ihrer Kindheit nicht lernen konnten, sich mit ihren echten Gefühlen vertraut zu machen und mit ihnen frei umzugehen, werden es in der Pubertät besonders schwer haben.

Ich schleppte immer Probleme mit mir rum und wußte nicht mal richtig, was für Probleme das waren. Ich sniefte H. und die Probleme waren weg. Aber so ein Snief hielt längst nicht mehr für eine Woche vor (S. 92).
Irgendeinen Bezug zur Wirklichkeit hatte ich nicht mehr. Das Wirkliche war für mich unwirklich. Mich interessierte weder gestern noch morgen. Ich hatte keine Pläne, sondern nur noch Träume. Am liebsten redete ich mit Detlef darüber, wie es wäre, wenn wir viel Geld hätten. Ein großes Haus wollten wir uns kaufen und ein großes Auto und die coolsten Möbel. Nur eins kam in diesen Spinnereien nie vor: Heroin (S. 95).

Mit dem ersten Turkey brechen die ersehnte Manipulierbarkeit und Unabhängigkeit von Gefühlen zusammen. Es ist eine totale Regression auf die Stufe eines Säuglings.

Ich war nun vom H abhängig und von Detlef. Daß ich von Detlef abhängig war, hat mich mehr erschreckt. Was war das für eine Liebe, wenn einer total abhängig war? Was war, wenn

Detlef mich abends um Dope bitten und betteln ließ? Ich wußte, wie Fixer bettelten, wenn sie auf Turkey kamen. Wie sie sich erniedrigten und demütigen ließen. Wie sie dann zu einem Nichts zusammenfielen. Ich konnte nicht bitten. Schon gar nicht Detlef. Wenn er mich betteln ließ, dann war es aus mit uns. Ich hatte noch nie jemanden um was bitten können (S. 114).
Ich dachte daran, wie ich Fixer, die auf Turkey waren, fertiggemacht hatte. Ich hatte das ja nie so richtig abgecheckt, was mit denen los war. Ich hatte nur gemerkt, daß die unheimlich empfindlich waren, leicht verletzbar und ohne jede Kraft. Ein Fixer auf Turkey wagt kaum zu widersprechen, so ein Nichts ist er. Ich hatte an denen manchmal meine Machtgelüste ausgetobt. Wenn man es richtig anfing, konnte man sie regelrecht kaputtmachen, ihnen einen richtigen Schock versetzen. Man mußte nur ordentlich auf ihren wirklichen Schwächen rumhacken, immer wieder in ihren Wunden bohren, dann klappten sie zusammen. Auf Turkey hatten sie ja genügend Durchblick, um zu begreifen, was für elende Würstchen sie waren. Da war das ganze coole Fixer-Gehabe weg, da fühlte man sich nicht mehr erhaben über alles und alle.
Ich sagte mir: Jetzt machen sie dich fertig, wenn du auf Turkey bist. Die werden schon rausfinden, wie mies du eigentlich bist (S. 115).

In dieser Panik vor Turkey gibt es keinen Menschen, mit dem Christiane sich darüber aussprechen könnte, denn die Mutter »würde glatt ausflippen, wenn du ihr das erzählst«. »Ich konnte ihr das nicht antun«, meint Christiane und trägt die tragische Einsamkeit des Kindes weiter, um die erwachsene Person, ihre Mutter, zu schonen.
Der Vater kommt ihr nach langer Zeit wieder in den Sinn, als sie zum ersten Mal »anschaffen« geht und das vor ihrem Freund Detlef verheimlichen will.

Ich und anschaffen. Bevor ich so was mache, würde ich aufhören zu drücken. Ehrlich. Nee, mein Vater hat sich wieder mal dran erinnert, daß er eine Tochter hat und mir Taschengeld gegeben (S. 120).

Wenn Haschisch noch die Hoffnung auf Befreiung und coole Unabhängigkeit weckte – beim Heroin wird es bald deutlich, daß mit einer totalen Abhängigkeit zu rechnen ist. Der »Stoff«, die harte Droge übernimmt schließlich die Funktion des launischen, jähzornigen Vaters der Kindheit, dem man ebenso wie jetzt dem Heroin *total ausgeliefert* war. Und wie damals das wahre Selbst vor den Eltern verborgen bleiben mußte, spielt sich auch hier das eigentliche Leben im geheimen, im Untergrund ab, zunächst noch ein Geheimnis vor der Schule und vor der Mutter.

Wir alle wurden von Woche zu Woche aggressiver. Das Dope und die ganze Hektik, der Kampf jeden Tag um Geld und H, der ewige Streß zu Hause, das Verstecken und das Gelüge, mit dem wir unsere Eltern täuschten, machten die Nerven kaputt. Man konnte die Aggressivität, die sich da aufstaute, auch untereinander nicht mehr unter Kontrolle halten (S. 133).

Die Wiederkehr des Vaters in der psychischen Dynamik ist vielleicht nicht für Christiane, aber für einen Außenstehenden deutlich sichtbar, als Christiane ihre erste Begegnung mit dem Stotter-Max beschreibt. Dieser einfache und ehrliche Bericht öffnet beim Leser mehr Verständnis für das Wesen und die Tragik einer Perversion, als es viele theoretische psychoanalytische Abhandlungen tun. Christiane erzählt:

Ich kannte von Detlef die traurige Geschichte von Stotter-Max. Er war Hilfsarbeiter, Ende dreißig und kam aus Hamburg. Seine Mutter war Prostituierte. Er hatte als Kind wahnsinnig Schläge bekommen. Von der Mutter und ihren Zuhältern und in den Heimen, in denen er war. Die haben ihn so weichgekloppt, daß er vor lauter Angst nie lernte, richtig zu sprechen, und die Schläge nun auch brauchte, um sich sexuell zu befriedigen.
Wir sind beide in seine Wohnung gegangen. Ich habe erst mal das Geld verlangt, obwohl er ja ein Stammfreier war, bei dem man eigentlich nicht vorsichtig zu sein brauchte. Er gab mir tatsächlich hundertfünfzig Mark, und ich war ein bißchen stolz, daß ich so cool ihm soviel Geld abgenommen hatte.
Ich zog mein T-Shirt aus, und er gab mir die Peitsche. Es war alles wie im Kino. Ich war nicht ich selber. Ich schlug erst nicht richtig zu. Aber er wimmerte, daß ich ihm weh tun solle. Da

habe ich dann irgendwann draufgehauen. Er schrie »Mami« und ich weiß nicht mehr was. Ich habe nicht hingehört. Ich habe auch versucht, nicht hinzusehen. Aber ich sah doch, wie die Striemen auf seinem Körper immer mehr anschwollen und dann platzte die Haut an einigen Stellen regelrecht. Es war so widerlich und dauerte fast eine Stunde.
Als er endlich fertig war, habe ich mir mein T-Shirt angezogen und bin gerannt. Ich bin zur Wohnungstür rausgerannt, die Treppe runter und habe es gerade noch geschafft. Vor dem Haus konnte ich meinen verdammten Magen nicht mehr unter Kontrolle halten und mußte mich übergeben. Nachdem ich gekotzt hatte, war alles vorbei. Ich habe nicht geweint, ich hatte auch nicht die Spur von Selbstmitleid. Irgendwie war es mir schon ganz klar, daß ich mich selber in diese Situation gebracht hatte, daß ich eben in der Scheiße war. Ich ging zum Bahnhof. Detlef war da. Ich erzählte nicht viel. Nur, daß ich den Job mit Stotter-Max allein gemacht hätte (S. 125f.).
Stotter-Max wurde nun der gemeinsame Stammfreier von Detlef und mir. Manchmal gingen Detlef und ich zusammen zu ihm, manchmal auch einer von uns allein. Stotter-Max war eigentlich ganz in Ordnung. Er liebte jedenfalls uns beide. Er konnte natürlich nicht weiter hundertfünfzig Mark bezahlen von seinem Hilfsarbeiter-Lohn. Aber vierzig Mark, das Geld für einen Schuß, kratzte er immer irgendwie zusammen. Einmal haute er sogar sein Sparschwein kaputt und holte aus einer Schüssel noch Groschen und zählte mir dann genau vierzig Mark vor. Wenn ich in Eile war, konnte ich auch bei ihm schnell mal vorbeigehen und zwanzig Mark abkassieren. Ich sagte ihm, daß ich morgen um soundsoviel Uhr wiederkäme, und ich es ihm dann für einen Zwanziger machen würde. Wenn er noch einen Zwanziger hatte, machte er mit.
Stotter-Max wartete immer auf uns. Für mich stand immer mein Lieblingsgetränk, Pfirsichsaft, bereit. Für Detlef war immer sein Leibgericht Griespudding im Eisschrank. Stotter-Max kochte den Pudding selber. Außerdem bot er mir immer eine Auswahl Danone-Joghurt und Schokolade an, weil er wußte, daß ich das gern nach dem Job aß. Die Prügelei war für mich zur reinen Routinesache geworden und hinterher aß, trank und quatschte ich noch ein bißchen mit Stotter-Max.
Der wurde immer magerer. Er investierte wirklich die letzte

Mark in uns und konnte sich selber nicht mehr genug zu fressen kaufen. Er hatte sich so sehr an uns gewöhnt und war so happy, daß er kaum noch stotterte, wenn er mit uns zusammen war (S. 126f.).
Kurz darauf flog er aus seinem Job. Er war völlig runtergekommen, ohne auch nur Dope probiert zu haben. Fixer hatten ihn fertiggemacht. Wir. Er bettelte, daß wir ihn wenigstens mal so besuchen sollten. Aber so Freundschaftsbesuche sind für einen Fixer wirklich nicht drin. Einmal, weil er gar nicht so viel Gefühl für einen anderen aufbringen kann. Dann aber vor allem, weil er den ganzen Tag unterwegs ist, um Geld und Dope zu ergeiern und echt keine Zeit für so was hat. Detlef erklärte das auch Stotter-Max glashart, als der versprach, daß er uns reichlich Geld geben würde, sobald er wieder etwas habe. »Ein Fixer ist wie ein Geschäftsmann. Der muß jeden Tag dafür sorgen, daß die Kasse stimmt. Der kann eben nicht aus Freundschaft oder Sympathie einfach Kredit geben« (S. 128).

Christiane und ihr Freund Detlef benehmen sich hier wie berufstätige Eltern, die von der Liebe und Abhängigkeit ihres Kindes (des Freiers) profitieren und es schließlich kaputtmachen. Die rührende Yoghurt-Auswahl bei Stotter-Max war anderseits wahrscheinlich eine Inszenierung seines »Kinderglückes«. Man kann sich gut vorstellen, wie seine Mutter um seine Nahrung immer noch besorgt war, nachdem sie ihn geschlagen hatte. Was aber Christiane betrifft – ohne ihre Vorgeschichte mit ihrem eigenen Vater hätte sie diese erste Begegnung mit dem Stotter-Max niemals so »bestehen« können. Jetzt war *der Vater in ihr,* und sie schlug ihren Freier nicht nur auf Befehl, sondern *aus dem ganzen aufgestauten Elend eines geschlagenen Kindes* heraus. Diese Identifikation mit dem Aggressor hilft ihr weiter, die Schwäche abzuspalten, sich auf Kosten des anderen stark zu fühlen und zu überleben, wobei der Mensch Christiane, das aufgeweckte, sensible, intelligente, vitale, aber noch abhängige Kind immer mehr am Ersticken ist:

Wenn einer von uns auf Turkey war, dann konnte ihn der andere fertigmachen bis zum Gehtnichtmehr. Es wurde eigentlich nicht

besser dadurch, daß wir uns irgendwann wieder wie zwei Kinder in den Armen lagen. Es war inzwischen nicht nur zwischen uns Mädchen, sondern auch zwischen Detlef und mir so, daß man in dem anderen sah, was für ein Dreck man selber war. Man haßte die eigene Miesheit und ging auf dieselbe Miesheit beim anderen los und wollte sich wohl beweisen, daß man nicht ganz so mies war.
Diese Aggressivität entlud sich natürlich auch gegenüber Fremden (S. 137).
Als ich noch nicht auf H. gewesen war, hatte ich vor allem Angst gehabt. Vor meinem Vater, später vor dem Freund meiner Mutter, vor der Scheiß-Schule und den Lehrern, vor Hauswarten, Verkehrspolizisten und U-Bahn-Kontrolleuren. Jetzt fühlte ich mich unantastbar. Nicht mal vor den Zivilbullen hatte ich Schiß, die manchmal auf dem Bahnhof rumschlichen. Bei jeder Razzia war ich noch eiskalt entkommen (S. 195).

Diese innere Entleerung, das Einfrieren der Gefühle macht schließlich das Leben sinnlos und weckt Todesgedanken:

Fixer sterben allein. Meistens allein auf einem stinkenden Klo. Und ich wollte echt sterben. Ich wartete ja eigentlich auf gar nichts anderes. Ich wußte nicht, warum ich auf der Welt bin. Ich hatte das auch früher nie so recht gewußt. Aber wozu um alle Welt lebt ein Fixer? Nur, um noch andere mit kaputtzumachen? Ich dachte an diesem Nachmittag, daß ich schon meiner Mutter zuliebe sterben mußte. Ich wußte ja sowieso nicht mehr, ob ich da war oder nicht da war (S. 216).
Allein die dämliche Angst zu sterben machte mich fertig. Ich wollte sterben, aber vor jedem Schuß hatte ich eine dämliche Angst vorm Sterben. Vielleicht brachte mich auch mein Kater wieder drauf, was das Sterben eigentlich für eine miese Sache ist, wenn man noch gar nicht richtig gelebt hat (S. 221).

Es war ein großes Glück, daß sich schließlich die beiden Stern-Journalisten Kai Hermann und Horst Rieck in ein langes, zwei Monate dauerndes Gespräch mit Christiane eingelassen haben. Es kann für ihr ganzes Leben von großer Bedeutung sein, daß es ihr in der entscheidenden Phase der Pubertät vergönnt war, nach ihrem grauenhaften Schicksal, aus der unendlichen seelischen Vereinsamung herauszukommen und zuhörende, einfühlsame, verstehende, betroffene Menschen zu finden, die *ihr die Möglichkeit gaben, sich zu artikulieren* und ihr Leben zu erzählen.

Die verborgene Logik des absurden Verhaltens

In einem für Gefühle zugänglichen Leser weckt Christianes Bericht so viel Verzweiflung und Ohnmacht, daß er wahrscheinlich am liebsten das alles als erdachte Geschichte so schnell wie möglich vergessen möchte. Doch er kann dies nicht tun, weil er spürt, daß da nichts als die pure Wahrheit erzählt wurde. Wenn man nicht nur die äußere Geschichte zur Kenntnis nimmt, sondern sich bei der Lektüre von der Warum-Frage begleiten läßt, findet man hier eine genaue Aufklärung über das Wesen nicht nur der Sucht, sondern auch anderer Formen menschlichen Verhaltens, die uns zuweilen in ihrer Absurdität auffallen und denen wir mit unserer Logik nicht beikommen. Wenn wir einem Heroinsüchtigen begegnen, der sein Leben ruiniert, neigen wir allzuschnell dazu, diesem Jugendlichen mit Vernunftargumenten oder, was noch schlimmer ist, mit erzieherischen Maßnahmen beikommen zu wollen. In dieser Richtung arbeiten sogar viele therapeutische Gruppen. Sie treiben den Teufel mit dem Beelzebub aus, ohne im Jugendlichen das Interesse dafür zu wecken, welchen Sinn die Sucht in seinem Leben eigentlich hat und was er seiner Umwelt damit unbewußt mitteilen muß. Ein Beispiel könnte das illustrieren.

In einer Fernsehsendung des ZDF vom 23. 3. 80 berichtet ein ehemaliger, seit 5 Jahren geheilter Heroinsüchtiger über sein jetziges Leben. Seine depressive, ja beinahe suizidale Stimmung ist deutlich spürbar. Er ist ca. 24 Jahre alt, hat eine Freundin und erzählt, daß er sich jetzt im Hause seiner Eltern das Dachstockwerk als Privatwohnung ausbauen dürfe, die er mit allen erdenklichen bürgerlichen Schikanen einrichten möchte. Seine Eltern, die ihn nie verstanden und seine Sucht als eine Art körperlicher, tödlicher Krankheit angesehen haben, seien jetzt hilfebedürftig und bestünden darauf, daß er in ihrem Hause wohnen bleibe. Dieser Mann klammert sich an den Wert aller möglichen kleinen Gegenstände, die er jetzt besitzen darf und für die er sein autonomes Leben opfern muß. Er wird von nun an in einem goldenen Käfig leben, und es ist sehr verständlich, daß er immer von der Gefahr eines Rückfalls zur Heroinsucht spricht. Hätte dieser junge Mann eine Therapie gehabt, die ihm ermöglicht hätte, seine frühkindliche, aufgestaute Wut auf die ihn einengenden, gefühlsfeindlichen und autoritären Eltern zu erleben, so hätte er seine eigentlichen Bedürfnisse gespürt, hätte sich nicht in einen Käfig einsperren lassen und wäre wahrscheinlich trotz allem für die Eltern eine echtere, ehrlichere Hilfe geworden. Diese freie Hilfe kann man den Eltern anbieten, wenn man sich nicht von ihnen wie ein Kind abhängig macht. Tut man dies aber, dann wird man sie eher mit seiner Sucht oder einem Suizid bestrafen. In diesen Inszenierungen wird dann die wahre Geschichte der Kindheit erzählt, die das ganze Leben verschwiegen werden mußte.

Die klassische Psychiatrie ist trotz ihres riesigen Machtapparates im Grunde hilflos, solange sie versucht, *die schweren Schäden der frühkindlichen Erziehung mit neuen Erziehungsmaßnahmen zu beseitigen.* Das ganze Strafsystem der psychiatrischen Kliniken, die raffinierten Formen der Demütigung des Patienten haben wie die Erziehung zum Ziel, *die verschlüsselte Sprache des Kranken endlich zum Schweigen zu bringen.* Am Beispiel der Magersucht läßt sich das deutlich veranschaulichen. Was erzählt eigentlich eine Magersüchtige, die in einem vermögenden Haus aufgewachsen ist, mit materiellen und geistigen Gütern verwöhnt wurde und jetzt stolz darauf ist, daß ihr Gewicht 30 Kilo nicht überschreitet? Von den Eltern kann man erfahren, daß sie auf der Harmonie ihrer Ehe bestehen und über das freiwillige, exzessive Hungern ihres Kindes entsetzt sind, nachdem sie doch niemals mit diesem Kind, das ständig ihre Erwartungen erfüllt hatte, irgendwelche Schwierigkeiten kannten. Ich würde meinen, daß dieses junge Mädchen unter dem Ansturm der pubertären Gefühle nicht mehr in der Lage ist, weiter wie ein Automat zu funktionieren, aber auf dem Hintergrund seiner Vorgeschichte gar keine Chance hat, seine jetzt aufbrechenden Gefühle zu leben. Es erzählt also *in der Art, wie es sich jetzt versklavt, kontrolliert, einengt, ums Leben bringt,* was mit ihm in der frühen Kindheit geschehen ist. Das soll nicht heißen, daß die Eltern böse Menschen waren, sie haben nur ihr Kind dazu erziehen wollen, was es auch später geworden ist: ein gut funktionierendes, leistungsfähiges, von vielen Menschen bewundertes Mädchen. Oft waren es nicht einmal die Eltern selber, sondern Gouvernanten. Auf jeden Fall *zeigt die Anorexia nervosa alle Details einer strengen Erziehung:* die Erbarmungslosigkeit, die Diktatur, das Überwachungssystem, die Kontrolle, die Verständnislosigkeit und den Mangel an Einfühlungsvermögen für die wahren Bedürfnisse des Kindes. Dazu kommt die Überhäufung an Zärtlichkeit abwechselnd mit Ablehnung und Verlassen (Freßorgien und Erbrechen). Das oberste Gesetz dieses Polizeisystems heißt: Alle Mittel sind gut, damit Du so wirst, wie wir Dich brauchen, und nur so können wir Dich lieben. Das spiegelt sich später im Terror der Magersucht. Das Gewicht wird bis auf 5 g kontrolliert, und der Sünder sofort bestraft, wenn er die Grenze überschritten hat.

Auch der beste Psychotherapeut ist darauf angewiesen, bei diesen schwer gefährdeten Patienten das Gewicht heraufzusetzen, weil sonst kein Gespräch zustande kommen kann. Doch es ist ein Unterschied, ob er der Kranken die Notwendigkeit erklärt, daß sie zunehmen müsse, und gleichzeitig das Verständnis ihres Selbst als die Aufgabe der Therapie ansieht, oder ob er die Gewichtszunahme als das einzige therapeutische Ziel erachtet. Im letzteren Fall übernimmt der Arzt das Zwangssystem der frühen Erziehung und muß mit einem Rückfall oder einem Symptomwandel rechnen. Wenn diese beiden Konsequenzen nicht eintreten, so ist auch die zweite Erziehung gelungen, und sofern die Pubertät einmal überschritten ist, wird ein permanenter Mangel an Lebendigkeit gesichert sein.

Jedes absurde Verhalten hat seine Vorgeschichte in der frühen Kindheit, die unauffindbar bleibt, solange die Manipulation der kindlichen, seelischen und körperlichen Bedürfnisse durch den Erwachsenen nicht als Grausamkeit, sondern als notwendige Erziehungsmaßnahme verstanden wird. Da auch Fachleute von diesem Irrtum nicht frei sind, ist das, was man später als Therapie bezeichnet, manchmal nur die Fortsetzung der frühen, ungewollten Grausamkeit. Es kommt nicht selten vor, daß Mütter ihrem einjährigen Kind Valium verabreichen, damit es ruhig schläft, wenn sie am Abend weggehen möchten. Das mag einmal notwendig gewesen sein. Wenn das Valium aber *zum Mittel der Beherrschung des kindlichen Schlafes* wird, dann wird hier ein *natürliches Gleichgewicht gestört* und schon sehr früh eine *vegetative Verunsicherung* geschaffen. Man kann sich auch vorstellen, daß die spät heimkehrenden Eltern gerne noch ein wenig mit ihrem Kind spielen, es vielleicht wecken, denn sie brauchen keine Angst mehr zu haben. Mit dem Valium wird nicht nur die natürliche Einschlaffähigkeit des Kindes verunsichert, sondern auch die Entwicklung seiner Wahrnehmungsfähigkeit behindert. Dieses Kind darf sehr früh nicht wissen, daß es allein in der Wohnung ist, es darf keine Angst erleben und wird vielleicht später, im Erwachsenenalter, auch keine wichtigen Signale für Gefahren in sich vorfinden können.
Um ein absurdes, selbstzerstörerisches Verhalten im Erwachsenenleben zu verhindern, brauchen die Eltern gar

keine ausgedehnten Studien über Psychologie. Wenn es ihnen gelingt, das ganz kleine Kind nicht für ihre Bedürfnisse zu manipulieren, zu mißbrauchen, es also nicht in seinem vegetativen Gleichgewicht zu verunsichern, dann wird das Kind schon in seinem Körper den besten Schutz gegen ungebührende Zumutungen finden. *Die Sprache seines Körpers* und dessen Signale werden ihm *von Anfang an vertraut sein.* Wenn es den Eltern außerdem gelingen sollte, ihrem eigenen Kind *den gleichen Respekt und die Toleranz entgegenzubringen, die sie immer für ihre eigenen Eltern aufgebracht haben,* dann werden sie ihm sicher die besten Voraussetzungen für sein ganzes späteres Leben geben. Nicht nur sein Selbstwertgefühl, sondern auch die Freiheit, seine angeborenen Fähigkeiten zu entwickeln, hängt von diesem Respekt ab. Wie ich sagte, brauchen wir für diesen Respekt keine psychologischen Bücher, wohl aber die Revision der Erziehungsideologie.

Wie man als kleines Kind behandelt worden ist, so behandelt man sich später sein ganzes Leben lang. Und *die qualvollsten Leiden sind oft diejenigen, die man sich selber zufügt.* Dem Verfolger im eigenen Selbst, der sich auch oft als Erzieher tarnt, kann man nirgends mehr entfliehen. In Krankheiten, wie z. B. der Magersucht, übernimmt er die vollständige Herrschaft. Eine grausame Versklavung des Körpers und Ausbeutung des Willens sind die Folgen. Die Drogensucht beginnt mit dem Versuch, sich der Herrschaft der Eltern zu entziehen, die Leistung zu verweigern, führt aber im Wiederholungszwang am Ende doch zur dauernden Anstrengung, Unmengen von Geld auftreiben zu müssen, um den nötigen »Stoff« zu beschaffen, also zu einer recht »bürgerlichen« Form von Versklavung.

Als ich von Christianes Problemen mit der Polizei und den Dealern las, sah ich plötzlich vor mir das Berlin von 1945, die mannigfachen Wege der illegalen Nahrungsbeschaffung, die Angst vor den Besatzungssoldaten, den

schwarzen Markt – die damaligen »Dealer«. Ob das nur meine rein private Assoziation ist, weiß ich nicht. Für viele Eltern der heutigen Fixer war dies einst die einzig mögliche Welt, denn ihre Kinderaugen kannten keine andere. Es ist nicht ausgeschlossen, daß vor dem Hintergrund der inneren Entleerung infolge der Gefühlsunterdrückung das Bühnenbild der Drogenszene auch etwas mit dem schwarzen Markt der vierziger Jahre zu tun hat. Dieser Gedanke beruht im Gegensatz zu vielem in diesem Buch Gesagten nicht auf wissenschaftlich belegbarem Material, sondern auf einem Einfall, auf einer subjektiven Assoziation, der ich nicht weiter nachgegangen bin. Ich erwähne sie aber, weil jetzt an vielen Orten psychoanalytische Studien über die Spätfolgen des Krieges und des Naziregimes in der zweiten Generation durchgeführt werden und man immer wieder vor der erstaunlichen Tatsache steht, daß Söhne und Töchter das Schicksal ihrer Eltern um so intensiver unbewußt inszenieren, je ungenauer sie es kennen. Aus den wenigen Brocken, die sie in ihrer Kindheit über die frühen Traumatisierungen durch den Krieg bei ihren Eltern aufgeschnappt haben, entwickeln sie aufgrund ihrer eigenen Realität Phantasien, die sie dann oft in Gruppen während der Pubertät ausagieren. So berichtete z.B. Judith Kestenberg von Jugendlichen, die in den sechziger Jahren mitten im Wohlstand und Frieden in Wäldern verschwanden, und es stellte sich später in der Therapie heraus, daß ihre Eltern als Partisanen in Osteuropa den Krieg überlebt hatten, aber nie mit ihren Kindern genau darüber gesprochen haben (vgl. Psyche 28, S. 249-265).
Ich wurde einmal von einer siebzehnjährigen Magersüchtigen konsultiert, die sehr stolz darauf war, daß sie jetzt das gleiche Gewicht hatte wie ihre Mutter vor 30 Jahren, als sie in Auschwitz gerettet wurde. Im Gespräch stellte sich heraus, daß dieses Detail das einzige war, was die Tochter über die Vergangenheit ihrer Mutter wußte, denn die Mutter weigerte sich, über diese Zeit zu spre-

chen, und bat die Familie, ihr keine Fragen zu stellen. Es ist gerade das Geheimnisvolle, das im Elternhaus Verschwiegene, das an die Scham-, Schuld- und Angstgefühle der Eltern Rührende, das die Kinder beunruhigt. Eine wichtige Möglichkeit, mit dieser Bedrohung umzugehen, ist die Phantasietätigkeit und das Spiel. Mit den Requisiten der Eltern spielen zu können, gibt dem Jugendlichen das Gefühl, an deren Vergangenheit teilhaben zu dürfen.
Könnte es also sein, daß die von Christiane beschriebene seelische Ruinenwelt auf die Ruinen von 1945 zurückgeht? Wenn ja, wie ist es zu dieser Wiederholung gekommen? Die Brücken führen vermutlich über die psychische Realität der Eltern, die in einer Zeit der extremen materiellen Entbehrungen groß geworden sind und denen die Sicherung der materiellen Existenz deshalb zum obersten Prinzip ihres Lebens wurde. Die immer weitere Bereicherung diente der Abwehr der Angst, je wieder wie ein hungerndes, hilfloses Kind auf Ruinen sitzen zu müssen. Aber diese Angst kann mit keinem noch so groß aufgebauten Luxus vertrieben werden. Solange sie unbewußt bleibt, treibt sie ihr Eigenwesen. Und nun verlassen die Kinder diese luxuriösen Wohnungen, in denen sie sich nicht verstanden fühlen, weil Gefühle und Ängste hier keinen Platz haben dürfen; sie gehen in die Drogenszene und entwickeln entweder eine Geschäftigkeit im Dealen wie ihre Väter in der großen Wirtschaft, oder sie setzen sich apathisch auf die Steine und sitzen da, wie kleine hilflose, gefährdete Kinder auf Ruinen, die ihre Eltern einmal real waren, die aber mit niemandem über diese Realität sprechen durften. Dieses Ruinenkind wurde aus ihrer Luxuswohnung auf ewig verbannt, und nun erscheint es wie ein bedrohlicher Geist in den verwahrlosten Söhnen und Töchtern, in ihrer zerrissenen Kleidung, ihrem apathischen Gesicht, ihrer Hoffnungslosigkeit, ihrer Fremdheit, ihrem Haß auf den ganzen angesammelten Luxus.
Es ist allzugut begreiflich, daß Eltern diesen Jugendlichen

verständnislos gegenüberstehen, denn ein Mensch wird eher die strengsten Gesetze befolgen, die größten Mühen auf sich nehmen, unerhörte Leistungen vollbringen, die tollste Karriere machen, als daß er die Möglichkeit hat, dem hilflosen, unglücklichen Kind, das er einst gewesen ist und später für immer verbannte, mit Liebe und Verständnis entgegenzutreten. Wenn dieses Kind aber doch in der Gestalt seiner eigenen Söhne und Töchter auf dem schönen Parkettboden seines teuren Wohnzimmers unvermittelt erscheint, dann kann es begreiflicherweise kaum auf Verständnis zählen. Was ihm da entgegenkommen wird, ist Befremden, Empörung, Ratschläge oder Sanktionen, vielleicht auch Haß, vor allem aber ein ganzes Arsenal von Erziehungswaffen, mit denen die Eltern jede auftauchende Erinnerung an ihre eigene unglückliche Kindheit in der Kriegszeit abwehren müssen.

Es gibt auch Fälle, in denen sich die durch unsere Kinder veranlaßte Konfrontation mit der eigenen unbewältigten Vergangenheit auf die ganze Familie segensreich auswirkt:
Brigitte, eine 1936 geborene, hochsensible, verheiratete Frau, Mutter von zwei Kindern, suchte wegen Depressionen einen zweiten Analytiker auf. Ihre Katastrophenängste standen deutlich in thematischem Zusammenhang mit den Flugangriffen in ihrer Kinderzeit, aber sie blieben resistent, allen analytischen Bemühungen zum Trotz, bis die Patientin – mit Hilfe ihres Kindes – an eine wunde Stelle geführt wurde, die so lange nicht hatte vernarben können, weil sie bisher nie gesehen und deshalb nie behandelt worden war.
Als ihr Sohn 10 Jahre alt wurde, also genau in das Alter kam, in dem die Patientin die Rückkehr ihres Vaters von der Ostfront erlebt hatte, fing er an, mit einigen Kameraden in der Schule Hakenkreuze zu malen und mit anderen Requisiten des Hitlerdramas zu spielen. In der Art, wie diese »Aktionen« einerseits verheimlicht wurden und an-

dererseits eine Entdeckung nahelegten, äußerte sich klar ihr Appellcharakter, und die Not des Kindes war dabei deutlich zu spüren. Trotzdem fiel es der Mutter schwer, auf diese Not einzugehen und sie im Gespräch mit dem Kind zu verstehen. Diese Spiele waren ihr unheimlich, sie wollte nichts damit zu tun haben, fühlte sich als ehemaliges Mitglied einer antifaschistischen Studentengruppe von ihrem Kind verletzt und reagierte entgegen ihrem Willen autoritär und feindselig. Die bewußten, ideologischen Gründe ihrer Haltung reichten nicht aus, um die starken Gefühle der Ablehnung zu erklären, die sie für ihr Kind empfand. In der Tiefe fand hier etwas seine Fortsetzung, das ihr bisher – auch in der ersten Analyse – völlig unzugänglich gewesen war. Dank der in ihrer zweiten Analyse entwickelten Fähigkeit zu fühlen, konnte sie sich dieser Geschichte emotional nähern. Zunächst spielte sich folgendes ab: je verständnisloser und entsetzter die Mutter war, je mehr sie sich Mühe gab, die Spiele ihres Kindes zu »liquidieren«, desto mehr nahmen diese an Intensität und Häufigkeit zu. Der Junge verlor zunehmend das Vertrauen zu seinen Eltern und schloß sich enger seiner Gruppe an, was zu verzweifelten Ausbrüchen der Mutter führte. Mit Hilfe der Übertragung ließen sich die Wurzeln dieser Wut letztlich entdecken, womit sich die ganze Situation in der Familie änderte. Es begann damit, daß die Patientin plötzlich von quälenden Fragen, die sich mit der Person und mit der Vergangenheit ihres Analytikers befaßten, wie überfallen wurde. Sie wehrte sich verzweifelt gegen diese Fragen, in der panischen Angst, sie müßte ihn verlieren, wenn sie sie aussprechen würde. Oder sie befürchtete, Antworten zu bekommen, nach denen sie ihn würde verachten müssen.

Der Analytiker ließ sie geduldig ihre Fragen formulieren, deren Gewicht und Bedeutung er respektierte, ohne sie zu beantworten; da er spürte, daß sie im Grunde nicht ihn betrafen, mußte er sie nicht mit voreiligen Deutungen abwehren. Und da kam deutlich das 10jährige Mädchen zum Vorschein, das seinerzeit ihrem heimgekehrten Vater keine Fragen hatte stellen dürfen. Die Patientin meinte, dies wäre ihr damals gar nicht in den Sinn gekommen. Und doch wäre es ja naheliegend, daß ein zehnjähriges Kind, das in den vielen Jahren auf die Rückkehr seines geliebten Vaters gewartet hatte, ihn fragt: »Wo warst du? Was hast du gemacht? Was hast du gesehen? Erzähl mir doch eine Geschichte! Eine wahre Geschichte.« Nichts von all dem sei vorgefallen, meinte Brigitte – es war ein Tabu in der Familie, über »diese Dinge« wurde mit den Kindern nie gesprochen, und diese spürten, daß sie über die Vergangenheit des Vaters nichts wissen durften. Das damals bewußt unterdrückte, aber schon in den früheren Phasen mit Hilfe der sogenannten »guten Erziehung« eingefrorene Gefühl der Neugier stellte sich nun in ihrer Beziehung zum Analytiker in seiner ganzen Lebendigkeit und Dringlichkeit ein. Es war zwar eingefroren gewesen, aber doch nicht ganz erfroren. Und als es voll leben durfte, verschwand auch die Depression. Nun konnte die Patientin, zum ersten Mal nach 30 Jahren, mit ihrem Vater über seine Kriegserlebnisse sprechen, was auch ihn sehr erleichterte. Denn jetzt war die Situation anders: sie war stark genug, sich seine Ansichten anzuhören, ohne sich dabei aufgeben zu müssen, und sie war nicht mehr das kleine, abhängige Kind. Aber damals wären diese Gespräche nicht möglich gewesen. Brigitte begriff, daß ihre Kinderangst, den geliebten Vater durch Fragen zu verlieren, nicht unbegründet gewesen war, denn der Vater hätte damals nicht über seine Erlebnisse im Osten sprechen können. Er hatte immer versucht, sich mit Hilfe des Vergessens von jeder Erinnerung an diese Zeit freizumachen. Die Tochter hatte sich diesem Bedürfnis vollständig angepaßt und brachte es fertig, über die Geschichte des Dritten Reiches sehr dürftig und rein intellektuell informiert zu bleiben. Sie vertrat den Standpunkt, man müsse diese Zeit »emotionslos« und objektiv beurteilen können, wie ein Computer, der die Toten auf beiden Seiten zählt,

der keine Bilder und keine Gefühle des Entsetzens heraufbeschwören kann.
Brigitte war eben kein Computer, sondern ein sehr sensibler Mensch mit einem hochdifferenzierten Denkvermögen. Und da sie alles das zu unterdrücken versuchte, litt sie an Depressionen, Gefühlen der inneren Leere (sie fühlte sich oft wie »vor einer schwarzen Wand«), Schlaflosigkeit und Abhängigkeit von Tabletten, die ihre natürliche Vitalität unterdrücken sollten. Die Neugier und der Forschungstrieb des intelligenten Mädchens, die auf rein intellektuelle Probleme verschoben worden waren, meldeten sich zuerst fast wörtlich als »der Teufel im Garten ihres Sohnes«, den sie auch von dort zu verjagen versuchte, und all das nur, weil sie, im Wiederholungszwang, ihren introjizierten, emotional unsicheren Vater damit schonen wollte. Jedes Kind bildet sich Vorstellungen vom Bösen nach den Abwehrhaltungen seiner Eltern: »böse« kann alles sein, was die Eltern noch unsicherer macht. Daraus entstehen Schuldgefühle, die gegen jede spätere Einsicht resistent bleiben, wenn ihre Geschichte nicht bewußt erlebt worden ist. Brigitte war beglückt, daß dieser »Teufel« in ihr, d. h. das lebendige, wache, interessierte und kritische Kind stärker als ihre Anpassung war, und sie konnte diesen ureigensten Teil in ihre Persönlichkeit integrieren.
In dieser Zeit verloren die Hakenkreuze die Faszination für ihren Sohn, und es wurde deutlich, daß ihnen eine mehrfache Funktion zukam. Sie hatten einerseits Brigittes unterdrücktes Wissenwollen »ausagiert« und andererseits ihre Enttäuschung über den Vater auf das Kind abgeleitet. Nachdem sie die Möglichkeit hatte, alle diese Gefühle mit dem Analytiker zu erleben, mußte sie das Kind nicht mehr dafür gebrauchen.
Brigitte erzählte mir ihre Geschichte, nachdem sie einen Vortrag von mir gehört hatte. Auf meine spätere Anfrage gab sie mir gerne die Zustimmung zu dieser Publikation, weil sie, wie sie sich ausdrückte, das Bedürfnis hat, ihre

Erfahrungen anderen zu vermitteln »und nicht mehr zu schweigen«.

Wir waren beide davon überzeugt, daß sich in ihrer Not die Situation einer ganzen Generation spiegelte, die zum Schweigen erzogen worden war und die bewußt oder (häufiger) unbewußt darunter litt. Da sich auch die Psychoanalyse in Deutschland bis zur Tagung der deutschsprachigen psychoanalytischen Gesellschaften in Bamberg (1980) wenig mit diesem Problem beschäftigt hat, war es bisher nur vereinzelten Menschen möglich, die Befreiung von diesem Schweige-Tabu nicht nur intellektuell, sondern, wie es z. B. Klaus Theweleit vergönnt war (vgl. *Männerphantasien*), auch emotional zu vollziehen.

So kamen die starken Reaktionen der zweiten Generation auf den im Fernsehen ausgestrahlten Film Holocaust dem Ausbruch aus einem Gefängnis gleich. Es war das Gefängnis des Schweigens, des Nicht-fragen-Dürfens, des Nicht-fühlen-Könnens, der wahnwitzigen Vorstellung, man könne ein solches Grauen »emotionslos bewältigen«. Wäre es denn erstrebenswert, in unseren Kindern Menschen aufzuziehen, denen es leichtfiele, über die Vergasung von einer Million Kinder zu hören, ohne je Gefühle von Empörung und Schmerz über diese Tragödie bei sich zuzulassen? Was nützen uns Wissenschaftler, denen es möglich ist, darüber Geschichtsbücher zu schreiben und sich dabei lediglich um die historische, objektive Genauigkeit zu bemühen? Wozu sollte eine solche Fähigkeit zur kalten Objektivität angesichts des Grauens gut sein? Wären unsere Kinder nicht in Gefahr, jedem neuen faschistischen Regime hörig zu werden? Sie hätten ja gar nichts dabei zu verlieren als die innere Leere. *Im Gegenteil:* ein solches Regime gäbe ihnen ja die Chance, die jetzt in der *wissenschaftlichen Objektivität abgespalteten und nicht gelebten Gefühle* auf ein neues Opfer zu richten und als Mitglieder einer grandiosen Gruppe diese ungezähmten, archaischen, weil im Gefängnis eingesperrten Gefühle endlich zu entladen.

Die kollektive Form des absurden Verhaltens ist wohl die gefährlichste, weil die Absurdität niemandem mehr auffällt und weil sie als »Normalität« sanktioniert wird. Es war für die meisten Nachkriegskinder in Deutschland selbstverständlich, daß es unanständig oder zumindest unangebracht sei, den Eltern zu genaue Fragen über die Wirklichkeit des Dritten Reiches zu stellen; oft war es sogar regelrecht verboten. Das Verschweigen dieser Zeit, d. h. auch der elterlichen Vergangenheit, gehörte genauso zu den gewünschten »guten Manieren« wie die Verleugnung der Sexualität um die Jahrhundertwende.
Obwohl der Einfluß dieses neuen Tabus auf die Entwicklung der heutigen Neurosenformen empirisch ohne Schwierigkeiten nachzuweisen wäre, bleibt das System der überlieferten Theorie gegen diese Erfahrungen resistent, weil nicht nur Patienten, sondern auch Analytiker Opfer der gleichen Tabuisierung sind. Es fällt ihnen leichter, mit den Patienten die von Freud längst aufgedeckten sexuellen Zwänge und Verbote, die oft nicht mehr die unseren sind, zu verfolgen, als Verleugnungen *unserer* Zeit, d. h. auch diejenigen ihrer *eigenen Kindheit* aufzudecken. Doch aus der Geschichte des Dritten Reiches konnten wir u. a. lernen, daß das Ungeheuerliche nicht selten gerade im »Normalen«, in dem von der großen Mehrheit als »ganz normal und selbstverständlich« Empfundenen liegt.

Deutsche, die als Kinder oder als Pubertierende die Siegeszeiten des Dritten Reiches erlebten und sich im späteren Leben um die eigene Redlichkeit bemühten, mußten es mit diesem Anliegen besonders schwer haben. Als Erwachsene erfuhren sie von den schrecklichen Wahrheiten des nationalsozialistischen Systems und haben dieses Wissen intellektuell integriert. Und doch leben in diesen

Menschen – von all dem späteren Wissen oft unberührt – die ganz früh empfangenen und mit intensiven Gefühlen der Kindheit verbundenen Stimmen der Lieder, der Reden, der jubelnden Massen fort. In den meisten Fällen waren diese Eindrücke mit Stolz, Begeisterung und beglückender Hoffnung verknüpft.
Wie soll ein Mensch diese zwei Welten – sein emotionales Wissen aus der Kindheit und seine dem widersprechenden späteren Erkenntnisse – miteinander in Einklang bringen, ohne einen wichtigen Teil seines Selbst zu verleugnen? Ein Einfrieren der Gefühle, wie es Brigitte versuchte, und der Verlust der Wurzeln scheinen oft der einzige Ausweg zu sein, um diesen Konflikt und diese tragische Ambivalenz nicht zu spüren.
Mir ist kein Kunstwerk bekannt, in dem diese Ambivalenz eines großen Teils dieser Generation in Deutschland deutlicher zum Ausdruck käme als in dem siebenstündigen Film von Hans-Jürgen Syberberg »Hitler – ein Film aus Deutschland«. Syberberg wollte nichts anderes, als seine subjektive Wahrheit darstellen, und weil er sich seinen Gefühlen, Phantasien und Träumen überließ, schuf er ein zeitgeschichtliches Bild, in dem sich viele Menschen finden werden, weil es beide Perspektiven, *die des Sehenden und die des Verführten*, vereinigt.
Die Faszination des begabten Kindes von der Wagnerschen Musik, von dem Prunk der Aufmärsche, von den emotionsgeladenen, unverständlichen Schreien des Führers im Rundfunk; die Vorstellung von Hitler als von einer machtvollen und doch harmlosen Puppe – alles das hat in diesem Film Platz. Aber es hat Platz neben dem Entsetzen und dem Grauen und vor allem neben dem echten Schmerz des Erwachsenen, wie er in den bisherigen Filmen zu diesem Thema kaum spürbar war, weil er *die Befreiung vom pädagogischen Schema des Beschuldigens und Entschuldigens zur Voraussetzung hat.* In mehreren Szenen des Filmes ist der Schmerz spürbar – sowohl über die Opfer der Verfolgung als auch über die *Opfer der Verfüh-*

rung und nicht zuletzt über die *Absurditäten von Ideologien überhaupt*, die die Erbschaft der erziehenden Eltern der frühesten Jahre antreten.
Nur einer, der sein Verführtsein erleben konnte, ohne dies zu verleugnen, wird es in dieser Intensität von Trauer schildern können, wie Syberberg es tut. Aus der Erfahrung der Trauer lebt dieser Film und vermittelt dem Zuschauer emotional mehr über die Hohlheit der nationalsozialistischen Ideologie – zumindest in einigen starken Szenen –, als manche gut dokumentierte, objektive Bücher es vermocht haben. Er ist auch einer der seltenen Versuche, mit einer unfaßbaren Vergangenheit zu leben, statt ihre Realität zu leugnen.

DIE KINDHEIT ADOLF HITLERS
VOM VERBORGENEN ZUM MANIFESTEN GRAUEN

> »Meine Pädagogik ist hart. *Das Schwache muß weggehämmert werden.* In meinen Ordensburgen wird eine Jugend heranwachsen, vor der sich die Welt erschrecken wird. Eine gewalttätige, herrische, unerschrockene, grausame Jugend *will ich.* Jugend muß das alles sein. Schmerzen muß sie ertragen. *Es darf nichts Schwaches und Zärtliches an ihr sein.* Das freie, herrliche Raubtier muß erst wieder aus ihren Augen blitzen. Stark und schön will ich meine Jugend ... So kann ich das Neue schaffen.«
>
> *(Adolf Hitler)*

Einleitung

Der Wunsch, über Adolf Hitlers Kindheit Näheres zu erfahren, tauchte bei mir erst beim Schreiben dieses Buches auf und überraschte mich nicht wenig. Der unmittelbare Anlaß dazu war der Gedanke, daß meine auf Grund der analytischen Behandlungen gewonnene Überzeugung von der reaktiven (und nicht angeborenen) Herkunft der menschlichen Destruktivität am Fall von Adolf Hitler gegebenenfalls eine Bestätigung erführe oder, wenn Erich Fromm u. a. recht behalten sollten, völlig in Frage gestellt werden müßte. Das Ziel war für mich wichtig genug, um diesen Schritt zu machen, obwohl ich zunächst sehr daran gezweifelt habe, daß es mir möglich sein würde, diesem Menschen, den ich für den größten mir bekannten Verbrecher halte, mit Empathie zu begegnen. Die Empathie, d. h. hier der Versuch, ein Kinderschicksal vom kindlichen Erlebnis heraus nachzufühlen und es nicht mit den Augen der erzogenen Erwachsenen zu beurteilen, ist mein einziges Instrument des Verstehens, und ohne sie wäre die ganze Untersuchung sinn- und zwecklos. Ich war froh, als ich merkte, daß es mir gelungen ist, der Sache zuliebe dieses Instrument nicht zu verlieren und Hitler als Menschen zu sehen.

Dabei mußte ich mich von der überlieferten, idealisierenden und auf Abspaltung und Projektion des Bösen beruhenden Kategorie des »Menschlichen« befreien und einsehen, daß Menschsein und »Bestie« einander nicht ausschließen (vgl. Fromm-Zitat S. 208). Kein Tier steht unter dem tragischen Zwang, noch nach Jahrzehnten früh erfahrene, narzißtische Kränkungen rächen zu müssen, wie wir das z. B. am Leben Friedrichs des Großen beobachten können. Jedenfalls sind mir das Unbewußte und die Geschichtlichkeit des Tieres nicht genug bekannt, um darüber Aussagen zu machen. Mir ist die extremste Bestialität bisher *nur im menschlichen Bereich* begegnet, daher kann ich nur in diesem Bereich ihren Spuren nachgehen und nach den Gründen fragen. Auf dieses Fragen kann ich aber nicht verzichten, solange ich mich nicht zum Instrument der Grausamkeit, d. h. zu ihrem ahnungslosen (und daher zwar schuldfreien, aber blinden) Träger und Vermittler machen lassen will.
Wenn wir dem Unfaßbaren den Rücken kehren und es entrüstet als »unmenschlich« bezeichnen, versagen wir uns dessen Kenntnis. So kommen wir leichter in Gefahr, es beim nächstenmal in aller Unschuld und Naivität wieder zu unterstützen.

In den letzten 35 Jahren erschienen unzählige Publikationen über das Leben Adolf Hitlers. Ich habe zweifellos mehrere Male gehört, daß Hitler von seinem Vater geschlagen wurde, habe es auch vor einigen Jahren in der Monographie von Helm Stierlin gelesen, ohne daß mich diese Information näher berührt hätte. Seitdem ich mich aber für die Erniedrigungen des Kindes in den ersten Lebensjahren sensibilisiert habe, bekam die frühere Information ein viel größeres Gewicht für mich. Ich stellte mir die Frage: Wie war die Kindheit dieses Menschen beschaffen, eines Menschen, der sein ganzes Leben vom Haß besessen war und dem es so leicht gelungen ist, andere Menschen in diesen Haß hineinzuziehen? Dank der Lektüre der *Schwarzen Pädagogik* und den Gefühlen, die in mir dadurch wach wurden, konnte ich mir plötzlich vorstellen und konnte fühlen, was sich in der Wohnung der Familie Hitler abgespielt hat, als Adolf Hitler ein kleines Kind war. Der frühere Schwarzweiß-Film verwandelte sich in einen farbigen, der sich allmählich mit meinen eigenen Erlebnissen des letzten Weltkrieges so verwob, daß er aufhörte, ein Film zu sein, und zum Leben wurde, zu einem Leben, das nicht nur irgendwo und irgendwann einmal stattgefunden hat, sondern in seinen Konsequenzen und der Möglichkeit der Wiederholungen uns alle, so scheint es mir, auch hier und jetzt betrifft. Denn die Hoffnung, daß es auf die Dauer gelingen sollte, den nuklearen Untergang der Menschheit mit Hilfe von vernünftigen Abkommen abzuwenden, entspricht im Grunde einem irrationalen Wunschdenken und widerspricht jeglicher Erfahrung. Spätestens im Dritten Reich, wenn nicht schon wiederholt früher, konnten wir erleben, daß die Vernunft nur ein kleiner Teil des Menschen ist und nicht einmal der stärkste. Es genügte der Wahn eines Führers, es genügten einige Millionen gut erzogener Bürger, um in wenigen Jahren das Leben unzähliger unschuldiger Menschen auszulöschen. Wenn wir nicht alles tun, um das Entstehen dieses Hasses zu verstehen, werden uns auch die kompliziertesten strategischen Abkommen nicht retten können. Die Ansammlung von Nuklearwaffen ist nur ein Symbol für die aufgestauten Haßgefühle und die damit zusammenhängende Unfähigkeit, die echten Bedürfnisse wahrzunehmen und zu artikulieren.

Am Beispiel der Kindheit von Adolf Hitler läßt sich die Entstehungsgeschichte eines Hasses studieren, unter dessen Auswirkungen Millionen von Menschen zu leiden hatten. Die Qualität dieses zerstörerischen Hasses ist den Psychoanalytikern längst bekannt, doch wird man von der Psychoanalyse vergeblich Hilfe erwarten, solange diese ihn als *Ausdruck des Todestriebes* versteht. Auch die

Nachfolger von Melanie Klein, die den frühkindlichen Haß zwar sehr genau beschreiben, aber ihn als angeboren (triebhaft) und nicht reaktiv deuten, bilden hier keine Ausnahme. Am ehesten nähert sich Heinz Kohut dem Phänomen dieses Hasses – mit seinem Begriff der narzißtischen Wut, den ich mit der Reaktion des Säuglings auf die Nichtverfügbarkeit des primären Objektes in Zusammenhang gebracht habe (1979).

Aber um die Entstehung eines lebenslangen, unersättlichen Hasses, wie er Adolf Hitler beherrschte, zu verstehen, muß man einen Schritt weiter gehen. Man muß den vertrauten Boden der Triebtheorie verlassen und sich der Frage öffnen, was sich in einem Kind abspielt, das einerseits von seinen Eltern gedemütigt und erniedrigt wird und andererseits unter dem Gebot steht, die Person, die ihm das antut, zu respektieren, zu lieben und seine Schmerzen auf keinen Fall zum Ausdruck zu bringen. Obwohl man etwas dergleichen Absurdes kaum von einem Erwachsenen erwarten würde (außer in ausgesprochen sado-masochistischen Beziehungen), erwarten Eltern gerade das in den meisten Fällen von ihren Kindern, und sie wurden in den früheren Generationen selten in dieser Erwartung enttäuscht. In diesem ersten Lebensalter ist es noch möglich, die schlimmsten Grausamkeiten zu vergessen und den Angreifer zu idealisieren. Doch die Art der späteren Inszenierung verrät, daß die ganze Geschichte der frühkindlichen Verfolgung irgendwo aufgespeichert wurde, sie entfaltet sich nun vor den Zuschauern mit einer unerhörten Präzision, nur unter anderen Vorzeichen: das einst verfolgte Kind wird in der Neuinszenierung selber zum Verfolger. In der psychoanalytischen Behandlung spielt sich die Geschichte innerhalb der Übertragung und Gegenübertragung ab.

Wenn sich die Psychoanalyse einmal von ihrer Bindung an die Annahme des Todestriebes befreien würde, könnte sie dank dem vorhandenen Material über die frühkindliche Konditionierung sehr viel Wesentliches zur Friedensforschung beitragen. Doch leider zeigen die meisten Psychoanalytiker kein Interesse für die Frage, was Eltern mit ihren Kindern taten und überlassen diese Frage den Familientherapeuten. Da diese wiederum nicht mit der Übertragung arbeiten und sich vor allem auf Änderungen in der Interaktion zwischen den Familienmitgliedern konzentrieren, erreichen sie selten den Zugang zu dem frühkindlichen Geschehen, wie er in einer tiefgehenden Analyse möglich ist.

Um zu zeigen, wie sich die frühe Erniedrigung, Mißhandlung und psychische Vergewaltigung eines Kindes in seinem ganzen späteren Leben äußern, würde es genügen, die Geschichte einer einzigen Analyse ganz minuziös nachzuerzählen. Doch dies ist aus Diskretionsgründen eher unmöglich. Hitlers Leben wurde indessen bis auf den letzten Tag von sehr vielen Zeugen so genau beobachtet und protokolliert, daß man an diesem Material unschwer die Inszenierungen der frühen Kindheitssituation aufweisen kann. Außer den Zeugenaussagen und den historischen Taten, in denen sich sein Handeln dokumentierte, hat sich sein Denken und Fühlen, wenn auch verschlüsselt, in den zahlreichen Reden und in seinem Buch *Mein Kampf* artikuliert. Es wäre eine ungemein aufschlußreiche und lohnende Aufgabe, Hitlers ganze politische Aktivität im Zusammenhang mit seiner frühkindlichen Verfolgungsgeschichte verständlich zu machen. Doch diese Aufgabe würde den Rahmen dieses Buches sprengen, weil es mir hier nur um Beispiele für die Wirksamkeit der »Schwarzen Pädagogik« geht. Deshalb werde ich mich auf einige wenige Punkte dieser Lebensgeschichte beschränken, wobei ich bestimmten Erlebnissen aus der Kindheit, die bisher von Biographen wenig beachtet wurden, eine ganz besondere Bedeutung beimesse. Da sich die Historiker von Berufs wegen mit äußeren Tatsachen und die Psychoanalytiker mit dem Ödipuskomplex befassen, scheinen sich bisher wenige ernsthaft die Frage gestellt zu haben: Was hat dieses Kind *empfunden,* was hat es in sich *gespeichert*, als es von klein auf täglich von seinem Vater geschlagen und erniedrigt wurde?

Aufgrund der vorhandenen Dokumente kann man sich unschwer ein Bild von der Atmosphäre machen, in der Adolf Hitler aufgewachsen ist. Die Struktur seiner Familie ließe sich wohl als Prototyp des *totalitären Regimes* charakterisieren. Sein einziger, unumstrittener, oft brutaler Herrscher ist der *Vater*. Die Frau und die Kinder sind seinem Willen, seinen Stimmungen und Launen total unterworfen, müssen Demütigungen und Ungerechtigkeiten fraglos und dankbar hinnehmen; Gehorsam ist ihr wichtigstes Lebensprinzip. Die Mutter hat zwar ihren Bereich im Haushalt, in dem sie, wenn der Vater nicht zu Hause ist, den Kindern gegenüber Herrscherin ist, d. h. sich teilweise für die erlittenen Demütigungen an noch Schwächeren entschädigen kann. Im totalitären Staat kommt diese Funktion etwa der Sicherheitspolizei zu, es sind die Sklavenwächter, die selber Sklaven sind, die die Wünsche des Diktators ausführen, ihn in seiner Abwesenheit repräsentieren, in seinem Namen Angst einflößen, Strafen erteilen, sich zu Herrschern der Rechtlosen aufspielen.
Die Rechtlosen sind die Kinder. Falls nach ihnen kleinere kommen, gibt es da noch ein Feld, wo die eigenen Demütigungen abreagiert werden können. Sobald noch schwächere, noch hilflosere Wesen vorhanden sind, ist man nicht der letzte Sklave. Manchmal aber, wie im Falle von Christiane F., steht man als Kind weit unter dem Hund, denn der Hund braucht nicht geschlagen zu werden, wenn doch schon das Kind dafür da ist.
Diese Rangordnung, wie wir sie z. B. an der Organisation der KZ-Lager (mit Wärtern, Kapos usw.) genau studieren können, von der »Schwarzen Pädagogik« völlig legitimiert, wird vielleicht immer noch in manchen Familien eingehalten. Was sich daraus bei einem begabten Kind

ergeben kann, läßt sich am Fall von Adolf Hitler an vielen Einzelheiten verfolgen.

Der Vater – sein Schicksal und die Beziehung zum Sohn

Über die Herkunft und das Leben Alois Hitlers vor Adolfs Geburt berichtet Joachim Fest folgendes:

Im Hause des Kleinbauern Johann Trummelschlager in Strones Nr. 13 brachte die ledige Magd Maria Anna Schicklgruber am 7. Juni 1837 ein Kind zur Welt, das noch am gleichen Tag auf den Namen Alois getauft wurde. Im Geburtenbuch der Gemeinde Döllersheim blieb die Rubrik, die über die Person des Kindesvaters Auskunft gibt, unausgefüllt. Daran änderte sich auch nichts, als die Mutter fünf Jahre später den stellungslosen, »vazierenden« Müllergesellen Johann Georg Hiedler heiratete. Vielmehr gab sie ihren Sohn im gleichen Jahr zum Bruder ihres Mannes, dem Bauern Johann Nepomuk Hüttler aus Spital – vermutlich nicht zuletzt, weil sie fürchtete, das Kind nicht gehörig aufziehen zu können; jedenfalls waren die Hiedlers, der Überlieferung nach, so verarmt, daß sie »schließlich nicht einmal mehr eine Bettstelle hatten, sondern in einem Viehtrog schliefen«.
Mit den beiden Brüdern, dem Müllergesellen Johann Georg Hiedler und dem Bauern Johann Nepomuk Hüttler, sind zwei der mutmaßlichen Väter Alois Schicklgrubers benannt. Der dritte ist, einer eher abenteuerlichen, immerhin aus der engeren Umgebung Hitlers stammenden Versicherung zufolge, ein Grazer Jude namens Frankenberger, in dessen Haushalt Maria Anna Schicklgruber tätig gewesen sein soll, als sie schwanger wurde. Jedenfalls hat Hans Frank, Hitlers langjähriger Anwalt und späterer Generalgouverneur in Polen, im Rahmen seines Nürnberger Rechenschaftsberichts bezeugt, Hitler habe im Jahre 1930 von einem Sohn seines Halbbruders Alois in möglicherweise erpresserischer Absicht einen Brief erhalten, der sich in dunklen Andeutungen über »sehr gewisse Umstände« der hitlerschen Familiengeschichte erging. Frank erhielt den Auftrag, der Sache vertraulich nachzugehen, und fand einige Anhaltspunkte für die Vermutung, daß Frankenberger der Großvater Hitlers gewesen sei. Der Mangel an nachprüfbaren Belegen läßt diese

These freilich überaus fragwürdig erscheinen, wie wenig Anlaß Frank auch gehabt haben mag, Hitler von Nürnberg aus einen jüdischen Vorfahren zuzuschreiben; jüngere Untersuchungen haben die Glaubwürdigkeit seiner Versicherung weiter erschüttert, so daß die These der ernsthaften Erörterung kaum noch standhält. Ihre eigentliche Bedeutung liegt denn auch weniger in ihrer objektiven Stichhaltigkeit; weit entscheidender und psychologisch von Bedeutung war, daß Hitler seine Herkunft durch die Ergebnisse Franks in Zweifel gezogen sehen mußte. Eine erneute Nachforschungsaktion, im August 1942 von der Gestapo im Auftrag Heinrich Himmlers unternommen, blieb ohne greifbaren Erfolg, und nicht viel gesicherter als alle übrigen Großvaterschaftstheorien, wenn auch von einigem kombinatorischen Ehrgeiz zeugend, ist die Version, die Johann Nepomuk Hüttler »mit an absolute Sicherheit grenzender Wahrscheinlichkeit« als Vater Alois Schicklgrubers bezeichnet. Zuletzt endet die eine wie die andere dieser Thesen im Dunkel verworrener, von Not, Dumpfheit und ländlicher Bigotterie geprägter Verhältnisse: Adolf Hitler wußte nicht, wer sein Großvater war.

Neunundzwanzig Jahre, nachdem Maria Anna Schicklgruber an Auszehrung infolge Brustwassersucht in Klein-Motten bei Strones verstorben war, und neunzehn Jahre nach dem Tode ihres Mannes erschien dessen Bruder Johann Nepomuk zusammen mit drei Bekannten beim Pfarrer Zahnschirm in Döllersheim und beantragte die Legitimierung seines inzwischen nahezu vierzigjährigen »Ziehsohnes«, des Zollbeamten Alois Schicklgruber; allerdings sei nicht er selber, sondern sein verstorbener Bruder Johann Georg der Vater, dieser habe das auch zugestanden, seine Begleiter könnten den Sachverhalt bezeugen.

Tatsächlich ließ sich der Pfarrer täuschen oder überreden. In dem alten Standesbuch ersetzte er unter der Eintragung vom 7. Juni 1837 kurzerhand den Vermerk »unehelich« durch »ehelich«, füllte die Rubrik zur Person des Vaters wie gewünscht aus und notierte am Rande fälschlich: »Daß der als Vater eingetragene Georg Hitler, welcher den gefertigten Zeugen wohl bekannt, sich als der von der Kindesmutter Anna Schicklgruber angegebene Vater des Kindes Alois bekannt und um die Eintragung seines Namens in das hiesige Taufbuch nachgesucht habe, wird durch die Gefertigten bestätigt +++ Josef Romeder, Zeuge; +++ Johann Breiteneder, Zeuge; +++ Engelbert

Paukh.« Da die drei Zeugen nicht schreiben konnten, unterzeichneten sie mit drei Kreuzen, und der Pfarrer setzte ihre Namen hinzu. Doch versäumte er es, das Datum einzutragen, auch fehlten die eigene Unterschrift sowie die der (lange verstorbenen) Eltern. Wenn auch gesetzwidrig, war die Legitimierung doch wirksam; vom Januar 1877 an nannte Alois Schicklgruber sich Alois Hitler.
Der Anstoß zu dieser dörflichen Intrige ist zweifellos von Johann Nepomuk Hüttler ausgegangen; denn er hatte Alois erzogen und war begreiflicherweise stolz auf ihn. Alois war gerade erneut befördert worden, er hatte geheiratet und es weiter gebracht als je ein Hüttler oder Hiedler zuvor: nichts war verständlicher, als daß Johann Nepomuk das Bedürfnis empfand, den eigenen Namen in dem seines Ziehsohnes zu erhalten. Doch auch Alois mochte ein Interesse an der Namensänderung reklamieren; denn immerhin hatte er, ein energischer und pflichtbedachter Mann, inzwischen eine bemerkenswerte Karriere gemacht, so daß sein Bedürfnis einleuchtete, ihr durch einen »ehrlichen« Namen Gewähr und festen Grund zu verschaffen. Erst dreizehn Jahre alt, war er nach Wien zu einem Schuhmacher in die Lehre gegangen, hatte dann jedoch entschlossen das Handwerk aufgegeben, um in den österreichischen Finanzdienst einzutreten. Er war rasch avanciert und am Ende als Zollamtsoberoffizial in die höchste Rangklasse befördert worden, die ihm aufgrund seiner Vorbildung überhaupt offenstand. Mit Vorliebe zeigte er sich als Repräsentant der Obrigkeit, bei öffentlichen Anlässen und legte Wert darauf, mit seinem korrekten Titel angesprochen zu werden. Einer seiner Zollamtskollegen hat ihn als »streng, genau, sogar pedantisch« bezeichnet, und er selber hat einem Verwandten, der ihn um Rat bei der Berufswahl seines Sohnes bat, erklärt, der Finanzdienst verlange absoluten Gehorsam, Pflichtbewußtsein und sei nichts für »Trinker, Schuldenmacher, Kartenspieler und andere Leute mit unmoralischer Lebensführung«. Die photographischen Porträts, die er meist aus Anlaß seiner Beförderungen anfertigen ließ, zeigen unverändert einen stattlichen Mann, der unterm mißtrauischen Amtsgesicht rauhe, bürgerliche Lebenstüchtigkeit und bürgerliche Repräsentationslust erkennen läßt: nicht ohne Würde und Selbstgefallen stellt er sich, mit blitzenden Uniformknöpfen, dem Betrachter. (J. Fest, 1978, S. 31.)

Zu diesem Bericht ist noch hinzuzufügen, daß Maria Schicklgruber nach der Geburt ihres Sohnes von dem bei Fest genannten jüdischen Kaufmann 14 (vierzehn) Jahre lang Alimente erhalten hat. Den genauen Wortlaut von Franks Bericht zitiert Fest in seiner Hitler-Biographie von 1973 nicht mehr, wohl aber in seinem früheren, 1963 erstmals erschienenen, Buch. Dieser lautet:

Der Vater Hitlers war das uneheliche Kind einer in einem Grazer Haushalt angestellten Köchin namens Schickelgruber aus Leonding bei Linz... Diese Köchin Schickelgruber, Großmutter Adolf Hitlers, war in einem jüdischen Haushalt mit Namen Frankenberger bedienstet, als sie ihr Kind gebar (müßte richtig heißen: als sie in die Hoffnung kam; der Verf.). Und dieser Frankenberger hat für seinen damals – die Sache spielt in den dreißiger Jahren des vorigen Jahrhunderts – etwa neunzehnjährigen Sohn (der die Köchin geschwängert hatte – AM), mit der Geburt beginnend, *bis in das vierzehnte Lebensjahr dieses Kindes der Schickelgruber Alimente bezahlt.* Es gab auch einen *jahrelangen Briefwechsel zwischen diesen Frankenbergers und der Großmutter Hitlers,* dessen *Gesamttendenz die stillschweigende gemeinsame Kenntnis der Beteiligten* war, daß das Kind der Schickelgruber unter den Frankenberger *alimentenpflichtig* machenden Umständen gezeugt worden war... (J. Fest, 1963, S. 18).

Wenn diese Tatsachen im Dorf so gut bekannt waren, daß sie nach 100 Jahren noch erzählt wurden, ist es undenkbar, daß Alois nichts davon gewußt hätte. Es ist auch nicht gut denkbar, daß Menschen in seiner Umgebung an eine derart unbegründete Großzügigkeit geglaubt hatten. Wie es auch tatsächlich gewesen sein mag, es lastete auf Alois eine mehrfache Schmach

1. der Armut;
2. der unehelichen Geburt;
3. der Trennung von der leiblichen Mutter im Alter von 5 Jahren und
4. des jüdischen Blutes.

Über die ersten drei Punkte bestand Gewißheit, der vierte mag bloß ein Gerücht gewesen sein, das machte die Lage nicht leichter. Wie will man sich gegen ein Gerücht weh-

ren, mit dem niemand offen herausrückt, über das nur getuschelt wird? Mit Gewißheiten kann man besser leben, auch mit den schlimmsten. Man kann sich z. B. beruflich so hoch hinaufarbeiten, daß von Armut keine Spur mehr bleibt. Das ist auch Alois gelungen. Es ist ihm auch gelungen, seine zwei späteren Ehefrauen vorehelich zu schwängern, um das erlittene Schicksal seiner unehelichen Geburt an seinen Kindern aktiv zu wiederholen und es unbewußt zu rächen. Aber die Frage nach der eigenen Herkunft blieb sein ganzes Leben unbeantwortet.
Die Ungewißheit über die eigene Herkunft, wenn nicht bewußt erlebt und betrauert, kann einen Menschen in eine große Unruhe und Unrast bringen, besonders aber, wenn sie, wie im Fall von Alois, mit einem *ominösen Gerücht,* das weder nachweisbar noch je vollständig widerlegbar war, verbunden ist.

Ich hörte kürzlich von einem beinahe 80jährigen Mann, Einwanderer aus Osteuropa, der seit 35 Jahren mit Frau und erwachsenen Kindern in Westeuropa lebt. Zu seinem größten Erstaunen erhielt dieser Mann vor kurzem einen Brief von seinem jetzt 53jährigen, unehelichen Sohn aus der Sowjetunion, von dem er seit 50 Jahren glaubte, er wäre tot. Das damals dreijährige Kind befand sich gerade bei seiner Mutter, als diese erschossen wurde. Der Vater des Kindes kam anschließend als politischer Häftling ins Gefängnis, und es ist ihm später nie eingefallen, diesen Sohn zu suchen, so sehr war er von dessen Tod überzeugt. Der Sohn aber, der den Namen der Mutter trug, schrieb in seinem Brief, daß er seit 50 Jahren keine Ruhe gehabt hätte und, von einer Information zur anderen geleitet, immer wieder neue Hoffnungen geschöpft habe, die sich immer wieder zerschlugen. Aber er hat es fertig gebracht, seinen Vater nach 50 Jahren zu finden, obwohl er zunächst nicht einmal seinen Namen kannte. Man kann sich vorstellen, wie stark dieser Mann seinen unbekannten Vater idealisiert hat, welche Hoffnungen er an das Wiedersehen geknüpft hat. Denn es mußten ungeheure Energiemengen dafür verwendet werden, um von einer kleinen Provinzstadt in der Sowjetunion aus einen Mann in Westeuropa ausfindig zu machen.

Diese Geschichte zeigt, wie lebensnotwendig es für einen Menschen sein kann, die ungelöste Frage seiner Herkunft zu klären und dem unbekannten Elternteil zu begegnen. Es ist unwahrscheinlich, daß Alois Hitler bewußt solche Bedürfnisse hätte erleben können, außerdem war es ihm nicht möglich, den unbekannten Vater zu idealisieren, wenn das Gerücht umging, daß dieser ein Jude gewesen war, was in seiner Umgebung Schmach und Isolierung bedeutete. Der von Joachim Fest beschriebene, an Fehlleistungen reiche Akt der Änderung des Namens im Alter von 40 Jahren zeigt, wie bedeutsam, aber auch wie konfliktreich die Frage der Herkunft für Alois war.
Doch emotionale Konflikte lassen sich nicht mit offiziellen Dokumenten aus der Welt schaffen. Das ganze Gewicht dieser mit Leistungen, Beamtenstelle, Uniform und protzigem Verhalten abgewehrten Unruhe bekamen seine Kinder zu spüren.
John Toland berichtet:

Er war streitsüchtig und reizbar geworden. Zum Hauptobjekt der väterlichen Mißstimmung wurde Alois jr. Zeitweise lag der Vater, der absoluten Gehorsam verlangte, mit diesem Sohn in dauerndem Streit, weil der Junge sich weigerte, diese Fügsamkeit zu zeigen. Später beklagte Alois jr. sich bitter darüber, daß sein Vater ihn häufig »unbarmherzig mit der Nilpferdpeitsche geschlagen« habe, aber im damaligen Österreich waren schlimme körperliche Züchtigungen von Kindern keinesfalls unüblich; man erachtete eine solche Behandlung als günstig für die seelische Entwicklung des Kindes. Als der Junge einmal an drei Tagen nicht zur Schule gegangen war, weil er ein Spielzeugboot fertigstellen wollte, wurde er wieder von seinem Vater, der ihn durchaus zu diesem Hobby ermutigt hatte, mit der Peitsche traktiert und dann so lange mißhandelt, bis er das Bewußtsein verlor. Einigen Erzählungen zufolge wurde auch Adolf – wenn auch nicht so häufig – mit der Peitsche gezüchtigt, und den Hund schlug der Herr des Hauses »so lange, bis er sich krümmte und den Fußboden näßte«. Gewalttätigkeiten dieser Art mußte, Alois Hitler jr. zufolge, sogar die duldsame Ehefrau Klara Hitler ertragen; wenn diese Angaben stimmen, so müssen solche Auftritte bei Adolf Hitler einen unauslöschlichen Eindruck hinterlassen haben (J. Toland, 1977, S. 26).

Interessanterweise schreibt Toland: »wenn diese Angaben stimmen«, obwohl er selber eine Information von Adolfs Schwester Paula besitzt, die er zwar in seinem Buch nicht veröffentlicht, die aber in der Monographie von Helm Stierlin mit dem Hinweis auf die Toland Collection zitiert wird. Sie lautet:

Es war vor allem Bruder Adolf, der meinen Vater zu extremer Härte provozierte und jeden Tag sein gehöriges Maß an Prügel bekam. Er war ein etwas unflätiger kleiner Lausbub, und alle Versuche seines Vaters, ihm die Frechheit auszuprügeln und ihn dazu zu bringen, den Beruf eines Staatsbeamten zu wählen, waren vergeblich. (H. Stierlin 1975, S. 23).

Wenn die Schwester Paula John Toland persönlich erzählte, daß ihr Bruder Adolf jeden Tag »sein gehöriges Maß an Prügel« vom Vater bekam, besteht kein Grund, daran zu zweifeln. Es ist aber bezeichnend für alle Biographen, daß sie Mühe haben, sich mit dem Kind zu identifizieren und ganz unbewußt die Mißhandlungen der Eltern bagatellisieren. Sehr aufschlußreich ist die folgende Stelle von Franz Jetzinger:

Man schrieb auch, daß der Bub vom Vater arg geschlagen worden sei. Man beruft sich dabei auf einen angeblichen Ausspruch der Angela, die gesagt haben soll: »Adolf, denk daran, wie ich und die Mutter den Vater am Uniformrock zurückhielten, wenn er dich schlagen wollte!« Dieser angebliche Ausspruch ist *sehr verdächtig*. Der Vater trug seit der Hafelder Zeit keine Uniform mehr; das letzte Jahr, da er noch die Uniform trug, lebte er nicht bei der Familie; diese Szenen hätten sich also abspielen müssen zwischen 1892 und 1894; da war Adolf erst vier Jahre, und die Angela erst zwölf Jahre, da hätte sie es *nie*

gewagt, den so strengen Vater am Uniformrock zurückzuhalten. *Das hat einer erfunden*, der in der Zeitrechnung schlecht beschlagen war!
Der »Führer« selber erzählte seinen Sekretärinnen, denen er überhaupt gern *Mätzchen vormachte,* der Vater habe ihm einmal dreißig Schläge auf das verlängerte Rückgrat appliziert, aber der Führer erzählte in diesem Kreis manches, was nachweisbar unrichtig ist, und gerade diese Erzählung verdient um so weniger Glauben, weil er sie im Zusammenhang mit Indianergeschichten erzählte und sich brüstete, er habe bei dieser Prozedur nach Indianerart nicht einen einzigen Laut von sich gegeben. Es mag schon sein, daß der recht unfolgsame und widerborstige Bub *ab und zu eine appliziert bekam, verdient hätte er es redlich*, aber zu den »verprügelten Kindern« gehörte er *auf keinen Fall*; sein Vater war ein *durch und durch fortschrittlich gesinnter Mann.* Mit solch erkünstelten Theorien löst man das Rätsel Hitler nicht, kompliziert es nur!
Es hat im Gegenteil weit mehr den Anschein, daß der Vater Hitler, der doch zur Leondinger Zeit schon mehr als 61 Jahre alt war, beim Buben alle fünf grad sein ließ und sich um seine Erziehung überhaupt nicht viel kümmerte. (Jetzinger, 1957, S. 94.)

Wenn Jetzingers historische Belege stimmen, und es besteht kein Grund, daran zu zweifeln, so bestätigt er mit seiner »Beweisführung« meine feste Überzeugung, daß Adolf nicht erst als großer Junge, sondern bereits als sehr kleines Kind, nämlich *unter vier Jahren,* geschlagen wurde. Eigentlich bedarf es dieser Beweise nicht, denn *das ganze Leben Adolfs* ist ein Beweis dafür. Er selber schreibt in *Mein Kampf* nicht zufällig vom »sagen wir« dreijährigen Kind. Jetzinger nimmt offenbar an, daß dies nicht möglich gewesen wäre. Warum eigentlich nicht? Wie oft ist doch das kleine Kind der Träger des im Erwachsenen abgewehrten Bösen.* In den Erziehungsschriften, die ich oben zitierte, und in den Büchern des Dr. Schreber, die

* Die von Ray E. Helfer und C. Henry Kempe 1979 unter dem Titel. *Das geschlagene Kind* herausgegebenen Aufsätze unterrichten den Leser mit sehr viel Einfühlung und Kenntnis über die Motive der Züchtigung von Säuglingen.

seinerzeit ungemein populär waren, wird ja *die Züchtigung des Säuglings eindringlich empfohlen.* Immer wieder wird darauf hingewiesen, daß man *das Böse nie früh genug austreiben könne,* damit das »Gute ungestört wachse«. Außerdem wissen wir aus Zeitungsberichten, daß Mütter ihre Säuglinge schlagen, und wir wüßten vielleicht noch viel mehr darüber, wenn Kinderärzte frei erzählen würden, was sie täglich erleben, aber bis vor kurzem hat es ihnen die ärztliche Schweigepflicht (zumindest in der Schweiz) sogar ausdrücklich verboten, und jetzt schweigen sie vielleicht immer noch aus Gewohnheit oder »aus Anstand«. Sollte also jemand an den frühen Züchtigungen Adolf Hitlers zweifeln, so wäre für ihn die oben zitierte Stelle aus Jetzingers Biographie eine objektive Information, obwohl Jetzinger eigentlich das Gegenteil beweisen möchte – jedenfalls bewußt. Unbewußt hat er einiges mehr wahrgenommen, was sich in dem offenen Widerspruch zeigt. Denn entweder mußte Angela Angst haben vor dem »strengen Vater«, dann war Alois nicht so gutmütig wie Jetzinger ihn darstellt, oder er war so, dann hätte sie keine Angst zu haben brauchen.

Ich habe mich so lange bei dieser Stelle aufgehalten, weil sie mir als Beleg dafür dient, wie Biographien durch die Schonung der Eltern entstellt werden. Bezeichnenderweise spricht Jetzinger von »Mätzchen« da, wo Hitler seine bittere Wahrheit erzählt, behauptet, daß er »auf keinen Fall« zu den »verprügelten Kindern« gehörte und daß »der unfolgsame und widerborstige Bub« seine Schläge »redlich verdiente«. Denn »sein Vater war ein *durch und durch(!)* fortschrittlich gesinnter Mann«. Über Jetzingers Begriff der fortschrittlichen Gesinnung ließe sich sicher streiten, aber abgesehen davon gibt es Väter, die nach außen tatsächlich fortschrittlich denken und nur bei ihren Kindern oder sogar nur bei einem, dem dazu auserwählten, die Geschichte ihrer Kindheit wiederholen.

Aus der pädagogischen Haltung, die ihre Hauptaufgabe im Schutz der Eltern vor den Vorwürfen des Kindes sieht, ergeben sich die seltsamsten psychologischen Interpretationen. So meint z. B. Fest, daß erst Franks Bericht von 1938 über die jüdische Herkunft seines Vaters bei Adolf Hitler Aggressionen gegen den Vater ausgelöst hätte. Im Gegensatz zu meiner These, daß Adolf Hitlers begründeter Kindheitshaß auf seinen Vater im Judenhaß ein Ventil gefunden hatte, meinte Fest, daß Adolf Hitler als erwachsener Mann, im Jahre 1938, *anfing, seinen Vater zu hassen,* nachdem er durch Frank *von dessen jüdischer Abstammung erfahren hatte.* Er schreibt:

Niemand vermag zu sagen, welche Reaktionen die Aufdeckung dieser Zusammenhänge in seinem Sohn auslöste, der sich soeben zur Eroberung der Macht in Deutschland anschickte; doch spricht einiges dafür, daß die dumpfen Aggressionen, die er dem Vater gegenüber stets empfunden hatte, *nun in offenen Haß umschlugen.* Schon im Mai 1938, wenige Wochen nach dem Anschluß Österreichs, *ließ er die Ortschaft Döllersheim und deren weitere Umgebung in einen Truppenübungsplatz umwandeln. Die Geburtsstätte des Vaters und die Grabstelle der Großmutter wurden von den Panzern der Wehrmacht dem Erdboden gleichgemacht* (J.Fest, 1963, S. 18).

Ein solcher Haß auf den Vater kann nicht dem bloßen Gehirn eines erwachsenen Menschen entstammen, einer »intellektuell« antisemitischen Haltung gewissermaßen; ein solcher Haß hat erfahrungsgemäß tiefe Wurzeln im Dunkel der eigenen Kindheitserlebnisse. Bezeichnenderweise meint auch Jetzinger, daß sich der »politische Haß« gegen die Juden nach Franks Nachricht in einen »persönlichen Haß« gegen den Vater und die Familienangehörigen »gewandelt« hätte (vgl. Jetzinger, S. 54).

Nach dem Tod von Alois brachte die Linzer »Tagespost« vom 8. 1. 1903 einen Nachruf, in dem es hieß:

»Fiel auch ab und zu ein schroffes Wort aus seinem Munde, unter einer rauhen Hülle barg sich ein gutes Herz. Für Recht und

Rechtlichkeit trat er jeder Zeit mit aller Energie ein. In allen Dingen unterrichtet, konnte er überall ein entscheidendes Wort mitsprechen.« Der Grabstein Alois Hitlers trägt ein Bild des einstigen Zollamts-Oberoffizials, auf dem er den Blick entschlossen nach oben richtet (zitiert nach J. Toland, S. 34).

Smith berichtet sogar, daß Alois einen »echten Respekt vor den Rechten der Menschen und eine tiefe Sorge um ihr Wohlergehen zeigte« (Stierlin, S. 20).
Was bei »Respektpersonen« als »rauhe Hülle« ankommt, kann beim eigenen Kind die reinste Hölle sein. Dafür gibt auch J. Toland ein Beispiel:

In einer besonders rebellischen Phase beschloß Adolf eines Tages, davonzulaufen. Sein Vater erfuhr jedoch davon und schloß ihn in einem der oberen Räume ein. In der Nacht versuchte der Junge durch eine Fensteröffnung zu entkommen; und nachdem sie sich als zu eng erwiesen hatte, entledigte er sich seiner Kleider. In diesem Augenblick hörte er seinen Vater die Treppe heraufkommen; er gab seinen Versuch auf und bedeckte seine Blößen hastig mit einem Tischtuch. Der alte Herr griff diesmal nicht zur Peitsche; stattdessen brach er in Gelächter aus und rief seine Frau; sie möge doch heraufkommen und sich den »Togajüngling« ansehen. Dieser Spott traf den Sohn härter als jede körperliche Züchtigung. Helene Hanfstaengl bekannte er später, er habe »lange gebraucht, um über diese Episode hinwegzukommen«.
Viele Jahre später erzählte Hitler einer seiner Sekretärinnen, er habe einmal in einem Abenteuerroman gelesen, es sei ein Zeichen von Mut, seinen Schmerz nicht zu zeigen. Und so »nahm ich mir vor, bei der nächsten Tracht Prügel keinen Laut von mir zu geben. Und als dies soweit war – ich weiß noch, meine Mutter stand draußen ängstlich an der Tür –, habe ich jeden Schlag mitgezählt. Die Mutter dachte, ich sei verrückt geworden, als ich ihr stolz strahlend berichtete: ›Zweiunddreißig Schläge hat mir der Vater gegeben!‹« (Toland, S. 30).

Aus diesen und ähnlichen Stellen bekommt man den Eindruck, daß Alois die blinde Wut über die Erniedrigungen seiner Kindheit immer wieder in seinen Sohn hineingeschlagen hat. Offenbar stand er unter dem Zwang, gerade diesem Kind die Erniedrigungen und die Schmerzen seiner Kindheit zukommen zu lassen.

Eine Geschichte könnte hier helfen, die Hintergründe eines solchen Zwanges zu verstehen. In einer amerikanischen Fernsehsendung wird eine therapeutische Gruppe junger Mütter gezeigt, die berichten, wie sie ihre Säuglinge mißhandelt haben. Eine der Mütter erzählt, daß sie es einmal nicht mehr aushalten konnte, das Schreien des Kindes zu hören, es plötzlich aus seinem Bettchen gerissen und an die Wand geschlagen hätte. Sie vermittelte dem Zuschauer sehr deutlich ihre damalige Verzweiflung und erzählte weiter, daß sie, als sie sich nicht mehr zu helfen wußte, den Telefondienst benutzte, den es in Amerika für diese Zwecke zu geben scheint. Die Stimme am Telefon fragte, wen sie eigentlich hätte schlagen wollen. Zu ihrer eigenen Überraschung hörte sie sich sagen: »mich selbst« und brach schluchzend zusammen.

Mit dieser Geschichte möchte ich erklären, wie ich das Schlagen von Alois verstehe. Das ändert aber nichts daran, daß Adolf, *der ja das alles als Kind nicht wissen konnte,* in einer täglichen Bedrohung, ja in einer Hölle lebte, in einer ständigen Angst und im realen Trauma; daß er zugleich gezwungen war, alle diese Gefühle zu unterdrücken und sogar nur so seinen Stolz retten konnte; daß er den Schmerz nicht zeigte und ihn auch *abspalten mußte.*

Welch unbändigen, unbewußten Neid mußte der kleine Junge schon mit seinem bloßen Dasein in Alois provoziert haben! Geboren als »legales« eheliches Kind, dazu als Sohn eines Zollamtsoffizials, bei einer Mutter, die ihn nicht wegen Armut anderen Leuten abgeben mußte, und mit einem *Vater, den er kannte* (den er sogar täglich körperlich zu spüren bekam, so deutlich und nachhaltig, daß er ihn das ganze Leben nicht vergessen sollte). War es nicht genau das, was Alois so schmerzlich entbehren mußte und was er trotz größter Anstrengung seines ganzen Lebens nicht erreichen konnte, weil man das Schicksal der Kindheit niemals ändern kann? Man kann es nur hinnehmen und mit der Wahrheit der Vergangenheit leben oder aber es vollständig verleugnen und dafür andere leiden lassen.

Es fällt vielen Menschen sehr schwer, die traurige Wahrheit hinzunehmen, daß Grausamkeit meistens unschuldige Menschen trifft. Man lernt ja schon als kleines Kind, alle Grausamkeiten der Erziehung als Strafen für eigenes Verschulden anzusehen. Eine Lehrerin erzählte mir, daß mehrere Kinder ihrer Klasse meinten, nachdem sie den Holocaust-Film gesehen hatten: »Die Juden mußten doch schuld sein, sonst hätte man sie nicht so bestraft«.
Von dort her sind auch die Bemühungen aller Biographen zu verstehen, die dem kleinen Adolf alle möglichen Sünden zuschreiben, vor allem Faulheit, Widerborstigkeit und Lügenhaftigkeit. Kommt denn ein Kind als Lügner auf die Welt? Und ist die Lüge nicht manchmal die einzige Chance, bei einem solchen Vater zu überleben und einen Rest seiner Würde zu retten? In einer so totalen Auslieferung an die Launen einer anderen Person, wie Adolf Hitler (und nicht nur er!) sie erlebte, sind Verstellung und schlechte Schulzeugnisse manchmal die einzige Möglichkeit, ein Stück Autonomie im Geheimen zu entwickeln. Es ist daher eher anzunehmen, daß Hitlers spätere Schilderungen eines offenen Kampfes mit dem Vater um die Berufswahl nachträgliche Retouchen waren, aber nicht weil der Sohn »von Natur aus« feige war, sondern weil dieser Vater keine Diskussionen zulassen konnte. Eher wird die folgende Stelle aus *Mein Kampf* dem wahren Sachverhalt entsprechen:

Ich konnte mit meinen inneren Anschauungen etwas zurückhalten, brauchte ja nicht immer gleich zu widersprechen. Es genügte mein eigener fester Entschluß, später einmal nicht Beamter zu werden, um mich innerlich vollständig zu beruhigen (zit. n. K. Heiden, 1936, S. 16).

Es ist bezeichnend, daß der Biograph, Konrad Heiden,

der diese Stelle zitiert, am Schluß bemerkt: »also ein kleiner Duckmäuser«. Wir verlangen eben von einem Kind, daß es sich in einem totalitären Regime offen und ehrlich verhält, zugleich aber aufs Wort gehorcht, gute Noten heimbringt, dem Vater nicht widerspricht, immer seine Pflicht erfüllt.

Auch der Biograph Rudolf Olden schreibt in seiner Biographie (1935) folgendes über Hitlers Schulschwierigkeiten:

> Unlust und Unfähigkeit steigern sich schnell. Mit der harten Hand des Vaters, der plötzlich stirbt, fällt ein *wichtiger Antrieb* (!) weg (R. Olden, 1935, S. 18).

Die Schläge des Vaters sollten also der Antrieb zum Lernen sein. Das schreibt ausgerechnet der gleiche Biograph, der kurz zuvor über Alois folgendes berichtet:

> Er hatte auch als Verabschiedeter den typischen Beamtenstolz und verlangte, daß man ihn Herr und mit seinem Titel anredete. Die Bauern und Häusler sagen Du zueinander. Zum Spott gaben sie dem Ortsfremden die Ehren, die er verlangte. In ein gutes Verhältnis kam er nicht zu seiner Umgebung. Dafür hatte er im eigenen Haus eine familiäre Diktatur errichtet. Die Frau sah zu ihm auf, für die Kinder hatte er eine harte Hand. Besonders Adolf verstand er nicht. Er tyrannisierte ihn. *Sollte der Junge kommen, so pfiff der alte Unteroffizier auf zwei Fingern* (Olden, S. 12).

Diese Szene, 1935 beschrieben, als noch viele Bekannte der Familie Hitler in Braunau lebten und als es noch nicht so schwer war, Informationen zu bekommen, findet sich meines Wissens nicht mehr in den Nachkriegsbiographien. Das Bild des Mannes, der sein Kind mit einem Pfiff wie einen Hund hereinruft, erinnert so stark an die Beschreibungen aus den KZ-Lagern, daß man sich nicht wundern kann, wenn die heutigen Biographen das – aus einer verständlichen Scheu – übersehen haben. Dazu kommt die in allen Biographien zu findende Tendenz, die Brutalität des Vaters zu verharmlosen, mit dem Hinweis, daß Schläge damals ganz normal waren, oder sogar mit komplizierten Beweisen gegen solche »Verleumdungen« des Vaters, wie das z. B. Jetzinger tut. Traurigerweise sind gerade Jetzingers sorgfältige Nachforschungen eine wichtige Quelle der späteren Arbeiten. Seine psychologischen Einsichten entfernen sich aber nicht weit von denen eines Alois.

Wie Hitler als Kind seinen Vater wirklich erfahren haben muß, zeigte er, indem er unbewußt dessen Verhalten übernahm und in der Weltgeschichte aktiv spielte. Der zackige, uniformierte, etwas lächerliche Diktator, wie Chaplin ihn in seinem Film dargestellt hat und wie ihn auch die Feinde gesehen haben, das war Alois in den Augen seines kritischen Sohnes. Der große, geliebte und bewunderte Führer des deutschen Volkes, das war der andere Alois, der bewunderte und geliebte Mann der unterwürfigen Mutter Klara, deren Ehrfurcht und Bewunderung *der ganz kleine Adolf* zweifellos noch teilte. Diese beiden verinnerlichten Aspekte seines Vaters lassen sich in Adolfs späteren Inszenierungen an vielen Stellen so deutlich finden (denken wir doch nur an den Gruß »Heil Hitler«, an die Huldigungen der Massen usw.), daß man den Eindruck bekommt, seine künstlerische Begabung hätte ihn mit ungeheurer Wucht dazu gedrängt, im ganzen späteren Leben die ersten, unbewußt gebliebenen, aber tief eingeprägten Eindrücke vom tyrannischen Vater in Szene zu setzen und darzustellen. Sie sind jedem Zeitgenossen unvergeßlich geblieben, wobei ein Teil der Zeitgenossen den Diktator *im Entsetzen des mißhandelten* und ein anderer ihn *in der vollen Hingebung und Bejahung des ahnungslosen Kindes* erleben konnte. Jeder große Künstler schöpft aus dem Unbewußten seiner Kindheit, und Hitlers Werk hätte auch ein Kunstwerk werden können, wenn es nicht Millionen das Leben gekostet hätte, wenn nicht so viele Menschen seine ungelebten, in der Grandiosität abgewehrten Schmerzen hätten ertragen müssen. Aber trotz der Identifikation mit dem Aggressor gibt es

Stellen in *Mein Kampf*, die auch direkt zeigen, wie Adolf Hitler seine Kindheit erlebte.

»In einer Kellerwohnung, aus zwei dumpfen Zimmern bestehend, haust eine sechsköpfige Arbeiterfamilie. Unter den Kindern auch ein Junge von, nehmen wir an, drei Jahren [...] Schon die Enge und Überfüllung des Raumes führt nicht zu günstigen Verhältnissen. Streit und Hader werden sehr häufig schon auf diese Weise entstehen [...] Wenn [...] dieser Kampf unter den Eltern selber ausgefochten wird, und zwar fast jeden Tag, in Formen, die an innerer Roheit oft wirklich nichts zu wünschen übriglassen, dann müssen sich, wenn auch noch so langsam, endlich die Resultate eines solchen Anschauungsunterrichtes bei den Kleinen zeigen. Welcher Art sie sein müssen, wenn dieser gegenseitige Zwist die Formen roher Ausschreitungen des Vaters gegen die Mutter annimmt, zu Mißhandlungen im betrunkenen Zustand führt, kann sich der ein solches Milieu eben nicht Kennende nur schwer vorstellen. Mit 6 Jahren ahnt der kleine, zu bedauernde Junge Dinge, *vor denen ein Erwachsener nur Grauen empfinden kann* ... Was der kleine Kerl sonst zu Hause hört, führt auch nicht zu einer Stärkung oder Achtung vor der lieben Mitwelt [...]« »Übel aber endet es, wenn der Mann von Anfang an seine eigenen Wege geht und das Weib, gerade den Kindern zuliebe, dagegen auftritt. Dann gibt es Streit und Hader, und in dem Maße, in dem der Mann der Frau nun fremder wird, kommt er dem Alkohol näher. Kommt er endlich Sonntag oder Montag nachts selber nach Hause, betrunken und brutal, immer aber befreit vom letzten Heller und Pfennig, dann spielen sich oft Szenen ab, daß Gott erbarm.
In Hunderten von Beispielen habe ich dies alles erlebt [...]« (Stierlin, 1975, S. 24).

Obwohl die tiefe und nachhaltige Verletzung seiner Würde Adolf Hitler nicht erlaubt hätte, die Situation dieses »nehmen wir an« dreijährigen Jungen als die seine in der Ichform zu schildern, kann am Erlebnisgehalt dieser Darstellung kein Zweifel bestehen.
Ein Kind, das von seinem Vater nicht mit seinem Namen gerufen, sondern wie ein Hund herbeigepfiffen wird, hat in der Familie den gleichen rechtslosen und namenlosen Status wie »der Jude« im Dritten Reich.

Es ist Hitler tatsächlich gelungen, aus dem unbewußten Wiederholungszwang sein Familientrauma auf das ganze deutsche Volk zu übertragen. Durch die Einführung der Rassengesetze wurde es für jeden Bürger notwendig, seine Herkunft *bis in die dritte Generation zurück legitimieren zu müssen* und die daraus resultierenden Konsequenzen zu tragen. Die falsche oder unklare Herkunft konnte einem Menschen zuerst Schmach, Erniedrigung und schließlich den Tod bedeuten – und das mitten im Frieden, mitten im Staat, der sich ein Rechtsstaat nannte. Das ist ein Phänomen, das nirgends sonst in der Geschichte anzutreffen ist, nirgends auch Vorbilder hat. Denn die Inquisition z. B. verfolgte die Juden ihres Glaubens wegen, sie ließ ihnen jedoch die Möglichkeit einer Taufe zum Überleben. Im Dritten Reich haben aber kein Verhalten, keine Verdienste und Leistungen geholfen – als Jude war man *von der Herkunft her* zur Erniedrigung und später zum Tode verurteilt. Spiegelt sich hier nicht das Schicksal Hitlers in zweifacher Weise?

1. Es war ja *auch für Hitlers Vater* unmöglich, trotz aller Anstrengungen, Erfolge, beruflicher Aufstiege vom Schuster zum Zollamtsoberoffizial den »Schmutzfleck« in seiner Vergangenheit auszutilgen, wie es später den Juden verboten war, den Davidstern zu entfernen. Der »Schmutzfleck« blieb bestehen und bedrückte ihn sein ganzes Leben. Es mag sein, daß die vielen Umzüge (nach Fest elfmal) neben dem beruflichen auch diesen Grund gehabt haben – Spuren zu verwischen. Diese Tendenz ist ja auch in Adolfs Leben sehr deutlich: »Als ihm 1942 berichtet wurde, daß sich in dem Dorf Spital [der Herkunftsgegend seines Vaters – AM] eine Gedenktafel befände, bekam er einen seiner hemmungslosen Wutanfälle«, berichtet Fest.

2. Zugleich bedeutete das Rassengesetz die Wiederholung des eigenen Kindheitsdramas. So wie der Jude jetzt keine Chance hatte, konnte *einst das Kind Adolf* den Schlägen seines Vaters nicht entgehen, denn die Ursache der

Schläge waren ja die ungelösten Probleme des Vaters, die Abwehr seiner Trauer um die eigene Kindheit, nicht aber das Verhalten des Kindes. Solche Väter pflegen auch ihre schlafenden Kinder aus den Betten zu zerren, wenn sie mit einer Stimmung nicht fertig werden (sich vielleicht gerade irgendwo in der Gesellschaft klein und unsicher gefühlt haben), und ihr Kind zu verprügeln, um sich ihr narzißtisches Gleichgewicht wieder zu verschaffen (vgl. Christiane F., S. 19 f.).
Diese Funktion hatte der Jude im Dritten Reich, das sich auf seine Kosten von der Schmach der Weimarer Republik erholen mußte, und diese Funktion hatte Adolf in seiner ganzen Kindheit. Er mußte es wehrlos hinnehmen, daß jeden Moment ein Gewitter über ihn losbrechen konnte, ohne daß er es mit irgendeinem Einfall, irgendeiner Leistung hätte von sich abwenden oder vermeiden können.

Weil Adolf mit seinem Vater keine Zärtlichkeiten verband (er nennt ihn in *Mein Kampf* bezeichnenderweise »Herr Vater«), war der aufsteigende *Haß in ihm kontinuierlich und eindeutig*. Anders ist es bei Kindern, deren Väter Wutausbrüche haben und zwischendurch wieder reizend mit den Kindern spielen können. Da kann der Haß in dieser reinen Form gar nicht so kultiviert werden. Diese Menschen haben es in einer anderen Art sehr schwer, suchen sich Partner mit einer ähnlich zu Extremen neigenden Struktur, sind mit tausend Ketten an diese gebunden, können die Partner nicht verlassen, leben immer in der Erwartung, daß die gute Seite endlich von Dauer sein wird, verzweifeln bei jedem neuen Ausbruch immer aufs Neue. Solche sado-masochistischen Bindungen, die auf das doppelte Gesicht eines Elternteils zurückgehen, sind stärker als eine Liebesbeziehung, sie sind nicht zu trennen und bedeuten permanente Selbstzerstörung.
Dem Kind Adolf war die Kontinuität der Schläge gesichert. Was er auch getan haben mochte, es konnte auf die

täglichen Prügel keinen Einfluß haben. Es blieb ihm nur die Verleugnung der Schmerzen, also die Selbstverleugnung und die Identifikation mit dem Aggressor. Niemand konnte ihm helfen, nicht einmal seine Mutter, die sonst in Gefahr geriet. Denn auch sie wurde geschlagen (vgl. J. Toland, S. 26).
Diese ständige Bedrohung spiegelt sich im Schicksal der Juden im Dritten Reich sehr genau wider. Versuchen wir uns eine Szene vorzustellen: Ein Jude geht auf die Straße, vielleicht um Milch zu holen, da stürzt sich ein Mensch mit der SA-Binde um den Arm auf ihn, ein Mensch, der das Recht hat, alles mit ihm zu machen, was er will, was ihm seine Phantasie gerade eingibt und was für sein Unbewußtes im Moment notwendig ist. Auf all das kann der Jude jetzt keinen Einfluß nehmen – so wenig wie einst das Kind Adolf. Wehrt sich der Jude, kann und darf er zu Tode getrampelt werden, wie seinerzeit der 11jährige Adolf, als er mit drei Kameraden verzweifelt von zu Hause weggelaufen war, um sich auf einem selbstgebauten Floß den Fluß heruntertreiben zu lassen und sich vor der Gewalt des Vaters zu retten. Für den bloßen Gedanken an eine Flucht wurde er beinahe zu Tode geprügelt (vgl. H. Stierlin, S. 23). Auch dem Juden steht jetzt keine Fluchtmöglichkeit zur Verfügung, alle Wege sind abgeschnitten und führen in den Tod, wie das Bahngeleise, das vor Treblinka und vor Auschwitz einfach endete, da hörte das Leben auf. So fühlt sich doch jedes Kind, das täglich geschlagen wird und wegen des Gedankens an Flucht fast umgebracht worden wäre.
In der von mir geschilderten Szene, die sich in vielen Varianten zwischen 1933 und 1945 unzählige Male abgespielt hat, muß der Jude alles wie ein hilfloses Kind ertragen. Er muß es über sich ergehen lassen, daß dieses schreiende, außer sich geratene, in ein Monstrum verwandelte Geschöpf mit der SA-Binde ihm die Milch über den Kopf gießt, andere herbeiruft, um sich zu amüsieren (wie Alois über Adolfs Toga lachte), sich jetzt groß und stark

fühlt neben einem Menschen, der ganz ihm, ganz seiner Macht ausgeliefert ist. Wenn dieser Jude das Leben liebt, wird er es jetzt nicht aufs Spiel setzen, nur um sich Mut und Härte zu beweisen. Er verhält sich also ruhig und ist innerlich voller Widerwillen und Verachtung für diesen Menschen, genauso wie damals Adolf, der die Schwäche seines Vaters mit der Zeit durchschaute und anfing, ihm mit seinem Schulversagen, das den Vater kränkte, wenigstens ein bißchen zurückzuzahlen.

Joachim Fest meint, der Grund von Adolfs Schulversagen könne nicht in seiner Beziehung zum Vater liegen, sondern in der Erschwerung der gestellten Forderungen in Linz, wo Adolf der Konkurrenz mit den aus bürgerlichen Häusern stammenden Kameraden nicht mehr gewachsen war. Andererseits schreibt Fest, Adolf sei »ein aufgeweckter, lebhafter und offenbar begabter Schüler gewesen« (S. 37). Warum sollte ein solcher Junge in der Schule versagen, wenn nicht aus dem Grund, den er selber angibt, dem Fest aber mißtraut, weil er Adolf »einen Hang zur Bequemlichkeit« und »ein schon frühzeitig hervortretendes Unvermögen zu geregelter Arbeit« vorwirft (S. 37). So hätte Alois reden können, aber daß der gründlichste Biograph, der auf Tausenden von Seiten Hitlers spätere Leistungsfähigkeit selber unter Beweis stellt, sich mit dem Vater gegen das Kind identifiziert, wäre erstaunlich, wenn es nicht die Regel wäre. Fast alle Biographen übernehmen fraglos die Wertmaßstäbe der Erziehungsideologie, nach der die Eltern immer recht haben und die Kinder faul, verwöhnt, »störrisch« und »launisch« (S. 37) sind, wenn sie nicht unter allen Umständen wie gewünscht funktionieren. Falls die Kinder etwas gegen die Eltern sagen, kommen sie oft in den Verdacht der Lüge. Fest schreibt:

Ihn (den Vater) hat der Sohn später sogar, um einige effektvolle Schwärze ins Bild zu bringen (als ob das noch nötig gewesen wäre! AM) zum Trunksüchtigen gemacht, den er bettelnd und schimpfend, in Szenen »gräßlicher Scham« aus »stinkenden, rauchigen Kneipen« nach Hause zerren mußte (Fest 1978, S. 37).

Warum ist das effektvolle Schwärze? Weil sich die Biographen einig darüber sind, daß der Vater zwar gern im Wirtshaus trank und anschließend zu Hause Szenen machte, aber »kein Alkoholiker war«. Mit der Diagnose »kein Alkoholiker« kann alles, was der Vater tat, weggewischt werden und dem Kind die Bedeutung seines Erlebnisses, nämlich der Schmach und Scham im Anblick der furchtbaren Szenen, vollständig *ausgeredet* werden.

Ähnliches geschieht, wenn Menschen während ihrer Analyse bei entfernten Familienangehörigen über ihre verstorbenen Eltern nachfragen. Die zu Lebzeiten fehlerlosen Eltern avancieren mit ihrem Tode mühelos zu Engeln und hinterlassen ihre Kinder in einer Hölle von Selbstvorwürfen. Da kaum ein Mensch in der Umgebung die einstigen Wahrnehmungen dieser Kinder bestätigen wird, bleiben sie mit ihnen isoliert und halten sich deswegen für sehr böse. Adolf Hitler wird es nicht anders ergangen sein, als er mit 13 Jahren seinen Vater verlor und von da an in seiner ganzen Umgebung nur dem idealisierten Vaterbild begegnete. Wer hätte ihm damals die Grausamkeit und Brutalität seines Vaters bestätigt, wenn die Biographen noch heute bemüht sind, dessen regelmäßige Schläge als harmlos zu schildern? Sobald es aber Adolf Hitler gelang, seine Erfahrung des Bösen auf den »Juden an sich« zu transponieren, gelang es ihm, die Isolierung zu durchbrechen.
Es gibt wohl kaum ein zuverlässigeres Bindeglied unter den Völkern Europas als den Judenhaß. Er ist seit jeher ein geschätztes Manipulationsmittel der Regierenden und eignet sich offenbar vorzüglich zur Verschleierung von sehr verschiedenen Interessen, so daß auch extrem miteinander verfeindete Gruppierungen sich über die Gefährlichkeit oder Gemeinheit der Juden völlig einig sein kön-

nen. Der erwachsene Hitler wußte das und sagte einmal zu Rauschning, daß, »wenn es den Juden nicht gäbe, man ihn erfinden müßte«.
Woher bezieht der Antisemitismus seine ewige Erneuerungsfähigkeit? Das ist nicht schwer zu verstehen. Man haßt den Juden nicht deshalb, weil er das oder jenes tut oder ist. Alles, was die Juden tun oder sind, läßt sich auch bei anderen Völkern finden. Man haßt den Juden, weil man einen *unerlaubten Haß* in sich trägt und begierig ist, *ihn zu legitimieren.* Das jüdische Volk eignet sich für diese Legitimierung in ganz besonderem Maße. Weil seine Verfolgung seit zwei Jahrtausenden von höchsten kirchlichen und staatlichen Autoritäten ausgeübt wurde, brauchte man sich des Judenhasses nie zu schämen, nicht einmal dann, wenn man mit strengsten moralischen Prinzipien aufgewachsen war und sich für die natürlichsten Regungen der Seele sonst zu schämen hatte (vgl. S. 113f.). Ein im Panzer der zu früh geforderten Tugenden aufwachsendes Kind wird gerne nach der einzig erlaubten Abfuhr greifen, sich seinen Antisemitismus (d. h. sein Recht auf den Haß) »holen« und ihn sein Leben lang behalten. Möglicherweise war aber diese Abfuhr Adolf nicht ohne weiteres zugänglich, weil sie ein Tabu der Familie berührt hätte. Später, in Wien, genoß er es, dieses stillschweigende Verbot aufzuheben, und als er zur Macht kam, brauchte er nur den einzigen in der abendländischen Tradition legitimen Haß zur höchsten Tugend des arischen Menschen zu proklamieren.
Meine Vermutung, daß die Abstammungsfrage in Adolfs Elternhaus tabuisiert gewesen war, leite ich von der großen Bedeutung ab, die er später diesem Thema beimaß. Seine Reaktion auf Franks Bericht im Jahre 1930 bestätigt nur diese Vermutung. Sie zeigt die für ein Kind so bezeichnende Mischung von Wissen und Nichtwissen und spiegelt die in der Familie herrschende Verwirrung im Zusammenhang mit diesem Thema. In Franks Bericht heißt es u. a.

Adolf Hitler selbst wußte, daß sein Vater nicht von dem geschlechtlichen Verkehr der Schicklgruber mit dem Grazer Juden herstammte, er wußte es von seines Vaters und der Großmutter Erzählungen. Er wußte, daß sein Vater herstammte aus den vorehelichen Beziehungen seiner Großmutter mit ihrem späteren Mann. Aber diese beiden waren arm, und der Jude zahlte die Alimente als höchst erwünschte jahrelange Zulage zum armseligen Haushalt. Man hatte ihn, den Zahlungsfähigen, als Vater angegeben, und ohne Prozeß zahlte der Jude, weil er wohl einen prozessualen Austrag und die damit zusammenhängende Öffentlichkeit scheute (zitiert nach Jetzinger, S. 30).

Jetzinger kommentiert Hitlers Reaktion mit folgenden Worten:

In diesem Absatz wird offensichtlich wiedergegeben, was Hitler zu der Enthüllung durch Frank sagte. Er wird natürlich sehr bestürzt gewesen sein, durfte sich aber selbstverständlich vor Frank nichts anmerken lassen und tat daher so, als sei ihm das Berichtete nicht vollkommen neu; er sagte, er wisse aus den Erzählungen seines Vaters und seiner Großmutter, daß sein Vater nicht von dem Grazer Juden stamme. Da hat sich aber Adolf in der momentanen Verwirrung gründlich verrannt! Seine Großmutter lag schon mehr als vierzig Jahre im Grab, als er geboren wurde, die konnte ihm nichts erzählt haben! Und sein Vater? Der hätte es ihm erzählt haben müssen, als Adolf noch nicht vierzehn Jahre alt war, denn dann starb sein Vater; einem solchen Buben erzählt man nicht derartige Sachen und schon gar nicht sagt man ihm: »Dein Großvater war kein Jude«, wenn ohnehin ein jüdischer Großvater nicht in Frage kam! Weiters antwortete Hitler, er wisse, daß sein Vater aus den vorehelichen Beziehungen seiner Großmutter mit ihrem späteren Manne stammt. Warum hatte er dann etliche Jahre vorher in seinem Buche geschrieben, sein Vater sei der Sohn eines armen, kleinen Häuslers? Der Müllergeselle, mit dem allein seine Großmutter, aber erst nachdem sie wieder in Döllersheim lebte, hätte voreheliche Beziehungen haben können, war nie in seinem Leben Häusler! Und die Großmutter der Gemeinheit bezichtigen, ob es nun Hitler tat oder Frank, sie habe einfach einen Zahlungskräftigen als Kindesvater angegeben, entspricht einer Denkungsart, wie sie unter verkommenen Subjekten üblich sein mag, beweist aber nichts für die Abstammung! Adolf Hitler wußte über seine Herkunft rein gar nichts! Man pflegt ja auch Kinder über so etwas nicht aufzuklären (Jetzinger, S. 30 f.).

Eine solche unerträgliche Verwirrung im Elternhaus kann dazu führen, daß das Kind Schulschwierigkeiten bekommt (*weil das Wissen verboten, also bedrohlich und gefährlich ist*). Auf jeden Fall wollte Adolf Hitler es später von jedem Bürger ganz genau, bis in die dritte Generation, wissen, ob nicht doch noch ein jüdischer Ahne »dahinter steckte«.

Adolfs Schulversagen widmet Fest mehrere Überlegungen, darunter auch die, daß es auch nach dem Tode des Vaters andauerte, womit der Beweis erbracht werden soll, daß es nicht mit dem Vater in Zusammenhang stand. Dagegen läßt sich einiges geltend machen:
1. Die Zitate aus der *Schwarzen Pädagogik* zeigen sehr deutlich, wie gerne die Lehrer die Nachfolge der Väter bei der Züchtigung der Schüler antreten und welchen Gewinn sie zur narzißtischen Stabilisierung ihrer selbst daraus ziehen.
2. Als Adolfs Vater starb, war er ja bereits längst von seinem Sohn verinnerlicht worden, und die Lehrer boten sich nun als Vaterersatz an, bei dem man versuchen konnte, sich mit etwas mehr Erfolg zu wehren. Das Schulversagen gehört zu den wenigen Mitteln, die man hat, um den Lehrer-Vater zu strafen.
3. Mit 11 Jahren wurde Adolf fast zu Tode geprügelt, als er sich aus einer für ihn unerträglichen Situation durch Flucht zu befreien versuchte. Damals starb auch sein Bruder Edmund, an dem er als dem Schwächeren vielleicht noch ein Stück Macht hatte erleben dürfen. Darüber wissen wir nichts. In diese Zeit fällt jedenfalls sein Schulversagen, das im Gegensatz zu den früheren guten Noten stand. Wer weiß, vielleicht hätte dieses aufgeweckte, begabte Kind noch einen anderen, humaneren Weg gefunden, um mit dem aufgestauten Haß umzugehen, wenn

seine Neugier und Vitalität in den Schulen mehr Nahrung hätten finden können. Aber auch die Bekanntschaft mit geistigen Werten wurde ihm durch diese erste, *tief gestörte Vaterbeziehung*, die sich auf Lehrer und Schule übertrug, *unmöglich gemacht*.
Das in der Art des Vaters wütende Kind von damals befiehlt später, Bücher von freidenkenden Menschen *zu verbrennen*. Es sind Bücher, die Adolf haßte und nie gelesen hatte, aber *vielleicht hätte lesen und verstehen können*, wenn man ihm von Anfang an ermöglicht hätte, seine Fähigkeiten zu entwickeln. Das Verbrennen von Büchern und das Verdammen von Künstlern sind ja auch eine Rache dafür, daß dieses begabte Kind um den *Genuß* der Schule gebracht worden ist. Was hier gemeint ist, kann vielleicht mit Hilfe einer Geschichte verdeutlicht werden.

Ich saß einmal auf einer Bank im Park einer mir fremden Großstadt. Neben mich setzte sich ein alter Mann, der, wie er mir später sagte, bereits 82 Jahre alt war. Er fiel mir auf, weil er sehr beteiligt und respektvoll mit spielenden Kindern sprach, und ich ließ mich in ein Gespräch mit ihm ein, in dem er mir von seinen Erlebnissen als Soldat im ersten Weltkrieg erzählte. »Wissen Sie«, sagte er, »ich habe in mir einen Schutzengel, der mich immer begleitet. So oft erlebte ich, daß alle meine Kameraden, von Granaten oder Bomben getroffen, tot umgefallen sind und ich, obwohl ich daneben stand, am Leben blieb und nicht einmal eine Wunde hatte.« Es ist unwichtig, ob sich dies in allen Einzelheiten so abgespielt hatte, aber was dieser Mann ausdrückte, war eine Darstellung seines Selbst, des großen Vertrauens in sein Schicksal. So erstaunte es mich nicht, daß er auf meine Frage nach seinen Geschwistern antwortete: »die sind alle tot, ich war ein Nesthäkchen«. Seine Mutter hätte »das Leben geliebt«, erzählte er. Sie hätte ihn morgens im Frühling manchmal geweckt, um mit ihm dem Vogelgesang im Wald zu lauschen, noch bevor er in die Schule ging. Das waren die schönsten

Erlebnisse. Auf meine Frage, ob er geschlagen worden wäre, antwortete er: »Geschlagen wurde ich kaum, vielleicht ist dem Vater mal die Hand ausgerutscht, das machte mich jedesmal zornig, aber er tat es nie in Mutters Gegenwart, die hätte das niemals zugelassen. Aber wissen Sie«, berichtete er, »einmal wurde ich grauenhaft geschlagen – vom Lehrer. In den ersten drei Klassen war ich der beste Schüler, in der vierten bekamen wir einen neuen Lehrer. Der hat mich einmal einer Tat beschuldigt, die ich nicht begangen hatte. Dann nahm er mich auf sein Zimmer und schlug und schlug und schrie dauernd wie ein Besessener: Wirst Du jetzt die Wahrheit sagen? Wie konnte ich aber? Ich hätte ja für ihn lügen müssen, und das hatte ich bisher nie getan, weil ich vor meinen Eltern keine Angst zu haben brauchte. Also hielt ich das Schlagen eine Viertelstunde aus, aber danach interessierte ich mich nicht mehr für die Schule und wurde ein schlechter Schüler. Es hat mich später oft geschmerzt, daß ich kein Abitur gemacht habe. Aber ich glaube, ich hatte damals keine andere Wahl.«

Dieser Mann schien als Kind von seiner Mutter so geachtet worden zu sein, daß er selbst auch seine Gefühle respektieren und leben konnte. Deshalb *merkte* er, daß er auf den Vater zornig wurde, wenn diesem »die Hand ausrutschte«, er *merkte*, daß ihn der Lehrer zur Lüge verführen und erniedrigen wollte, und er *spürte* auch die *Trauer* darüber, daß er für seine Würde und Treue zu sich selbst mit dem Verzicht auf die Bildung bezahlen mußte, weil es für ihn *damals* keinen anderen Weg gab. Es fiel mir auf, daß er nicht wie die meisten Menschen sagte: »Meine Mutter hat mich sehr geliebt«, sondern er sagte: »Sie liebte das Leben«, und ich erinnerte mich, daß ich das einmal über Goethes Mutter geschrieben hatte. Die schönsten Augenblicke erlebte dieser alte Mann mit seiner Mutter im Wald, als er ihre Freude an den Vögeln spürte, die sie mit ihm teilte. Diese warme Mutterbeziehung strahlte immer noch aus seinen alten Augen, und der Respekt seiner

Mutter für ihn drückte sich unmißverständlich in der Art aus, in der er jetzt mit den spielenden Kindern sprach. In seiner Haltung war nichts Überhebliches, nichts Verniedlichendes, sondern einfach Aufmerksamkeit und Achtung.

Ich habe mich bei Hitlers Schulschwierigkeiten so lange aufgehalten, weil sie sowohl in ihren Ursachen als auch in den späteren Auswirkungen ein Beispiel für Millionen sind. Hitlers große und begeisterte Anhängerschaft bewies, daß sie ähnlich wie er strukturiert, d. h. ähnlich erzogen, war. Die heutigen Biographien zeigen, wie weit unser Denken noch von der Erkenntnis entfernt ist, daß ein Kind das Recht auf Respekt hat. Joachim Fest, der eine immense und gründliche Arbeit auf sich genommen hat, um Hitlers Leben zu schildern, kann dem Sohn nicht glauben, wie sehr er unter seinem Vater gelitten hat, und meint, Adolf »dramatisiere« nur die Schwierigkeiten mit dem Vater, als ob es überhaupt jemandem anstehen würde, darüber mehr zu wissen als Adolf Hitler selber.
Über Fests Perspektive der Elternschonung wird man sich kaum wundern, wenn man bedenkt, wie wenig selbst die Psychoanalyse von ihr frei ist. Soweit ihre Anhänger noch – etwa im Sinne von Wilhelm Reich – meinen, lediglich um die Befreiung der Sexualität kämpfen zu müssen, übersehen sie ganz entscheidende Aspekte. Was ein Kind, das keine Achtung für sich erfahren und deshalb auch in sich nicht entwickeln konnte, mit der »befreiten« Sexualität macht, können wir auf dem »Babystrich« und in der Drogenszene sehen. Dort lernt man u. a. auch, in welche verhängnisvolle Abhängigkeiten (von anderen Menschen und vom Heroin) die »Freiheit« der Kinder führt, die keine ist, solange sie mit der eigenen Entwürdigung einhergeht.
Nicht nur das Schlagen der Kinder, sondern auch dessen Folgen sind so gut in unser Leben integriert, daß diese uns in ihrer Absurdität kaum mehr auffallen. Die »heldenhafte

Bereitschaft« Jugendlicher, sich in Kriegen zu schlagen und (gerade am Beginn ihres Lebens!) für fremde Interessen zu fallen, mag auch damit zusammenhängen, daß sich in der Pubertät der frühkindliche, abgewehrte Haß nochmals intensiviert. Jugendliche können ihn von ihren Eltern ableiten, wenn sie ein eindeutiges Feindbild bekommen, das sie dann *frei* und *erlaubtermaßen hassen dürfen.* Aus diesem Grund sind wohl im ersten Weltkrieg so viele junge Maler und Dichter freiwillig an die Front gegangen. Die Hoffnung auf Befreiung aus den Zwängen des Elternhauses ließ sie die Wonnen der Marschmusik genießen. Das Heroin ersetzt unter anderem auch diese Funktion, nur daß sich hier die Zerstörungswut gegen den eigenen Körper und das eigene Selbst richtet.

Lloyd deMause, der sich als Psychohistoriker vor allem für Motivationen interessiert und die ihnen zugrundeliegenden Gruppenphantasien beschreibt, ist einmal der Frage nachgegangen, von welchen Phantasien die kriegserklärenden Völker beherrscht werden. Bei der Durchsicht seines Materials fiel ihm auf, daß unter den zahlreichen Äußerungen der Staatsmänner dieser Völker immer wieder Bilder auftauchten, die an den Vorgang der Geburt erinnern. Auffallend häufig ist da von Strangulierung die Rede, in der sich das kriegserklärende Volk angeblich befände und aus der es sich mit Hilfe des Krieges endlich zu befreien hoffe. L. deMause meint, in dieser Phantasie spiegle sich die reale Situation des Kindes während der Geburt, die in jedem Menschen als Trauma zurückbleibe und deshalb dem Wiederholungszwang unterworfen ist (vgl. L. de Mause, 1979).
Für die Richtigkeit dieser These könnte die Beobachtung sprechen, daß das Gefühl, stranguliert zu werden und sich befreien zu müssen, *nicht bei den wirklich bedrohten Völkern,* wie z. B. Polen 1939, vorkommt, sondern da, wo dies nicht real der Fall war, z. B. in Deutschland 1914 und 1939 oder bei Kissinger in der Zeit des Vietnamkrieges. Es

handelt sich also bei der Kriegserklärung zweifellos um die Befreiung aus einer *phantasierten* Bedrohung, Beengung, Erniedrigung. Aus dem, was ich jetzt über die Kindheit weiß und was ich unter anderem am Beispiel von Adolf Hitler zu zeigen versuche, würde ich allerdings eher folgern, daß im Kriegswunsch nicht das Geburtstrauma, sondern andere Erfahrungen wiederbelebt werden. Auch die schwerste Geburt ist ein *einmaliges, abgeschlossenes Trauma,* das wir trotz unserer Kleinheit und Schwäche meistens aktiv oder mit Hilfe rettender Drittpersonen *bewältigt* haben. Im Gegensatz dazu ist die Erfahrung des Geschlagenwerdens, der seelischen Demütigung und Grausamkeit, die sich immer wiederholt, aus der es kein Entrinnen und *in der es keine rettende Hand gibt, weil niemand diese Hölle als Hölle ansieht,* ein immerwährender oder immer wieder neu erlebter Zustand, in dem es am Ende keinen erlösenden Schrei geben darf und der lediglich mit Hilfe der Abspaltung und Verdrängung vergessen werden kann. Es sind deshalb genau diese unbewältigten Erlebnisse, die sich im Wiederholungszwang einen Ausdruck verschaffen müssen. Im Jubel der Kriegserklärenden lebt die Hoffnung auf, die einstigen Erniedrigungen endlich rächen zu können, und vermutlich auch die Erlösung über die Erlaubnis zu hassen und zu schreien. Das einstige Kind ergreift die erste Chance, endlich aktiv sein zu können und nicht mehr schweigen zu müssen. Wo die Trauerarbeit nicht möglich war, wird im Wiederholungszwang versucht, *die Vergangenheit ungeschehen zu machen* und die einstige tragische Passivität mit Hilfe der heutigen Aktivität aus der Welt zu schaffen. Da dies aber nicht gelingen kann, weil Vergangenes nicht zu ändern ist, führen solche Kriege den Angreifer nicht zur Befreiung, sondern schließlich zur Katastrophe, auch im Falle der vorläufigen Siege.

Trotz dieser Überlegungen könnte man sich vorstellen, daß die Geburtsphantasie hier eine Rolle spielt. Für ein

Kind, *das täglich geschlagen wird und dabei schweigen muß,* ist die Geburt vielleicht das einzige Ereignis in seiner Kindheit, aus dem es nicht nur in der Phantasie, sondern real als Sieger hervorgegangen ist: sonst hätte es ja nicht überlebt. Es hat sich durch die Enge hindurchgekämpft, durfte nachher schreien und wurde trotzdem von helfenden Händen versorgt. Läßt sich diese Seligkeit mit dem vergleichen, was später kam? Es wäre nicht verwunderlich, wenn wir uns mit diesem großen Triumph helfen wollten, über die Niederlagen und die Verlassenheit der späteren Zeit hinwegzukommen. In diesem Sinne wären die *Assoziationen zum Geburtstrauma* während der Kriegserklärung *als Abwehr des tatsächlichen, verborgenen Traumas, das nirgends in der Gesellschaft ernstgenommen wird und deshalb auf Inszenierungen angewiesen ist,* zu verstehen. In Adolf Hitlers Leben gehören die »Burenkriege« der Schulzeit, *Mein Kampf* und der Zweite Weltkrieg zur sichtbaren Spitze des Eisberges. Die verborgene Vorgeschichte einer solchen Entwicklung kann nicht in der Erfahrung des Durchgangs durch den Geburtskanal gesucht werden, die Hitler mit allen Menschen teilt. Aber nicht alle Menschen wurden als Kinder so wie er gequält.

Was hat der Sohn nicht alles unternommen, um das Trauma der väterlichen Schläge zu vergessen: Er hat sich die herrschende Klasse Deutschlands unterworfen, er hat die Massen gewonnen, sich die Regierungen Europas gefügig gemacht. Er besaß eine beinahe unbeschränkte Macht. Aber nachts, im Schlaf, wenn das Unbewußte dem Menschen die frühkindlichen Erfahrungen mitteilt, gab es kein Entrinnen: Da erschien ihm sein furchterregender Vater, und das Grauen breitete sich aus. Rauschning schreibt (S. 273):

Aber er hat Zustände, die an Verfolgungswahnsinn und Persönlichkeitsspaltung nahe heranreichen. Seine Schlaflosigkeit ist mehr als nur die Überreizung seines Nervensystems. Er wacht oft des Nachts auf. Er wandert ruhelos umher. Dann muß Licht um ihn sein. Neuerdings läßt er sich dann junge Leute kommen, die die Stunden eines offenbaren Grauens mit ihm teilen müssen. Zu Zeiten müssen diese Zustände einen besonders bösartigen Charakter angenommen haben. Mir hat jemand aus seiner engsten täglichen Umgebung berichtet: er wache des Nachts mit Schreikrämpfen auf. Er schreie um Hilfe. Auf seiner Bettkante sitzend könne er sich nicht rühren. Die Furcht schüttle ihn, sodaß das ganze Bett vibriere. Er stoße verworrene, völlig unverständliche Worte hervor. Er keuche, als glaube er ersticken zu müssen. Der Mann erzählte mir eine Szene, die ich nicht glauben würde, wenn sie nicht aus solcher Quelle käme. Taumelnd habe er im Zimmer gestanden, irr um sich blickend. *»Er! Er! Er ist dagewesen«*, habe er gekeucht. Die Lippen seien blau gewesen. Der Schweiß habe nur so an ihm heruntergetropft. Plötzlich habe er *Zahlen vor sich hergesagt*. Ganz sinnlos. Einzelne Worte und Satzbrocken. Es habe schauerlich geklungen. Merkwürdig zusammengesetzte Wortbildungen habe er gebraucht, ganz fremdartig. Dann habe er wieder ganz still gestanden und die Lippen bewegt. Man habe ihn abgerieben, habe ihm etwas zu Trinken eingeflößt. Dann habe er plötzlich losgebrüllt: »Da, da! in der Ecke! Wer steht da?« Er habe aufgestampft, habe geschrien wie man das an ihm gewohnt sei. Man habe ihm gezeigt, daß da nichts Ungewöhnliches sei, und dann habe er sich allmählich beruhigt. Viele Stunden hätte er danach geschlafen. Und dann sei es für eine Zeit wieder erträglich mit ihm gewesen.

Obwohl (oder weil) die meisten Menschen in Hitlers Umgebung einst geschlagene Kinder waren, hat niemand den Zusammenhang zwischen seiner panischen Angst und den »unverständlichen Zahlen« begriffen. Die in der Kindheit unterdrückten Gefühle der Angst beim Zählen der Schläge überfielen nun den Erwachsenen auf dem Höhepunkt seines Erfolges in Form von Alpträumen, plötzlich und unentrinnbar, in der Einsamkeit der Nacht.

Die ganze Welt hätte als Opfer nicht ausgereicht, um den verinnerlichten Vater von Adolf Hitlers Schlafzimmer fernzuhalten, denn das eigene Unbewußte wird mit der Vernichtung der Welt nicht vernichtet. Aber die Welt hätte trotzdem herhalten müssen, wenn Hitler noch länger am Leben geblieben wäre, denn die Quelle seines Hasses floß ununterbrochen – auch im Schlaf . . .

Für Menschen, denen die Kräfte des Unbewußten nie zum Erlebnis geworden sind, mag es naiv klingen, wenn jemand Hitlers Werk von seiner Kindheit her zu verstehen versucht. Es gibt immer noch viele Männer (und Frauen), die der Meinung sind, »Kindersachen seien Kindersachen« und Politik sei etwas Ernsthaftes, etwas für erwachsene Leute, kein Kinderspiel. Diese Menschen finden die Verknüpfungen mit der Kindheit befremdend oder lächerlich, weil sie die Wahrheit dieser Zeit – begreiflicherweise – völlig vergessen möchten. Hitlers Leben eignet sich aber deshalb besonders gut für einen Anschauungsunterricht, weil die Kontinuität hier so deutlich zu fassen ist. Schon als kleiner Junge lebt er seine Sehnsucht nach Befreiung aus dem väterlichen Joch in den gespielten Kriegen. Er führt zuerst die Indianer, dann die Buren *zum Kampf gegen die Unterdrücker:* »Nicht lange dauerte es, und *der große Heldenkampf war mir zum größten inneren Erlebnis geworden*«, schreibt er in *Mein Kampf*, und an anderer Stelle zeichnet sich der verhängnisvolle Weg vom Spiel aus kindlicher Not zum gefährlichen Ernst: »Von nun an schwärmte ich mehr und mehr *für alles, was irgendwie mit Krieg oder mit Soldatentum zusammenhing*« (*Mein Kampf*, zitiert nach Toland, S. 31).

Hitlers Deutschlehrer, Dr. Huemer, berichtet, daß Adolf in der Pubertät »Belehrungen und Mahnungen seiner Lehrer . . . nicht selten mit schlecht verhülltem Widerwillen entgegengenommen (hatte); wohl aber *verlangte er von seinen Mitschülern* unbedingte *Unterordnung*« (vgl. Toland, S. 77). Die frühe Identifizierung mit dem tyrannischen Vater führte dazu, daß Adolf, nach der Aussage eines Zeugen aus Braunau, schon als ganz kleiner Junge, auf einem Hügel stehend, »lange und leidenschaftliche Reden hielt«.* Braunau bedeutete die ersten drei Lebensjahre, so früh hat also die Führerlaufbahn begonnen. In diesen Reden spielte das Kind die Reden des großartigen Vaters, so wie es ihn damals gesehen hatte, und erlebte zugleich *im Publikum sich selbst* als das staunende, *bewundernde Kind der ersten Lebensjahre.*

Diese Funktion hatten später die organisierten Massenauftritte, in denen der frühkindliche Teil des Führers auch untergebracht war. Die narzißtische, symbiotische Einheit von Führer und Volk kommt sehr klar in den Worten seines Jugendfreundes Kubizek, vor dem Hitler viele Reden hielt, zum Ausdruck. John Toland schreibt:

> Sie wirkten auf Kubizek wie »vulkanische Entladungen«; er empfand sie als bühnenreife Darstellung und war »anfangs nicht mehr als ein betroffener und fassungsloser Zuhörer, der vor Staunen am Ende zu applaudieren vergaß«. Erst allmählich erkannte Kubizek, daß es sich nicht im entferntesten um Theater handelte, sondern daß sein Freund dabei »von tödlichem Ernst« erfüllt war. Zugleich wurde ihm klar, daß Hitler von ihm nur eines erwartete: Zustimmung. Kubizek, der mehr von der Art und dem Stil dieser leidenschaftlichen Vorträge als von ihrem Inhalt hingerissen war, geizte nicht damit. ... Adolf schien genau zu spüren, was Kubizek fühlte. »Er empfand alles, was mich bewegte, so unmittelbar, *als wäre es ihm selbst geschehen* ... Ich hatte manches Mal das Gefühl, *als würde er neben seinem eigenen Leben auch meines mitleben*« (Toland, S. 41).

Es gibt wohl keinen besseren Kommentar zum Verständnis der legendären Hitlerschen Verführungskunst: Während die Juden den gedemütigten, geschlagenen Teil seines kindlichen Selbst repräsentierten, den er mit allen Mitteln aus der Welt zu schaffen suchte, war das ihm huldigende deutsche Volk, hier von Kubizek dargestellt, der *gute und schöne Teil seiner Seele, die den Vater liebt und vom Vater geliebt wird.* Das deutsche Volk und der Schulkamerad übernehmen die Rolle des guten Kindes Adolf. Der

* Diese Information verdanke ich einer mündlichen Mitteilung von Paul Moor.

Vater schützt die reine, kindliche Seele auch vor eigenen Gefahren, indem er »die bösen Juden«, d. h. auch die »bösen Gedanken« vertreiben und vernichten läßt, damit endlich die ungestörte Einheit zwischen Vater und Sohn einziehen kann.

Diese Ausführungen sind natürlich nicht für Menschen geschrieben, die »Träume für Schäume« und das Unbewußte für eine Erfindung »des kranken Geistes« halten. Doch ich könnte mir vorstellen, daß auch diejenigen, die sich mit dem Unbewußten bereits befaßt haben, meinem Versuch, Hitlers Handlungen aus seiner Kindheit heraus verstehen zu wollen, mit Mißtrauen oder Entrüstung begegnen, weil sie mit dieser ganzen »unmenschlichen Geschichte« nichts zu tun haben möchten. Aber können wir wirklich annehmen, daß der liebe Gott plötzlich die Idee hatte, eine »nekrophile Bestie« auf die Erde herunterzuschicken, etwa im Sinne der Worte von Erich Fromm, der schrieb:

> Wie läßt es sich erklären, daß diese beiden gutmeinenden, *stabilen, sehr normalen* und *sicherlich nicht destruktiven Menschen* das spätere Ungeheuer Adolf Hitler in die Welt setzten? (zitiert nach Stierlin, 1975, S. 36).

Ich zweifle nicht daran, daß sich hinter jedem Verbrechen eine persönliche Tragödie verbirgt. Wenn wir diesen Geschichten und Vorgeschichten der Verbrechen genauer nachgehen würden, könnten wir möglicherweise mehr tun, um neue zu verhindern, als mit unserer Entrüstung und mit Moralpredigten. Vielleicht wird jemand sagen: Nicht jeder, der als Kind geschlagen wurde, muß ein Mörder werden, sonst würden doch fast alle Menschen zu Mördern. Das ist in gewissem Sinn richtig. Doch so friedlich ist es heute nicht um die Menschheit bestellt, und wir wissen nie, was ein Kind aus dem ihm gegenüber begangenen Unrecht machen wird und muß, es gibt unzählige »Techniken«, damit umzugehen. Aber vor allem wissen wir noch nicht, *wie die Welt aussehen könnte,* wenn Kinder

ohne Demütigungen, von ihren Eltern als Menschen geachtet und ernstgenommen, aufwachsen würden. Mir ist jedenfalls kein Mensch bekannt, der als Kind diese Achtung* genossen und später als Erwachsener das Bedürfnis gehabt hätte, andere Menschen umzubringen.
Doch der Sinn für die Entwürdigung des Kindes ist noch kaum in uns entwickelt. Der Respekt für das Kind und das Wissen um seine Demütigung sind eben keine intellektuellen Angelegenheiten, sonst wären sie schon längst zum Allgemeingut geworden. Mit dem Kind zu fühlen, was es empfindet, wenn es entblößt, gekränkt, gedemütigt wird, bedeutet zugleich, daß man wie im Spiegel plötzlich dem Leiden der eigenen Kindheit begegnet, was viele Menschen aus Angst abwehren müssen, andere wieder mit Trauer akzeptieren können. Menschen, die diesen Weg der Trauer gegangen sind, verstehen dann von der Dynamik des Seelischen mehr, als sie je aus Büchern hätten erfahren können.
Die Jagd auf Menschen mit jüdischer Herkunft, die Notwendigkeit, eine »reine Rasse« bis zur dritten Generation aufzuweisen, die Abstufung der Verbote je nach nachweisbarer Rassenreinheit sind nur auf den ersten Blick grotesk. Denn sie erschließen erst ihren Sinn, wenn man sich vorstellt, daß sie in der unbewußten Phantasie von Adolf Hitler zwei sehr starke Tendenzen verdichteten: einerseits war sein Vater der gehaßte Jude, den er verachten und jagen, mit Vorschriften bedrohen und ängstigen konnte, denn sein Vater wäre ja auch vom Rassengesetz betroffen worden, wenn er noch am Leben gewesen wäre. Zugleich aber – und das ist die andere Tendenz – sollten die Rassengesetze die Lossagung Adolfs vom Vater und seiner Herkunft besiegeln. Neben der Rache am Vater war auch die quälende Ungewißheit der Hitler-Familie ein

* Mit Achtung des Kindes meine ich aber keineswegs die sog. antiautoritäre Erziehung, sofern diese eine Indoktrinierung des Kindes ist und deshalb seine eigene Welt mißachtet (vgl. S. 121).

wichtiges Motiv der Rassengesetze: das ganze Volk mußte sich bis zur dritten Generation ausweisen, weil Adolf Hitler gerne *mit Sicherheit* gewußt hätte, wer sein Großvater gewesen war. Und vor allem wird der Jude zum Träger aller bösen und verachtenswerten Eigenschaften, die das Kind je am Vater beobachtet hat. In der für Hitlers Vorstellung vom Judentum charakteristischen ganz spezifischen Mischung von luziferischer *Größe und Übermacht* (das Weltjudentum und seine Bereitschaft, die ganze Welt zu zerstören) *einerseits* und der *lächerlichen Schwäche und Gebrechlichkeit* des häßlichen Juden *andererseits* spiegelt sich die Allmacht, die auch der schwächste Vater über sein Kind besitzt: der aus Unsicherheit tobende Zollbeamte, der tatsächlich die Welt des Kindes zerstört.

In Analysen kommt es oft vor, daß sich der erste Durchbruch zur Kritik am Vater im Auftauchen einer verdrängten kleinen Lächerlichkeit den Weg bahnt. Der überdimensionierte große Vater sah z. B. in seinem kurzen Nachthemd so komisch aus. Das Kind hatte nie einen nahen Kontakt mit diesem Vater, fürchtete ihn ständig, aber in diesem Bild mit dem kurzen Nachthemd erhielt es sich in der Phantasie ein Stück Rache, das jetzt, wenn die Ambivalenz in der Analyse durchbricht, als Waffe gegen das göttliche Monument verwendet wird. Ähnlich verbreitet Hitler im *Stürmer* seinen Haß und Ekel gegen den »stinkenden« Juden, um Menschen zum Verbrennen der Werke von Freud, Einstein und unzähliger jüdischer Intellektueller, die wirklich Größe besaßen, animieren zu können. Der Durchbruch zu dieser Idee, die eine Übertragung aufgestauten Hasses vom Vater auf die Juden als Volk ermöglicht, ist sehr aufschlußreich; er wird in der folgenden Stelle aus *Mein Kampf* beschrieben:

Seit ich mich mit dieser Frage zu beschäftigen begonnen hatte, auf den Juden erst einmal aufmerksam wurde, erschien mir Wien in einem anderen Lichte als vorher. Wo immer ich ging, sah ich nun Juden, und je mehr ich sah, um so schärfer sonderten sie sich für das Auge von den anderen Menschen ab. Besonders die innere Stadt und die Bezirke nördlich des Donaukanals wimmelten von einem Volke, das schon äußerlich eine Ähnlichkeit mit dem deutschen nicht mehr besaß ... Dies alles konnte schon nicht sehr anziehend wirken; abgestoßen mußte man aber werden, wenn man über die körperliche Unsauberkeit hinaus *plötzlich die moralischen Schmutzflecken des auserwählten Volkes entdeckte.* Gab es denn da einen Unrat, eine Schamlosigkeit in irgendeiner Form, vor allem des kulturellen Lebens, an der nicht wenigstens ein Jude beteiligt gewesen wäre? Sowie man nur vorsichtig in eine solche Geschwulst hineinschnitt, fand man, wie die Made im faulenden Leibe, oft ganz geblendet vom plötzlichen Lichte, ein Jüdlein ... Ich begann sie allmählich zu hassen (zitiert nach Fest, S. 63).

Wenn es gelingt, seinen ganzen aufgestauten Haß auf ein Objekt zu richten, ist es zunächst wie eine große Erlösung. (»Wo immer ich ging, sah ich nun Juden ...«) Die bisher verbotenen, gemiedenen Gefühle bekommen nun freien Lauf. Je mehr man von ihnen erfüllt und bedrückt war, um so glücklicher fühlt man sich, endlich ein Ersatzobjekt gefunden zu haben. Der eigene Vater wird vom Haß verschont, und die Staudämme lassen sich jetzt aufheben, ohne daß man dafür geschlagen wird.
Aber die Ersatzbefriedigung sättigt nicht – an keinem Beispiel läßt sich das besser demonstrieren als an Adolf Hitler. Es hat wohl kaum je ein Mensch Hitlers Macht besessen, in diesem Maße ungestraft Leben zu vernichten, und all das konnte ihm trotzdem keine Ruhe bringen. Sein Testament zeigt das sehr eindrücklich.

Man sieht mit Staunen, wie genau das Kind die Art seines Vaters gespeichert hat, wenn man den Zweiten Weltkrieg erlebt hat und Stierlins Charakteristik des Vaters von Adolf Hitler liest:

Es sieht jedoch so aus, als sei dieser soziale Aufstieg nicht ohne Kosten für ihn selbst und andere möglich gewesen. Alois war zwar gewissenhaft, pflichtbewußt und fleißig, aber auch emotional labil, ungewöhnlich rastlos und möglicherweise zeitweilig geistesgestört. Zumindest eine Quelle legt nahe, daß er einmal in einem Asyl für Geisteskranke untergebracht war. Auch hatte er nach der Meinung eines Psychoanalytikers psychopathische Züge, die sich etwa in dem Geschick bewiesen, mit dem er Regeln und Dokumente für seine eigenen Zwecke auszulegen und zurechtzustutzen und dabei zugleich die Fassade der Legitimität zu wahren vermochte. Er vereinte, kurz gesagt, großen Ehrgeiz mit einem durchaus flexiblen Gewissen. Als er beispielsweise wegen seiner Heirat mit Klara (die rechtlich seine Cousine war) um päpstlichen Dispens nachsuchte, strich er die zwei kleinen mutterlosen Kinder heraus, die Klaras Fürsorge bedurften, unterließ es aber, Klaras Schwangerschaft zu erwähnen (Stierlin, 1975, S. 68).

Nur das Unbewußte eines Kindes kann einen Elternteil so genau kopieren, daß jeder Zug in ihm später auffindbar ist, auch wenn sich die Biographen nicht darum kümmern.

Die Mutter – ihre Stellung in der Familie und ihre Rolle in Adolfs Leben

Alle Biographen sind sich darüber einig, daß Klara Hitler ihren Sohn »sehr liebte und verwöhnte«. Zunächst muß man sagen, daß dieser Satz einen Widerspruch in sich enthält, wenn man Liebe so versteht, daß die Mutter für die wahren Bedürfnisse des Kindes offen und hellhörig ist. Gerade wenn das fehlt, wird das Kind *verwöhnt*, d. h. mit Gewährungen und Dingen überhäuft, *die es nicht braucht*, und dies nur als Ersatz für das, was man dem Kind aus eigener Not eben nicht zu geben vermag. Gerade die Verwöhnung zeigt also einen ernsten Mangel an, den das spätere Leben bestätigt. Wenn Adolf Hitler tatsächlich ein geliebtes Kind gewesen wäre, dann wäre auch er liebesfähig geworden. Seine Beziehungen zu Frauen, seine Perversionen (vgl. Stierlin, S. 168) und seine ganze distanzierte und im Grunde kalte Beziehung zu Menschen zeigen aber, daß er von keiner Seite Liebe erfahren hat.

Bevor Adolf auf die Welt kam, hatte Klara drei Kinder, die alle innerhalb eines Monats an Diphtherie starben. Die zwei ersten erkrankten vielleicht noch vor der Geburt des dritten Kindes, das dann ebenfalls nach drei Tagen starb. *13 Monate später wurde Adolf geboren.* Ich übernehme die sehr übersichtliche Tabelle von Stierlin:

	Geboren	Gestorben	Alter zur Zeit des Todes
1. Gustav (Diphtherie)	17.5.1885	8.12.1887	2 Jahre, 7 Monate
2. Ida (Diphtherie)	23.9.1886	2.1.1888	1 Jahr, 4 Monate
3. Otto (Diphtherie)	1887	1887	ungefähr drei Tage
4. Adolf	20.4.1889		
5. Edmund (Masern)	24.3.1894	2.2.1900	fast 6 Jahre
6. Paula	21.1.1896		

Die schöne Legende zeigt Klara als liebevolle Mutter, die nach dem Tod ihrer drei ersten Kinder ihre ganze Zärtlichkeit Adolf geschenkt hat. Es ist vielleicht kein Zufall, daß alle Biographen, die dieses liebliche Madonnenbild zeichneten, Männer waren. Eine redliche Frau von heute, die selber Mutter war oder ist, kann sich vielleicht etwas realistischer die Ereignisse vorstellen, die Adolfs Geburt vorausgegangen waren, und sich ein genaueres Bild darüber machen, in welcher emotionalen Umwelt sich sein erstes, für die Sicherheit des Kindes so entscheidendes Lebensjahr vollzogen hat.
Mit 16 Jahren zieht Klara Pötzl in das Haus ihres »Onkel Alois«, wo sie sich um seine kranke Ehefrau und seine zwei Kinder kümmern sollte. Dort wird sie später noch

vor dem Tod seiner Frau vom Herrn des Hauses geschwängert, dann mit 24 Jahren vom 48jährigen Alois geheiratet, bringt innerhalb von zweieinhalb Jahren drei Kinder auf die Welt und verliert alle drei innerhalb von 4-5 Wochen. Versuchen wir uns das genau vorzustellen: Das erste Kind, Gustav, erkrankt im November an Diphtherie, Klara kann es kaum pflegen, weil sie bereits dabei ist, das dritte Kind, Otto, zur Welt zu bringen, das wahrscheinlich von Gustav mit Diphtherie angesteckt wird und *nach drei Tagen stirbt*. Kurz danach, vor Weihnachten, *stirbt auch Gustav* und *drei Wochen später das Mädchen Ida. So hat Klara innerhalb von 4-5 Wochen eine Geburt und den Tod von drei Kindern überstanden.* Eine Frau muß nicht besonders sensibel sein, um durch einen solchen Schock, dazu neben einem herrischen und fordernden Mann, selber noch im Alter der Adoleszenz, aus dem Gleichgewicht zu geraten. Vielleicht erlebte die praktizierende Katholikin diesen dreifachen Tod als Gottes Strafe für ihre unehelichen Beziehungen mit Alois, vielleicht machte sie sich Vorwürfe, daß sie, durch ihre dritte Geburt verhindert, Gustav nicht genug gepflegt hatte. Auf jeden Fall muß eine Frau aus Holz sein, um von diesen Schicksalsschlägen unberührt zu bleiben; aus Holz war Klara nicht. Aber niemand konnte ihr helfen, die Trauer zu erleben, ihre ehelichen Pflichten bei Alois gingen weiter, noch im gleichen Jahr des Todes von Ida wird sie wieder schwanger, und im April des nächsten Jahres gebiert sie Adolf. Gerade weil sie ihre Trauer unter diesen Umständen kaum verarbeiten konnte, mußte die Geburt eines neuen Kindes den kürzlich erfahrenen Schock wieder aktivieren, in ihr die größten Ängste und das Gefühl einer tiefen Unsicherheit in bezug auf ihre Fähigkeiten zur Mutterschaft mobilisieren. Welche Frau mit dieser Vergangenheit hätte nicht schon während der Schwangerschaft Ängste vor einer Wiederholung? Es ist kaum denkbar, daß ihr Sohn in der ersten symbiotischen Zeit neben seiner Mutter das Gefühl von Ruhe, Zufriedenheit und Geborgenheit mit

der Muttermilch in sich eingesogen hat. Es ist wahrscheinlicher, daß die Unruhe seiner Mutter, die durch die Geburt Adolfs aufgerissenen, frischen Erinnerungen an die drei toten Kinder und die bewußte oder unbewußte Angst, daß auch dieses Kind sterbe, direkt mit den Gefühlen des Säuglings wie zwei miteinander verbundene Gefäße kommuniziert haben. Den Ärger auf ihren selbstbezogenen Mann, der sie mit ihren seelischen Leiden allein ließ, durfte Klara ja auch nicht bewußt erleben; um so mehr hat ihn der Säugling, den man ja nicht wie den Herrscher zu fürchten braucht, zu spüren bekommen.
Das alles ist Schicksal; den daran Schuldigen zu suchen, wäre müßig. Viele Menschen hatten ähnliche Schicksale. Z. B. Novalis, Hölderlin, Kafka, die den Tod mehrerer Geschwister erlebten, wurden dadurch stark geprägt, aber sie hatten die Möglichkeit, ihr Leiden auszudrücken.
Im Falle Adolf Hitlers kam hinzu, daß er seine Gefühle und die aus der frühen gestörten Mutterbeziehung stammende tiefe Beunruhigung mit niemandem teilen konnte und gezwungen war, sie zu unterdrücken, um beim Vater nicht aufzufallen und nicht neue Schläge zu provozieren. Es blieb nur die Identifikation mit dem Aggressor.
Dazu kommt ein anderer Umstand, der aus dieser ungewöhnlichen Familienkonstellation resultiert: Mütter, die ein Kind nach einem verstorbenen gebären, idealisieren oft das verstorbene Kind (wie die verpaßten Chancen eines unglücklichen Lebens). Das lebende Kind fühlt sich dann angespornt, sich ganz besonders anzustrengen und Außergewöhnliches zu leisten, um dem toten nicht nachzustehen. Aber die wahre Liebe der Mutter gehört meistens dem toten, idealisierten Kind, das in ihrer Phantasie alle Vorzüge aufzuweisen hätte – wäre es nur am Leben geblieben. Das gleiche Schicksal hatte van Gogh, wobei dort nur *ein* Bruder gestorben war.

Es konsultierte mich einmal ein Patient, der in einer auffallend schwärmerischen Art von seiner glücklichen und harmonischen Kindheit sprach. Ich bin an solche Idealisierungen gewöhnt, aber hier fiel mir im Ton etwas auf, das ich noch nicht verstehen konnte. Im Lauf des Gespräches stellte sich heraus, daß dieser Mann eine Schwester gehabt hatte, die mit knapp zwei Jahren gestorben war und die offenbar für ihr Alter übermenschliche Fähigkeiten hatte: sie konnte angeblich die Mutter pflegen, wenn diese krank war, sie konnte ihr Lieder singen, »um sie zu beruhigen«, konnte ganze Gebete auswendig usw. Als ich den Mann fragte, ob er meine, das sei in dem Alter möglich, schaute er mich an, als ob ich das größte Sakrileg begangen hätte, und sagte: »Normalerweise nicht, aber bei diesem Kind war es so – es war eben ein ganz außergewöhnliches Wunder«. Ich sagte ihm, daß Mütter ihre verstorbenen Kinder sehr oft stark idealisieren, erzählte ihm die Geschichte von van Gogh und meinte, es sei für das lebende Kind manchmal sehr schwer, immer mit einem so großartigen Bild verglichen zu werden, dem man ja nie gewachsen sein könne. Der Mann fing wieder an, mechanisch über die Fähigkeiten seiner Schwester zu sprechen und wie schrecklich es sei, daß sie gestorben wäre. Dann, ganz plötzlich, hielt er inne und wurde von Trauer geschüttelt – wie er glaubte – über den Tod der Schwester, der beinahe 35 Jahre zurücklag. Ich hatte den Eindruck, daß er da vielleicht zum ersten Mal Tränen über sein eigenes Kinderschicksal vergoß, denn diese Tränen waren echt. Jetzt erst verstand ich auch den fremden, künstlichen Ton in seiner Stimme, der mir am Anfang der Stunde aufgefallen war. Vielleicht hat er mir unbewußt vorführen müssen, wie seine Mutter über ihre Erstgeborene gesprochen hatte. Er sprach so überschwenglich über seine Kindheit wie die Mutter über das verstorbene Kind, zugleich aber teilte er mir in diesem unechten Ton die dahinterliegende Wahrheit über sein Schicksal mit.

An diese Geschichte muß ich oft denken, wenn Menschen mich besuchen, die eine ähnliche Familienkonstellation hatten. Wenn ich sie darauf anspreche, erfahre ich immer wieder, welcher Kult da mit den Gräbern der verstorbenen Kinder getrieben wird, der oft jahrzehntelang andauert. Je bedürftiger das narzißtische Gleichgewicht der Mutter, um so mehr versäumte Möglichkeiten malt sie sich im verstorbenen Kind aus. Dieses Kind hätte ihr alle eigenen Entbehrungen, jedes Leid beim Ehepartner und alle Sorgen mit den schwierigen lebenden Kindern kompensiert. Es wäre ihr die ideale, vor allem Leid beschützende »Mutter« gewesen – wenn es nur am Leben geblieben wäre.

Da Adolf als erstes Kind *nach drei verstorbenen Kindern* auf die Welt kam, kann ich mir nicht vorstellen, daß die Beziehung seiner Mutter zu ihm als nur »hingebungsvolle Liebe« aufgefaßt werden kann, wie das die Biographen schildern. Sie meinen alle, Hitler hätte *zuviel* Liebe von seiner Mutter erhalten (sie sehen in der Verwöhnung oder, wie sie sich ausdrücken, in der »oralen Verwöhnung« ein Übermaß an Liebe) und *deshalb* sei er so gierig nach Bewunderung und Anerkennung gewesen. *Weil* er eine so gute und lange Symbiose mit seiner Mutter gehabt hätte, soll er sie immer wieder auch in der narzißtischen Verschmelzung mit den Massen gesucht haben. Solche Sätze findet man manchmal auch in den psychoanalytischen Krankengeschichten.
Es scheint mir, daß ein tief in uns allen verankertes Erziehungsprinzip bei solchen Deutungen wirksam ist. Man findet in Erziehungsschriften immer wieder den Ratschlag, man solle Kinder nicht mit zu viel Liebe und Rücksicht (was als »Affenliebe« bezeichnet wird) »verwöhnen«, sondern *von Anfang an für das richtige* Leben abhärten. Psychoanalytiker drücken sich hier anders aus, z. B. meinen sie, »man müsse das Kind vorbereiten, Frustrationen zu ertragen«, als ob ein Kind das nicht von selbst im Leben lernen könnte. Im Grunde ist es nämlich genau umgekehrt: ein Kind, das einst echte Zuwendung

bekommen hat, kann besser als Erwachsener ohne diese auskommen als jemand, der sie nie wirklich erhalten hat. Wenn also ein Mensch nach Zuwendung süchtig oder »gierig« ist, ist das *immer* ein Zeichen, daß *er etwas sucht, was er nie hatte* und nicht, daß er etwas nicht aufgeben will, weil er in der Kindheit zuviel davon bekommen hat.

Es kann etwas von außen als Gewährung erscheinen, ohne es zu sein. So kann ein Kind mit Nahrung, Spielzeug, Sorge (!) verwöhnt werden, ohne je wirklich als *das, was es war*, gesehen und beachtet worden zu sein. Am Beispiel Hitlers ist es doch zumindest leicht vorstellbar, daß er niemals als Hasser seines Vaters, der er doch im Grunde auch war, von seiner Mutter geliebt worden wäre. Wenn seine Mutter zur Liebe und nicht nur zur genauen Pflichterfüllung je fähig gewesen ist, so muß ihre Bedingung gewesen sein, daß er ein braver Junge sein und dem Vater alles »verzeihen und vergessen« solle. Eine aufschlußreiche Stelle bei Smith zeigt, wie wenig Adolfs Mutter in der Lage gewesen wäre, ihm in seiner Not mit dem Vater beizustehen:

Das dominierende Gehabe des Hausherrn flößte seiner Frau und den Kindern dauernden Respekt, wenn nicht Furcht ein. Selbst nach seinem Tod blieben seine Pfeifen ehrfurchtgebietend auf einem Gestell in der Küche aufgereiht, und wenn immer seine Witwe im Gespräch etwas Besonderes unterstreichen wollte, verwies sie mit einer Geste auf die Pfeifen, als ob sie die Autorität des Meisters beschwören wolle (zitiert nach Stierlin, Seiten 21/22).

Da Klara die »Ehrfurcht« vor ihrem Mann noch nach seinem Tod auf seine Pfeifen übertrug, kann man sich kaum vorstellen, daß sich ihr Sohn ihr gegenüber mit seinen wahren Gefühlen je hätte anvertrauen dürfen. Besonders, da seine drei verstorbenen Geschwister in der Phantasie seiner Mutter doch sicher »immer brav« gewesen waren und nun im Himmel ohnehin nichts Böses mehr anstellen konnten.

Adolf konnte also die Zuwendung seiner Eltern *nur auf*

Kosten einer vollständigen Verstellung und Verleugnung seiner wahren Gefühle bekommen. Daraus entstand seine ganze Lebenshaltung, die Fest wie einen roten Faden in Hitlers Geschichte herausspürt. Am Anfang seiner Hitler-Biographie stehen die folgenden sehr zutreffenden, zentralen Sätze:

Die eigene Person zu verhüllen wie zu verklären, war eine der Grundanstrengungen seines Lebens. Kaum eine Erscheinung der Geschichte hat sich so gewaltsam, mit so pedantisch anmutender Konsequenz stilisiert und im Persönlichen unauffindbar gemacht. Die Vorstellung, die er von sich hatte, kam einem Monument näher als dem Bild eines Menschen. Zeitlebens war er bemüht, sich dahinter zu verbergen (Fest, 1978, S. 29).

Ein Mensch, der die Liebe der Mutter erfahren hat, muß sich niemals so verstellen.
Adolf Hitler suchte systematisch den Kontakt zu seiner Vergangenheit abzuschneiden, seinen Halbbruder Alois ließ er gar nicht an sich heran, seine Schwester Paula, die ihm den Haushalt machte, zwang er, den Namen zu wechseln. Aber auf der weltpolitischen Bühne inszenierte er unbewußt sein wahres Kindheitsdrama – unter anderen Vorzeichen. *Er* war nun, wie einst sein Vater, der einzige Diktator, der einzige, der etwas zu sagen hatte. Die anderen hatten zu schweigen und zu gehorchen. Er war der, der Angst einflößte, aber auch die Liebe des Volkes besaß, das zu seinen Füßen lag, wie damals die untertänige Klara zu Füßen ihres Mannes.
Die besondere Faszination, die Hitler bei Frauen genoß, ist ja bekannt. Er verkörperte für sie den Vater, der ganz genau wußte, was richtig und falsch war und ihnen dazu noch ein Ventil für ihren seit der Kindheit aufgestauten Haß anbieten konnte. Diese Kombination verschaffte Hitler bei Frauen und Männern seine große Anhängerschaft. Denn all diese Menschen waren einst zum Gehorsam erzogen worden, in Pflicht und christlichen Tugenden aufgewachsen; sie hatten schon sehr früh lernen müssen, ihren Haß und ihre Bedürfnisse zu unterdrücken.

Und nun kam ein Mensch, der *diese ihre bürgerliche Moral* an sich *nicht in Frage stellte*, der im Gegenteil ihre anerzogene, gehorsame Haltung gerade noch gut gebrauchen konnte, der sie also nirgends mit Fragen oder inneren Krisen konfrontierte, statt dessen ihnen ein universales Mittel in die Hand gab, um endlich den seit den ersten Tagen ihres Lebens unterdrückten Haß auf völlig legale Art ausleben zu können. Wer würde nicht davon Gebrauch machen? Der Jude wurde jetzt schuld an allem, und die wirklichen ehemaligen Verfolger, die eigenen, oft wirklich tyrannischen Eltern, konnten in Ehren geschützt und idealisiert bleiben.

Ich kenne eine Frau, die zufällig nie mit einem Juden in Berührung gekommen war, bis sie in den »Bund Deutscher Mädel« eintrat. In ihrer Kindheit wurde sie sehr streng erzogen, ihre Eltern brauchten sie zu Hause für den Haushalt, nachdem die anderen Geschwister (zwei Brüder und eine Schwester) das Haus verlassen hatten. Sie durfte deshalb keinen Beruf erlernen, obwohl sie ganz ausgeprägte Berufswünsche hatte und auch die Begabung dafür besaß. Sie erzählte mir viel später, mit welcher Begeisterung sie »von den Verbrechen der Juden« in *Mein Kampf* gelesen und welche Erleichterung es in ihr ausgelöst hatte, zu wissen, daß man da jemanden so eindeutig hassen durfte. Nie hatte sie ihre Geschwister offen beneiden dürfen, als diese ihren Berufen hatten nachgehen können. Aber dieser jüdische Bankier, dem ihr Onkel für ein Darlehen Zinsen hatte zahlen müssen, der war ein Ausbeuter auf Kosten des armen Onkels, mit dem sie sich identifizierte. Denn sie wurde tatsächlich von den Eltern ausgebeutet, und auf die Geschwister neidisch, aber solche Gefühle durfte ein anständiges Mädchen nicht haben. Und nun gab es ganz unerwartet eine so einfache Lösung: *Man durfte hassen*, soviel man wollte, und blieb doch oder gerade deshalb das liebe Kind des Vaters und die nützliche Tochter des Vaterlandes. Außerdem konnte man das

»böse« und schwache Kind, das man in sich immer zu verachten lernte, auf die Juden projizieren, die eben schwach und hilflos waren, und sich selbst als *nur* stark, *nur* rein (arisch), *nur* gut erleben.
Und Hitler selbst? Hier nahm ja die ganze Inszenierung ihren Anfang. Auch für ihn gilt, daß er *im Juden* das hilflose Kind, das er selber einst gewesen ist, in der gleichen Art mißhandelt, wie sein Vater ihn. Und wie der Vater nie genug hatte und jeden Tag neu prügelte und ihn mit 11 Jahren fast zu Tode schlug, so hatte auch Adolf Hitler nie genug und schrieb in seinem Testament, nachdem er 6 Millionen Juden hatte töten lassen, es müßten noch die Reste des Judentums ausgerottet werden.
Ähnlich wie bei Alois und den anderen schlagenden Vätern zeigt sich hier die Angst vor der möglichen Auferstehung und Rückkehr der abgespaltenen Teile ihres Selbst. Deshalb ist dieses Schlagen eine nie endende Aufgabe – hinter ihr steht die Angst vor dem Aufleben der eigenen unterdrückten Ohnmacht, Demütigung, Hilflosigkeit, denen man das ganze Leben mit Hilfe der Grandiosität zu entfliehen versucht hat: Alois mit dem Posten des höheren Zollbeamten, Adolf als Führer, ein anderer vielleicht als Psychiater, der auf Elektroschocks schwört, oder als Arzt, der Affengehirne verpflanzt, als Professor, der Meinungen vorschreibt oder einfach als Vater, der seine Kinder erzieht. In all diesen Anstrengungen geht es nicht um die anderen Menschen (oder Affen), in allem, was diese Männer mit Menschen tun, wenn sie andere verachten und erniedrigen, geht es eigentlich um die Ausrottung der eigenen einstigen Ohnmacht und Vermeidung der Trauer.

Helm Stierlins interessante Studie über Hitler geht davon aus, daß Adolf von seiner Mutter zu ihrer Rettung unbewußt »delegiert« wurde. Das unterdrückte Deutschland wäre dann ein Symbol für die Mutter. Dies mag wohl stimmen, aber in der Verbissenheit seines späteren Handelns kommen zweifellos auch ureigene, unbewußte Interessen zum Ausdruck. Es ist ein gigantischer Kampf *um die Befreiung des eigenen Selbst aus den Spuren grenzenloser Erniedrigung*, für das Deutschland symbolisch einsteht. Doch das eine schließt das andere nicht aus: Auch die Rettung der Mutter bedeutet für ein Kind den Kampf um die eigene Existenz. Anders ausgedrückt: wenn Adolfs Mutter eine starke Frau gewesen wäre, hätte sie ihn – in der Phantasie des Kindes – nicht diesen Qualen und der ständigen Furcht und Todesangst ausgesetzt. Da sie aber selber erniedrigt und ihrem Manne völlig hörig war, konnte sie das Kind nicht beschützen. Nun mußte er die Mutter (Deutschland) vor dem Feind retten, um eine gute, reine, starke, judenfreie Mutter zu haben, die ihm Sicherheit gegeben hätte. Sehr oft phantasieren Kinder, daß sie ihre Mütter erlösen oder retten müßten, damit sie ihnen endlich die Mütter sein könnten, die sie einst gebraucht hätten. Das kann zu einer Ganztagsbeschäftigung im späteren Leben werden. Da aber kein Kind die Möglichkeit hat, die eigene Mutter zu retten, führt der Wiederholungszwang dieser Ohnmacht, falls er in seinem Ursprung nicht erkannt und erlebt wird, unweigerlich zum Mißerfolg oder sogar zur Katastrophe. Stierlins Gedanken ließen sich unter diesem Gesichtspunkt weiter verfolgen und würden in der Symbolsprache etwa zu folgendem Ergebnis führen: Die Befreiung Deutschlands und die Zerstörung des jüdischen Volkes bis auf den letzten Juden, d.h. die *vollständige* Beseitigung des bösen Vaters, hätten Hitler die Bedingungen geschaffen, die ihn zum glücklichen, in Ruhe und Frieden mit seiner geliebten Mutter aufwachsenden Kind hätten machen können.

Diese unbewußte symbolische Zielsetzung hat selbstverständlich wahnhaften Charakter, weil die Vergangenheit nicht mehr zu ändern ist, doch jeder Wahn hat seinen Sinn, der sehr leicht zu verstehen ist, wenn man die Kindheitssituation kennt. Durch Krankengeschichten und Angaben der Biographen, die gerade die wesentlich-

sten Daten aus Abwehrgründen übersehen, wird dieser Sinn häufig entstellt. So wurde z. B. viel darüber geschrieben und recherchiert, ob der Vater von Alois Hitler wirklich ein Jude war oder nicht und ob Alois als Alkoholiker bezeichnet werden könne oder nicht.
Aber die psychische Realität des Kindes hat mit dem, was die Biographen später als Fakten »beweisen«, oft sehr wenig zu tun. Gerade der *Verdacht* auf jüdisches Blut in der Familie ist für ein Kind viel belastender als die Gewißheit. Schon Alois mußte unter dieser Ungewißheit gelitten haben, und zweifellos hat Adolf von den Gerüchten gehört, auch wenn man nicht gerne und laut darüber gesprochen hat. Gerade das, was die Eltern verschweigen wollen, beschäftigt das Kind am meisten, besonders wenn es ein Haupttrauma seines Vaters war (vgl. S. 196f.).

Die Verfolgung der Juden »ermöglichte« Hitler in der Phantasie, seine Vergangenheit zu »korrigieren«. Sie erlaubte ihm:

1. die *Rache* am Vater, der als Halbjude verdächtigt wurde;
2. die *Befreiung* der Mutter (Deutschland) von ihrem Verfolger;
3. die *Erlangung der Liebe der Mutter* mit weniger moralischen Sanktionen, mit mehr wahrem Selbst (Hitler wurde ja als schreiender Judenhasser vom deutschen Volk geliebt, nicht als katholisches braves Kind, das er für seine Mutter sein mußte);
4. die *Umkehr der Rollen – er selber* ist nun zum Diktator geworden, *ihm* muß jetzt alles gehorchen und zu Füßen liegen, wie einst dem Vater, *er* organisiert Konzentrationslager, in denen Menschen so behandelt werden, wie er als Kind behandelt worden ist. (Ein Mensch denkt sich kaum etwas Ungeheuerliches aus, wenn er es nicht irgendwie aus Erfahrung kennt. Wir neigen nur dazu, die kindliche Erfahrung zu bagatellisieren.)

5. Außerdem ermöglichte die Judenverfolgung eine *Verfolgung des schwachen Kindes im eigenen Selbst*, das auf die Opfer projiziert wurde, um keine Trauer über vergangenes Leid zu erleben, weil ihm die Mutter nie dabei hatte helfen können. Darin, sowie in der unbewußten Rache auf den Verfolger der frühen Kindheit, traf sich Hitler mit einer großen Zahl von Deutschen, die in der gleichen Situation aufgewachsen waren.

Im Familienbild von Adolf Hitler, wie es von Stierlin gezeichnet wurde, steht noch die liebevolle Mutter, die zwar die Retterfunktion auf das Kind delegiert, es aber auch vor der Gewalt des Vaters beschützt. Auch in Freuds Ödipusversion gibt es diese geliebte und liebende, idealisierte Mutterfigur. Klaus Theweleit kommt in seinen *Männerphantasien* der Wirklichkeit dieser Mütter sehr viel näher, obwohl auch er sich scheut, die letzten Konsequenzen aus seinen Texten zu ziehen. Er stellt fest, daß sich bei den von ihm analysierten Vertretern der faschistischen Ideologie immer wieder das Bild eines strengen, züchtigenden Vaters und der liebevollen, beschützenden Mutter findet. Sie wird als »die beste Frau und Mutter von der Welt«, als »der gute Engel«, »als klug, charakterfest, hilfsbereit und tief religiös« bezeichnet (vgl. Theweleit, Band 1, S. 133). *An den Müttern der Kameraden* oder an den Schwiegermüttern wird außerdem *ein Zug bewundert*, von dem man offenbar die eigene Mutter ausgenommen haben möchte: *die Härte, die Liebe zum Vaterland, die preußische Haltung* (»Deutsche weinen nicht«), – *die Mutter aus Eisen*, der »keine Wimper zuckt bei der Nachricht vom Tode ihrer Söhne«.

Theweleit zitiert:

Dennoch, nicht diese Nachricht gab der Mutter den Rest. Vier Söhne fraß ihr der Krieg, sie überstand es; ein daneben Lächerliches erschlug sie. Lothringen wurde welsch und damit die Erzgruben der Gesellschaft (S. 135).

Wie aber, wenn diese beiden Seiten zwei Hälften der eigenen Mutter waren?
Hermann Ehrhardt erzählt:

Vier Stunden hab ich einmal im Winter in der Nacht verbockt draußen im Schnee gestanden, bis endlich die Mutter behauptete, es sei nun der Strafe genug (ebd., S. 133).

Bevor die Mutter den Sohn »rettet«, indem sie findet, es sei »nun der Strafe genug«, läßt sie ihn ja immerhin vier Stunden im Schnee stehen. Ein Kind kann nicht verstehen, warum ihm die geliebte Mutter so weh tut, es kann es nicht fassen, daß die in seinen Augen riesengroße Frau im Grunde wie ein kleines Mädchen ihren Mann fürchtet und ihre eigenen Kindheitsdemütigungen ihrem kleinen Jungen unbewußt weitergibt. Ein Kind *muß unter dieser Härte leiden.* Aber *es darf* dieses Leiden *nicht leben und nicht zeigen.* Es bleibt ihm nichts übrig, als es abzuspalten und es auf andere zu projizieren, d. h. den harten Zug seiner Mutter fremden Müttern zuzuschreiben und ihn dort schließlich sogar zu bewundern.
Konnte Klara Hitler ihrem Sohn helfen, solange sie selber das hörige, unterwürfige Dienstmädchen ihres Gatten war? Sie nannte ihren Mann zu Lebzeiten schüchtern »Onkel Alois«, und nach seinem Tode blickte sie ehrfurchtsvoll auf seine in der Küche ausgestellten Pfeifen, jedesmal, wenn jemand seinen Namen erwähnte.
Was geschieht in einem Kind, wenn es immer wieder erfahren muß, daß die gleiche Mutter, die ihm von Liebe spricht, ihm das Essen sorgfältig bereitet, ihm schöne Lieder singt, zur Salzsäule erstarrt und bewegungslos zusieht, wenn dieses Kind vom Vater blutig geschlagen wird? Wie muß es sich fühlen, wenn es immer wieder vergeblich ihre Hilfe, ihre Rettung erhofft; wie muß es sich fühlen, wenn es vergeblich in seiner Folter erwartet, sie möge doch endlich ihre Macht einsetzen, die doch *in seinen Augen* so groß ist? Aber diese Rettung findet nicht statt. Die Mutter sieht zu, wie ihr Kind gedemütigt,

verspottet, gefoltert wird, ohne ihr Kind zu verteidigen, ohne etwas Erlösendes zu tun, sie ist durch ihr Schweigen mit dem Verfolger solidarisch, sie liefert ihr Kind aus. Kann man erwarten, daß das Kind dies versteht? Und muß man sich wundern, wenn die Verbitterung auch der Mutter gilt, obschon ins Unbewußte verdrängt? Dieses Kind wird seine Mutter vielleicht bewußt heiß lieben; und später, bei anderen Menschen, wird es immer wieder das Gefühl haben, ausgeliefert, preisgegeben, verraten worden zu sein.

Hitlers Mutter ist sicher keine Ausnahmeerscheinung, sondern noch vielfach die Regel, wenn nicht sogar ein Ideal vieler Männer. Aber kann eine Mutter, die nur Sklavin ist, ihrem Kind die nötige Achtung geben, die es braucht, um seine Lebendigkeit zu entwickeln? In der nachfolgenden Schilderung der Masse in *Mein Kampf* läßt sich ablesen, welches Vorbild an Weiblichkeit Adolf Hitler bekommen hat:

> Die Psyche der breiten Masse ist nicht empfänglich für alles Halbe und Schwache.
> *Gleich dem Weibe*, dessen seelisches Empfinden weniger durch Gründe abstrakter Vernunft bestimmt wird, als durch solche einer undefinierbaren, gefühlsmäßigen Sehnsucht nach ergänzender Kraft, und das sich deshalb lieber dem Starken beugt, als den Schwächling beherrscht, *liebt auch die Masse mehr den Herrscher als den Bittenden*, und fühlt sich im Innern mehr befriedigt durch eine Lehre, die keine andere neben sich duldet, als durch die Genehmigung liberaler Freiheit; sie weiß mit ihr auch meist nur wenig anzufangen und fühlt sich sogar leicht verlassen. *Die Unverschämtheit ihrer geistigen Terrorisierung kommt ihr ebensowenig zum Bewußtsein, wie die empörende Mißhandlung ihrer menschlichen Freiheit, ahnt sie doch den inneren Irrsinn der ganzen Lehre in keiner Weise.* So sieht sie nur die rücksichtslose Kraft und Brutalität ihrer zielbewußten Äußerungen, *der sie sich endlich für immer beugt* (zit. n. Fest, 1978, S. 79).

In dieser Beschreibung der Masse porträtiert Hitler sehr genau seine Mutter und ihre Unterwerfung. Seine politi-

schen Richtlinien stützen sich auf sehr früh erworbene Erfahrungen: die Brutalität siegt immer.
Hitlers Verachtung des Weibes, aus seiner Familiensituation begreiflich, betont auch Fest. Er meint:

Seine Rassentheorie war durchsetzt von sexuellen Neidkomplexen und einem tiefsitzenden antiweiblichen Affekt: das Weib, so versichert er, habe die Sünde in die Welt gebracht, und seine Anfälligkeit für die wollüstigen Künste der tierischen Untermenschen sei die Hauptursache für die Verpestung des nordischen Blutes (Fest, 1978, S. 64).

Vielleicht nannte Klara ihren Mann »Onkel Alois« aus bloßer Schüchternheit. Aber er ließ sich das doch zumindest gefallen. Ob er es sogar gefordert hat, so wie er von seinen Nachbarn per »Sie« und nicht mit »Du« angeredet zu werden wünschte? Auch Adolf nennt ihn ja »Herr Vater« in *Mein Kampf*, was möglicherweise auf den Wunsch des Vaters zurückzuführen ist, der sehr früh verinnerlicht wurde. Es ist sehr wahrscheinlich, daß Alois mit solchen Anordnungen das Elend seiner frühen Kindheit (von der Mutter weggegeben, unehelich, arm, von unbekannter Herkunft) kompensieren und sich endlich als *Herr* fühlen wollte. Aber von dieser Vorstellung ist es nur ein Schritt zu dem Gedanken, daß sich *deshalb* alle Deutschen 12 Jahre lang mit »Heil Hitler« begrüßen mußten. Ganz Deutschland mußte sich den ausgefallensten, ganz privaten Ansprüchen des Führers fügen wie einst Klara und Adolf dem allmächtigen Vater.

Hitler schmeichelte der »deutschen, germanischen« Frau, weil er ihre Huldigungen, ihre Wahl-Stimmen und ihre sonstigen Dienste *brauchte*. Auch die Mutter hatte er gebraucht. Aber eine wirklich warme Vertrautheit konnte er mit seiner Mutter nicht entwickeln. Stierlin schreibt:

N. Bromberg (1971) berichtet wie folgt über Hitlers sexuelle Gewohnheiten: ». . . um zu einer vollen sexuellen Befriedigung zu gelangen, war es für Hitler notwendig, eine junge Frau über seinem Kopfe hockend zu beobachten, die in sein Gesicht urinierte oder defäzierte.« Er berichtet weiter über ». . . eine Episode von erotogenem Masochismus, bei der sich Hitler vor die Füße einer jungen deutschen Schauspielerin warf und sie bat, ihn zu treten. Als sie es zunächst nicht wollte, beschwor er sie, seinem Wunsche zu genügen. Dabei überschüttete er sich selbst mit Anschuldigungen und wand sich in einer so gequälten Weise vor ihr, daß sie schließlich seinem Flehen stattgab. Als sie ihn trat, wurde er erregt und als sie seinem Bitten nachgab und ihn noch mehr trat, steigerte sich die Erregung. Der Altersunterschied zwischen Hitler und den jungen Frauen, mit denen er sich in irgendeiner Weise sexuell einließ, entsprach gewöhnlich etwa den 23 Jahren, die zwischen seinen Eltern gelegen hatten (Stierlin, 1975, S. 168).

Es ist völlig undenkbar, daß ein Mann, der als Kind von seiner Mutter zärtlich geliebt worden wäre, was ja die meisten Hitler-Biographen beteuern, an solchen sadomasochistischen Zwängen, die auf eine sehr frühe Störung hinweisen, gelitten hätte. Aber unser Begriff der Mutterliebe hat sich offenbar noch nicht ganz von der Ideologie der »Schwarzen Pädagogik« gelöst.

Zusammenfassung

Wenn ein Leser die Überlegungen zu Adolf Hitlers früher Kindheit als Sentimentalität oder gar als »Entschuldigung« seiner Taten auffassen sollte, so ist es natürlich sein gutes Recht, das Gelesene so zu verstehen, wie er es kann oder muß. Menschen, die z. B. sehr früh lernen mußten, »auf die Zähne zu beißen«, empfinden in ihrer Identifikation mit dem Erzieher jedes einem Kind erwiesene Mitgefühl als Ausdruck von Rührseligkeit oder Sentimentalität. Was das Schuldproblem betrifft, so habe ich ja gerade deshalb Hitler gewählt, weil mir kein anderer Verbrecher bekannt ist, der mehr Menschenleben auf seinem Gewissen hat. Aber mit dem Wort »Schuld« ist noch nichts gewonnen. Es ist selbstverständlich unser gutes Recht und eine Notwendigkeit, Mörder einzusperren, die unser Leben bedrohen. Vorläufig kennen wir noch keinen anderen Weg. Doch das ändert nichts daran, daß das Mordenmüssen der Ausdruck eines tragischen Kinderschicksals und das Gefängnis eine tragische Besiegelung dieses Schicksals ist.

Sucht man nicht nach neuen Fakten, sondern nach ihrer *Bedeutung* im Ganzen der bekannten Geschichte, so stößt man bei der Hitler-Forschung auf Fundgruben, die noch kaum ausgewertet worden sind und daher der Öffentlichkeit vorenthalten bleiben. Meines Wissens ist z. B. die wichtige Tatsache, daß Klara Hitlers bucklige und schizophrene Schwester, Adolfs Tante Johanna, *von seiner Geburt an, seine ganze Kindheit hindurch,* im gleichen Haushalt lebte, bisher wenig beachtet geblieben. In den von mir gelesenen Biographien jedenfalls fand ich diese Information nie im Zusammenhang mit dem Gesetz der Euthanasie im Dritten Reich. Damit ein solcher Zusammenhang einem Menschen auffällt, müßte dieser spüren dürfen, welche Gefühle in einem Kind hochkommen, das täglich einem extrem absurden und beängstigenden Verhalten ausgesetzt ist und dem es zugleich verboten ist, seine Angst, Wut und seine *Fragen* zu artikulieren. Auch die Gegenwart einer schizophrenen Tante kann vom Kind positiv verarbeitet werden, aber nur, wenn es mit seinen Eltern auf der emotionalen Ebene frei kommunizieren und mit ihnen über seine Ängste sprechen kann.
Franziska Hörl, die Hausangestellte zur Zeit Adolfs Geburt, berichtete in einem Interview mit Jetzinger, daß sie es wegen dieser Tante nicht länger ausgehalten hätte und ihretwegen weggegangen wäre. Sie sagte einfach: »Bei dieser spinnenden Buckligen bleibe ich nicht mehr« (vgl. Jetzinger, S. 81).
Das eigene Kind darf so etwas nicht sagen, es hält alles aus, es kann ja nicht weggehen; erst wenn es erwachsen wird, kann es handeln. Als Adolf Hitler erwachsen wurde und zur Macht kam, konnte er sich endlich tausendfach an dieser unglücklichen Tante für sein eigenes Unglück rä-

chen: er ließ alle in Deutschland lebenden Geisteskranken töten, weil sie, seinem Gefühl nach, für die »gesunde« Gesellschaft (d. h. für ihn als Kind) »unbrauchbare Menschen« waren. Als Erwachsener mußte sich Adolf Hitler nichts mehr gefallen lassen, konnte sogar ganz Deutschland von der »Plage« der Geisteskranken und Geistesschwachen »befreien« und war auch nicht verlegen, ideologische Verbrämungen für diese ganz persönliche Rache zu finden.

Mit der Vorgeschichte des Euthanasie-Gesetzes habe ich mich in meiner Darstellung nicht beschäftigt, weil es mir in diesem Buch vor allem darum ging, die Folgen der aktiven Demütigung eines Kindes an einem eindrücklichen Beispiel zu schildern. Da eine solche Demütigung, gepaart mit Redeverbot, *ein stabiler Faktor der Erziehung* und überall anzutreffen ist, wird der Einfluß dieses Faktors auf die spätere Entwicklung des Kindes leicht übersehen. Mit dem Hinweis, daß *Schläge üblich seien*, oder gar mit der Überzeugung, daß sie *notwendig sind*, um zum Lernen anzuspornen, wird das Ausmaß der kindlichen Tragödie völlig ignoriert. Da ihre Beziehung zu den späteren Verbrechen nicht gesehen wird, kann sich die Welt über diese entsetzen und ihre Vorgeschichte übergehen, als ob die Mörder vom heiteren Himmel heruntergefallen wären.

Ich habe Hitler hier nur als Beispiel genommen, um zu zeigen:

1. daß auch der größte Verbrecher aller Zeiten nicht als Verbrecher auf die Welt gekommen ist;
2. daß die Einfühlung in das Kinderschicksal die *Einschätzung der späteren Grausamkeiten nicht ausschließt* (das gilt sowohl für Alois wie für Adolf);
3. daß das Verfolgen *auf abgewehrtem Opfersein* beruht;
4. daß das *bewußte Erlebnis des eigenen Opferseins mehr vor Sadismus,* d. h. vor dem Zwang, andere zu quälen und zu demütigen, *schützt* als seine Abwehr;

5. daß die vom Vierten Gebot und von der »Schwarzen Pädagogik« vorgeschriebene *Schonung der Eltern* dazu führt, ganz *entscheidende Faktoren* in der frühen Kindheit und der späteren Entwicklung eines Menschen *zu übersehen*;
6. daß man als erwachsener Mensch mit Beschuldigungen, Entrüstung und Schuldgefühlen nicht weiterkommt, sondern mit dem *Verstehen der Zusammenhänge*;
7. daß das wirkliche emotionale Verstehen nichts mit einem billigen, sentimentalen Mitleid zu tun hat;
8. daß die Ubiquität eines Zusammenhangs uns nicht davon befreit, ihn zu untersuchen, sondern ganz im Gegenteil, *weil er unser aller Schicksal ist oder sein kann*;
9. *daß das Ausleben eines Hasses im Gegensatz steht zum Erleben.* Das Erleben ist eine intrapsychische Realität, das Ausleben dagegen ist eine Handlung, die den andern Menschen das Leben kosten kann. Wo der Weg zum Erlebnis durch Verbote aus der »Schwarzen Pädagogik« oder durch die Bedürftigkeit der Eltern versperrt ist, da muß es zum Ausleben kommen. Dieses kann sich entweder in der destruktiven Form wie bei Hitler oder in der selbstdestruktiven wie bei Christiane F. zeigen. Es kann aber auch wie bei den meisten Verbrechern, die im Gefängnis landen, sowohl die Zerstörung des Selbst wie die des Anderen ausdrücken. Das wird am Beispiel von Jürgen Bartsch deutlich, mit dem ich mich im nächsten Kapitel beschäftige.

JÜRGEN BARTSCH
EIN LEBEN VOM ENDE HER WAHRGENOMMEN

»Doch noch eine Frage wird ewig offen bleiben, daran ändert alle Schuld nichts: Warum muß es überhaupt Menschen geben, die so sind? Sind sie damit meist geboren? Lieber Gott, was haben sie vor ihrer Geburt verbrochen?«

(Aus einem Brief Jürgen Bartschs aus dem Gefängnis.)

Einleitung

Menschen, die auf statistische Untersuchungen schwören und aus dieser Quelle ihr psychologisches Wissen beziehen, werden mein Bemühen um das Verständnis der Kinder Christiane und Adolf als unnötig und irrelevant betrachten. Ihnen müßte man statistisch nachweisen können, daß in so und so vielen Fällen von Kindesmißhandlungen später fast gleich viele Mörder hervorgegangen sind. Dieser Nachweis läßt sich aber nicht erbringen, und zwar aus folgenden Gründen nicht:

1. Die Mißhandlungen der Kinder geschehen meistens im Verborgenen und lassen sich oft nicht nachweisen. Das Kind selbst vertuscht und verdrängt solche Erfahrungen.
2. Auch wenn zahlreiche Zeugenaussagen vorliegen, finden sich immer Menschen, die das Gegenteil beweisen. Obwohl diese Beweise widersprüchlich sind, wie im Falle Jetzingers (vgl. oben, S. 181f.), wird man eher diesen Glauben schenken als dem Kind selbst, weil sie helfen, die Idealisierung der Eltern zu erhalten.
3. Da bisher der Zusammenhang zwischen Mißhandlungen des Kindes und des Säuglings und den späteren Mordtaten sowohl von Kriminologen als auch von der Mehrzahl der Psychologen kaum registriert worden ist, sind statistische Erhebungen über Zusammen-

hänge zwischen diesen Faktoren noch nicht sehr häufig. Doch es gibt solche Untersuchungen auch.

Für mich sind statistische Erhebungen, auch wenn sie meine Erkenntnisse bestätigen, keine zuverlässige Quelle, weil sie oft von unkritischen Voraussetzungen und Begriffen ausgehen, die entweder nichtssagend (wie z. B. »behütete Kindheit«), verschwommen, vieldeutig (»viel Liebe bekommen«), oder verschleiernd (»der Vater war hart, aber gerecht«) sind, oder sogar offene Widersprüche enthalten (»er wurde geliebt und verwöhnt«). So will ich mich nicht auf ein Begriffsnetz verlassen, dessen Löcher so groß sind, daß die Wahrheit durch sie hindurchfällt, sondern versuchen, wie schon im Hitler-Kapitel, einen andern Weg zu gehen. Statt der Objektivität der Statistik suche ich die Subjektivität des betroffenen Opfers, soweit es mir meine Einfühlung erlaubt. Dabei entdecke ich das Spiel von Liebe und Haß; auf der einen Seite den Mangel an Achtung, an Interesse für das einmalige, von den Bedürfnissen der Eltern unabhängige Wesen, den Mißbrauch, die Manipulation, die Beschränkung der Freiheit, die Demütigung und Mißhandlung und auf der anderen Liebkosungen, Verwöhnungen, Verführungen, sofern das Kind als ein Teil des Selbst erlebt wird. Die Wissenschaftlichkeit dieser Feststellung beruht darauf, daß sie nachvollziehbar ist, mit einem Minimum an theoretischen Voraussetzungen auskommt und auch für einen Laien nachprüfbar oder widerlegbar ist. Zu den psychologischen Laien gehören ja auch Gerichtspraktiker.

Statistische Untersuchungen sind wohl kaum dazu geeignet, uninteressierte Juristen in einfühlsame und hellhörige Menschen zu verwandeln. Und doch schreit jedes Verbrechen in der Art seiner Inszenierung nach Verständnis. Die Zeitungen berichten täglich von solchen Geschichten, von denen sie leider meistens nur den letzten Akt bringen. Kann das Wissen über die wirklichen Ursachen des Verbrechens eine Änderung im Strafvollzug herbeiführen? Nicht, solange es darum geht, schuldig zu sprechen und

zu bestrafen. Es könnte aber einmal der Sinn dafür aufkommen, daß der Angeklagte niemals der einzig Schuldige ist, wie das im Falle Bartschs sehr deutlich zutage tritt, sondern ein Opfer von vielen tragischen Verkettungen. Auch dann ist die Gefängnisstrafe nicht zu umgehen, wenn die Öffentlichkeit beschützt werden muß. Aber es ist ein Unterschied, ob man nach dem Grundsatz der »Schwarzen Pädagogik« einen bösen Verbrecher mit dem Gefängnis *bestraft* oder ob man die Tragödie eines Menschen wahrnimmt und ihm deshalb ermöglicht, im Gefängnis eine Psychotherapie zu machen. Ohne große finanzielle Belastung könnte man z. B. Gefangenen erlauben, in Gruppen zu malen oder zu bildhauern. Damit hätten sie eventuell die Chance, das ihnen verborgenste Stück ihrer frühesten Vergangenheit, die erlittene Mißhandlung und die Haßgefühle kreativ auszudrücken, wodurch sich das Bedürfnis, dies durch Handlungen in Szene zu setzen und brutal auszuleben, vermindern könnte.
Um für eine solche Haltung frei zu werden, muß man begriffen haben, daß mit der Schuldigsprechung eigentlich nichts geschehen ist. Wir sind so stark im Schema des Beschuldigens behaftet, daß wir große Mühe haben, etwas anderes zu begreifen. Deshalb werde ich manchmal so interpretiert, daß meiner Meinung nach an allem die Eltern »schuld seien«, und zugleich wird mir vorgeworfen, daß ich zu viel von Opfern spreche, zu leicht Eltern »exkulpiere« und dabei vergesse, daß doch jeder Mensch für seine Taten verantwortlich sein müsse. Auch diese Vorwürfe sind Symptome der »Schwarzen Pädagogik« und zeigen die Wirksamkeit der frühesten Beschuldigungen. Es muß sehr schwer sein, zu verstehen, daß man die *Tragik eines Verfolgers oder Mörders sehen kann, ohne die Grausamkeit seines Verbrechens und seine Gefährlichkeit zu verkleinern*. Wenn ich das eine oder andere in meiner Haltung aufgeben könnte, würde ich besser in das Schema der »Schwarzen Pädagogik« passen. Es ist aber gerade mein Anliegen, *aus diesem Schema herauszukommen*, indem ich

mich auf das Informieren beschränke und *auf das Moralisieren verzichte.*
Besonders Pädagogen haben mit meinen Formulierungen Mühe, weil sie sich hier, wie sie schreiben, »an nichts halten können«. Falls es der Prügelstock oder ihre Erziehungsmethoden waren, an die sie sich hielten, so wäre diese Wendung kein großer Verlust. Den Pädagogen selber würde der Verzicht auf seine erzieherischen Prinzipien allenfalls dazu führen, daß er die einst in ihn hineingeprügelten oder sehr raffiniert anerzogenen Ängste und Schuldgefühle selber erleben könnte, sobald er sie nicht auf die andern, auf die Kinder, ableiten würde. Aber gerade das Erlebnis dieser bisher abgewehrten Gefühle würde ihm einen echteren und tieferen Halt verschaffen als erzieherische Prinzipien es vermögen (vgl. A. Miller 1979).

Der Vater eines Analysanden, der selber eine sehr schwere Kindheit hatte, ohne je darüber gesprochen zu haben, quälte manchmal seinen Sohn, in dem er sich selbst immer wieder sah, auf eine grausame Art. Weder ihm noch dem Sohn war aber diese Grausamkeit aufgefallen, beide verstanden sie als »erzieherische Maßnahme«. Als der Sohn mit schweren Symptomen in die Analyse kam, war er seinem Vater für die harte Erziehung und »strenge Zucht«, wie er sagte, sehr »dankbar«. Der Sohn, der sich einst für Pädagogik immatrikuliert hatte, entdeckte während seiner Analyse Ekkehard von Braunmühl und seine antipädagogischen Schriften und war davon begeistert. In dieser Zeit besuchte er einmal seinen Vater und erlebte zum erstenmal mit aller Deutlichkeit, wie sein Vater ihn dauernd kränkte, indem er ihm entweder gar nicht zuhörte oder alles, was er sagte, verspottete und ins Lächerliche zog. Als sein Sohn ihn darauf aufmerksam machte, sagte sein Vater, der ein Professor für Pädagogik war, in vollem Ernst: »Dafür kannst Du mir dankbar sein. Du wirst noch oft in Deinem Leben ertragen müssen, daß

man Dich nicht beachtet oder das, was Du sagst, nicht ernstnimmt. So bist Du eben schon daran gewöhnt, wenn Du es bei mir gelernt hast. Was man in der Jugend lernt, weiß man das ganze Leben.« Der 24jährige Sohn war ganz verblüfft. Wie oft hatte er früher solche Äußerungen gehört, ohne je ihren Wahrheitsgehalt in Frage zu stellen. Diesmal aber stieg eine Empörung in ihm hoch, und er zitierte einen Satz, den er bei von Braunmühl gelesen hatte. Er sagte: »Wenn Du mich nach diesen Prinzipien jetzt weiter noch erziehen willst, dann müßtest Du mich eigentlich umbringen, denn einmal müßte ich auch sterben. So wäre ich ja von Dir aufs beste dafür vorbereitet.« Der Vater warf ihm zwar Frechheit und Besserwisserei vor, aber für den Sohn war dieses Erlebnis ganz ausschlaggebend. Sein Studium nahm von da an eine ganz andere Richtung.
Es ist schwer auszumachen, ob sich diese Geschichte als Beispiel für die »Schwarze« oder für die »Weiße« Pädagogik eignet. Sie fiel mir hier ein, weil sie für mich eine Überleitung zum Fall Jürgen Bartsch darstellt. Der begabte 24jährige Student wurde in seiner Analyse von grausamen, sadistischen Phantasien so sehr gequält, daß er manchmal in der Panik dachte, er könnte noch ein Kindermörder werden. Doch dank der Verarbeitung dieser Phantasien in der Analyse und dank dem Erlebnis seiner frühen Beziehung zum Vater und zur Mutter verschwanden diese Ängste mit den andern Symptomen, und eine gesunde, freie Entwicklung konnte einsetzen. Die Rachephantasien, in denen er immer wieder ein Kind ermorden wollte, ließen sich verstehen als die Verdichtung seines Hasses auf den ihn am Leben hindernden Vater und der Identifizierung mit dem Aggressor, der das Kind, das er selber war, mordet. Ich habe dieses Beispiel beschrieben, bevor ich den Fall Jürgen Bartsch darstelle, weil mir da eine Ähnlichkeit in der Psychodynamik auffällt, obwohl die Ausgänge der beiden Schicksale so verschieden sind.

Ich habe mit vielen Menschen gesprochen, die die *Schwarze Pädagogik* gelesen hatten und sehr davon beeindruckt waren, wie grausam Kinder »einst« erzogen worden waren. Sie hatten den Eindruck, daß die »Schwarze Pädagogik« endgültig der Vergangenheit angehöre, vielleicht nur noch der Kinderzeit ihrer Großeltern.

Ende der 60er Jahre fand in der Bundesrepublik ein aufsehenerregender Prozeß eines sogenannten »Triebverbrechers« namens Jürgen Bartsch statt. Der 1946 geborene junge Mann hatte bereits im Alter von 16-20 Jahren Morde an Kindern begangen, deren Grausamkeit unbeschreiblich ist. In seinem 1972 erschienenen und leider vergriffenen Buch (*Das Selbstporträt des Jürgen Bartsch*) berichtet Paul Moor über folgende Tatsachen:

Am 6. November 1946 als unehelicher Sohn einer tuberkulösen Kriegswitwe und eines holländischen Saisonarbeiters geboren, wurde Karl-Heinz Sadrozinski – später Jürgen Bartsch – von seiner Mutter im Krankenhaus zurückgelassen, aus dem sie sich heimlich vorzeitig entfernte; sie starb einige Wochen später. Einige Monate nach seiner Geburt kam Gertrud Bartsch, die Frau eines wohlhabenden Essener Fleischers, in dasselbe Krankenhaus, um sich einer ›Totaloperation‹ zu unterziehen. Sie und ihr Mann beschlossen, das verlassene Kind zu sich zu nehmen, trotz der Bedenken, die die Adoptionsbehörden im Jugendamt wegen der zweifelhaften Herkunft des Kindes hatten und die so stark waren, daß die tatsächliche Adoption erst sieben Jahre später erfolgte. Die neuen Eltern hielten das Kind, als es heranwuchs, sehr streng und isolierten es völlig von anderen Kindern, weil es nicht erfahren sollte, daß es adoptiert war. Als der Vater einen zweiten Fleischerladen aufmachte (mit dem Ziel, Jürgen so früh wie möglich ein eigenes Geschäft zu verschaffen) und Frau Bartsch dort arbeiten mußte, sorgten zuerst die Großmutter und dann eine Reihe von Dienstmädchen für das Kind.

Im Alter von zehn Jahren wurde Jürgen Bartsch von seinen Eltern in ein Kinderheim in Rheinbach gebracht, in dem sich etwa zwanzig Kinder befanden. Aus dieser verhältnismäßig angenehmen Atmosphäre kam er mit zwölf Jahren in eine katholische Schule, wo dreihundert Knaben, darunter bereits Schwererziehbare, in strenger militärischer Zucht gehalten wurden. Jürgen Bartsch hat von 1962 bis 1966 vier Knaben ermordet und schätzt, daß er mehr als hundert weitere erfolglose Versuche unternahm. Jeder Mord zeigte kleinere Abweichungen, aber die Hauptprozedur blieb die gleiche: nachdem er einen Knaben in einen leeren ehemaligen Luftschutzbunker in der Heegerstraße in Langenberg, ganz nahe der Wohnung der Bartschs, gelockt hatte, machte er ihn durch Schläge gefügig, fesselte ihn mit Schinkenschnur, manipulierte seine Genitalien, während er selber manchmal masturbierte, tötete das Kind durch Erwürgen oder Erschlagen, schnitt den Leib auf, leerte Bauch- und Brusthöhle vollständig und begrub die Überreste. Die verschiedenen Varianten umfaßten die Zerstückelung der Leiche, Abtrennung der Gliedmaßen, Enthauptung, Kastration, Ausstechen der Augen, Herausschneiden von Fleischstücken aus Gesäß und Schenkeln (an denen er roch) und den vergeblichen Versuch analen Geschlechtsverkehrs. In seiner eigenen, außerordentlich detaillierten Schilderung in der Voruntersuchung und während der Verhandlung betonte Bartsch, daß er den Höhepunkt der geschlechtlichen Erregung nicht bei seiner Masturbation erreichte, sondern beim Schneiden, das ihn zu einer Art Dauerorgasmus brachte. Bei seinem vierten, letzten Mord gelang ihm schließlich, was ihm seit jeher als höchstes Ziel vorgeschwebt hatte: er band sein Opfer an einen Pfahl und schlachtete das schreiende Kind, ohne es vorher zu töten (S. 22 f.).

Wenn solche Taten an die Öffentlichkeit kommen, bewirken sie begreiflicherweise eine Welle von Empörung, Entrüstung, ja Entsetzen. Zugleich staunt man darüber, wie so eine Grausamkeit überhaupt möglich sei, und dies bei einem Jungen, der freundlich, sympathisch, intelligent und sensibel war und gar keine Züge eines bösen Verbrechers getragen hat. Dazu kam, daß seine ganze Vorgeschichte und Kindheit auf den ersten Blick auch nichts besonderes an Grausamkeit aufwies; er wuchs in einem geordneten bürgerlichen Haus auf, das wie viele andere war, in einer Familie mit vielen Steifftierchen, mit der man sich leicht identifizieren kann. Viele Leute konnten denken: »So anders ging es ja bei uns auch nicht zu, das ist

doch ganz normal, da müßten ja alle Verbrecher werden, wenn die Kindheit daran beteiligt sein sollte.« Man konnte sich kaum etwas anderes vorstellen, als daß dieser Junge »abnormal« auf die Welt gekommen sei. Auch die neurologischen Gutachter haben immer wieder betont, daß Jürgen Bartsch nicht aus einem verwahrlosten Milieu, sondern aus einer gut für ihn sorgenden Familie stammte, aus »wohlbehüteten Verhältnissen«, und deshalb allein die Verantwortung für seine Taten trage.
Es ergibt sich also wieder wie im Falle Adolf Hitler das Bild von harmlosen, anständigen Eltern, denen der liebe Gott oder der böse Teufel aus unverständlichen Gründen ein Ungeheuer in die Wiege gelegt hat. Aber die Ungeheuer werden nicht vom Himmel oder aus der Hölle in die frommen bürgerlichen Stuben geschickt. Kennt man einmal die Mechanismen der Identifikation mit dem Aggressor, der Abspaltung und Projektion und der Übertragung der eigenen Kindheitskonflikte auf das Kind, die die Erziehung zur Verfolgung machen, dann kann man sich nicht mehr mit mittelalterlichen Erklärungen abfinden. Wenn man außerdem weiß, wie stark diese Mechanismen im Einzelnen wirksam sind, wie intensiv und zwanghaft sie ihn befallen können, erblickt man *in jedem Leben eines solchen »Ungeheuers« die logische Folge seiner Kindheit.* Ich werde später versuchen, diesen Gedanken am Leben von Bartsch zu illustrieren.

Aber vorher noch stellt sich die Frage, warum es so schwer ist, das psychoanalytische Wissen vom Menschen der Öffentlichkeit zugänglich zu machen. Paul Moor, der in den Vereinigten Staaten aufgewachsen ist und seit 30 Jahren in der BRD wohnt, wunderte sich über das Menschenbild der zuständigen Beamten während des ersten Prozesses. Er konnte es nicht begreifen, daß die im Prozeß beteiligten Menschen angesichts dieser Situation all das nicht merkten, was ihm, dem im Ausland Geborenen, sofort aufgefallen war. Natürlich spiegeln sich in jedem

Gerichtssaal die Normen und Tabus einer Gesellschaft. Was die Gesellschaft nicht sehen darf, sehen auch ihre Richter und Staatsanwälte nicht. Aber es wäre zu leicht, hier nur von »einer Gesellschaft« zu sprechen, denn die Gutachter und die Richter sind ja auch Menschen. Sie wurden vielleicht ähnlich wie Jürgen Bartsch erzogen, haben von klein auf dieses System idealisiert und angepaßte Abfuhrmöglichkeiten gefunden. Wie sollte ihnen jetzt das Grausame dieser Erziehung auffallen, ohne daß ein ganzes Gebäude zusammenstürzen müßte? Es ist gerade eines der *Hauptziele der »Schwarzen Pädagogik«, das Sehen, Wahrnehmen und Beurteilen des in der Kindheit Erlittenen von Anfang an zu verunmöglichen.* Immer wieder kommt in den Gutachten der bezeichnende Satz vor, daß doch »auch andere Menschen« so erzogen wurden, ohne Sexualverbrecher zu werden. So wird das bestehende Erziehungssystem gerechtfertigt, wenn darauf hingewiesen werden kann, daß *nur einzelne*, »abnorme« Menschen als Verbrecher daraus hervorgegangen sind.

Es gibt keine objektiven Kriterien, die uns erlauben würden, die eine Kindheit als »besonders schlimm« und die andere als »weniger schlimm« zu bezeichnen. Wie ein Kind sein Schicksal erlebt, hängt auch von seiner Sensibilität ab, und die ist von Mensch zu Mensch verschieden. Außerdem gibt es in jeder Kindheit winzige rettende wie auch vernichtende Umstände, die sich einem Beobachter von außen entziehen können. Diese schicksalhaften Faktoren lassen sich kaum verändern.

Was sich aber ändern kann und wird, ist unser *Wissen über die Folgen unseres Tuns.* Es geht auch im Umweltschutz nicht mehr um Altruismus oder um »gutes Benehmen«, seitdem wir *wissen*, daß die Luft- und Gewässerverschmutzung eine Angelegenheit unseres eigenen Überlebens ist. Erst dann können Gesetze durchgesetzt werden, die einem hemmungslosen Verschmutzen der Umwelt Einhalt gebieten. Das hat mit Moralisieren nichts zu tun, es geht um Selbsterhaltung.

Ähnliches gilt für die Erkenntnisse der Psychoanalyse. Solange das Kind als Container angesehen wird, in den man unbeschadet alle »Affektabfälle« hineinwerfen kann, wird sich an der Praxis der »Schwarzen Pädagogik« nicht viel ändern. Zugleich werden wir uns über die rapide Zunahme der Psychosen, Neurosen und der Drogensucht bei Jugendlichen wundern, über die sexuellen Perversionen und Gewalttätigkeiten empören und entrüsten und uns darin üben, Massenmorde als einen unumgänglichen Teil unseres Lebens anzusehen.

Wird aber das analytische Wissen in die Öffentlichkeit durchdringen – und das wird dank einzelner jüngerer, freier aufwachsenden Menschen sicher einmal geschehen –, dann läßt sich die im Gesetz über die »elterliche Gewalt« verankerte Rechtlosigkeit des Kindes im Interesse der ganzen Menschheit nicht mehr verantworten. *Es wird nicht mehr selbstverständlich sein, daß Eltern ihre Wut und ihren Jähzorn am Kind ungehemmt auslassen dürfen, während vom Kind von klein auf die Beherrschung seiner Affekte verlangt wird.*

Es muß sich doch auch etwas im Verhalten der Eltern ändern, wenn sie erfahren, daß das, was sie bisher im guten Glauben als »notwendige Erziehung« praktiziert haben, im Grunde eine Geschichte von Erniedrigungen, Kränkungen und Mißhandlungen ist. Mehr noch, mit dem zunehmenden Verständnis der Öffentlichkeit für die Zusammenhänge zwischen Verbrechen und frühkindlichen Erfahrungen bleibt es kein Geheimnis unter Fachleuten mehr, daß jedes Verbrechen eine verborgene Geschichte aufdeckt, die sich nun aus den einzelnen Details und Inszenierungen *der Tat ablesen läßt.* Je genauer wir diese Zusammenhänge studieren, um so mehr *brechen wir die Schutzmauern auf*, hinter denen bisher *unbestraft zukünftige Verbrecher gezüchtet wurden.* Die Quelle der späteren Racheakte ist der Umstand, daß der Erwachsene seinen Aggressionen beim Kind freien Lauf lassen kann, während die Gefühlsreaktionen des Kindes, die noch intensi-

ver sind als beim Erwachsenen, mit aller Gewalt und mit stärksten Sanktionen unterdrückt werden.
Wenn man aus der analytischen Praxis weiß, mit welchen Staudämmen und Aggressionen und um welchen Preis an Gesundheit gut funktionierende und unauffällige Menschen leben müssen, dann könnte man denken, daß es jedesmal ein Glück, aber keine Selbstverständlichkeit war, wenn einer nicht zum Sexualverbrecher wurde. Es gibt zwar auch andere Möglichkeiten, mit diesen Staudämmen zu leben, wie eben die Psychose, die Sucht oder die perfekte Anpassung, die immerhin noch die Delegation der Staudämme auf das eigene Kind ermöglicht (wie im Beispiel auf Seite 235 f.), aber in der Vorgeschichte des Sexualverbrechens finden sich spezifische Faktoren, die tatsächlich viel häufiger vorkommen, als man gewöhnlich bereit ist, einzusehen. Sie tauchen auch in Analysen häufig in Form von Phantasien auf, die gerade *nicht in die Tat umgesetzt werden müssen*, weil das *Erlebnis dieser Regungen* ihre Integration und Reifung ermöglicht.

Was erzählt ein Mord über die Kindheit des Mörders?

Paul Moor hat sich nicht nur in einer sehr langen Korrespondenz bemüht, den Menschen Jürgen Bartsch zu verstehen, sondern hat auch mit vielen Menschen gesprochen, die ihm etwas über Bartsch sagen konnten und die dazu bereit waren. Seine Nachforschungen über das erste Lebensjahr ergaben folgendes:

Schon am Tage seiner Geburt, am 6. November 1946, befand sich Jürgen Bartsch in einem pathogenen Milieu. Er wurde sofort nach der Entbindung von seiner tuberkulösen Mutter, die wenige Wochen später starb, getrennt. Eine Ersatzmutter für das Baby gab es nicht. In Essen, immer noch heute im Dienst auf der Wöchnerinnenstation, fand ich Schwester Anni, die Jürgen noch klar in Erinnerung hat: »Es war so ungewöhnlich, Kinder mehr als zwei Monate im Krankenhaus zu behalten. Jürgen blieb

aber elf Monate bei uns.« Die moderne Psychologie weiß, daß das erste Jahr im Leben eines Menschen das wichtigste ist. Mütterliche Wärme und körperlicher Kontakt haben einen unersetzlichen Wert für die spätere Entwicklung des Kindes.
Aber schon in der Krankenhauskrippe begann die ökonomische und soziale Einstellung der späteren Adoptiveltern das Leben des Babys zu bestimmen. Schwester Anni: »Frau Bartsch hat extra bezahlt, damit er hier bei uns bleiben konnte. Sie und ihr Mann wollten ihn adoptieren, aber die Behörden zögerten, weil sie Bedenken über die Herkunft des Kindes hatten. Wie er war seine Mutter auch außerehelich geboren. Sie hatte auch eine Zeitlang bei der Fürsorgeerziehung verbracht. Man wußte nicht genau, wer der Vater war. Normalerweise schickten wir elternlose Kinder nach einer gewissen Zeit auf eine andere Station, aber Frau Bartsch wollte das nicht zulassen. Auf der anderen Station gab es ja alle möglichen Kinder, auch von asozialen Eltern. Ich erinnere mich noch heute, was das Kind für strahlende Augen hatte. Er lächelte sehr früh, verfolgte, hob das Köpfchen, alles sehr, sehr früh. Einmal entdeckte er, daß die Schwester kommen würde, wenn er auf einen Knopf drückte, und das machte ihm großen Spaß. Er hatte damals keine Eßschwierigkeiten. Er war ein völlig normales, gediehenes, ansprechbares Kind.«
Andererseits aber kamen pathologisch frühe Entwicklungen. Die Schwestern auf der Station mußten Ausnahmemethoden erfinden, da ein so großes Kind selber eine Ausnahme bildete. Zu meinem Erstaunen erfuhr ich, daß die Schwestern das Baby schon mit weniger als elf Monaten ›sauber‹ gekriegt hatten. Schwester Anni fand mein Erstaunen offensichtlich merkwürdig. »Vergessen Sie bitte nicht, wie das damals war, nur ein Jahr nach einem verlorenen Krieg. Es gab überhaupt keinen Schichtwechsel für uns.« Meine Fragen, wie sie und ihre Kolleginnen das geschafft hätten, beantwortete Schwester Anni ein bißchen ungeduldig. »Wir haben ihn einfach auf das Töpfchen gesetzt. Das fing mit sechs oder sieben Monaten an. Wir hatten Kinder hier im Krankenhaus, die schon mit elf Monaten laufen konnten, und auch sie waren schon fast ›sauber‹.« Unter den Umständen dürfte man nicht von einer deutschen Krankenschwester dieser Generation, nicht einmal von einer so gutherzigen [. . .], aufgeklärtere Kindererziehungsmethoden erwarten.

Nach elf langen Monaten dieser pathogenen Existenz kam das Kind, jetzt Jürgen genannt, zu den Adoptiveltern Bartsch. Jedem, der Frau Bartsch näher kennt, fällt auf, daß sie ein ›Putzteufel‹ ist. Kurz nach der Entlassung aus dem Krankenhaus wurde das Baby aus seiner anomal frühen ›Sauberkeit‹ rückfällig. Das ekelte Frau Bartsch an.
Bekannte der Familie Bartsch sahen damals, daß das Baby immer wieder Blutergüsse hatte. Frau Bartsch brachte jedesmal eine neue Erklärung für die Flecken, aber sie wirkten wenig überzeugend. Mindestens einmal während jener Zeit hat der bedrückte Vater Gerhard Bartsch einem Freund bekannt, daß er eine Scheidung erwäge: »Sie schlägt das Kind so, ich vertrage es einfach nicht mehr.« Ein anderes Mal, als er sich verabschiedete, entschuldigte sich Herr Bartsch, daß er es so eilig hatte: »Ich muß nach Hause, sonst schlägt sie mir das Kind tot« (Moor, 1972, S. 80f.).

Über diese Zeit kann Jürgen selbstverständlich nichts erzählen, aber vermutlich sind die vielen Angstzustände, von denen er berichtet, die Folge dieses Schlagens: »Als Kleinkind schon hatte ich immer furchtbare Angst vor der polternden Art meines Vaters. Und was mir schon damals auffiel, ich habe ihn kaum je lachen gesehen.«

»Warum die Angst, von der ich schrieb? Nicht so sehr vor der Beichte, als vor den anderen Kindern. Sie wissen ja nicht, daß ich der Prügelknabe der ersten Klassen war, was sie alles mit mir angestellt haben. Wehren? Tun Sie das mal, wenn Sie der Kleinste in der Klasse sind! Ich konnte vor Angst in der Schule nicht singen und auch nicht turnen! Ein paar Gründe dafür: Klassenkameraden, die außerhalb der Schulzeit nicht gesehen werden, werden nicht anerkannt, nach der Parole: ›Der hat's wohl nicht nötig!‹ Ob er aber nicht will oder nicht kann, darin machen die Kinder keinen Unterschied. Ich konnte nicht. Paar Tage nachmittags bei meinem Lehrer Herrn Hünnemeier, paar Tage in Werden bei meiner Oma auf dem Boden geschlafen, restliche Tage nachmittags in Katernberg im Laden. Endergebnis: überall und nirgends zu Hause, keine Kameraden, keine Freunde, weil man niemanden kennt. Das sind die Hauptgründe, doch kommt noch etwas Wichtiges dazu: bis zum Schulanfang eingesperrt, fast ausschließlich in dem alten Gefängnis unter Tage, mit den vergitterten Fenstern und mit Kunstlicht. Drei Meter hohe Mauer, alles da. Man darf nur an der Hand der Oma raus, mit keinem anderen kleinen Kind spielen. *Sechs Jahre* nicht. Man könnte sich ja dreckig machen, ›und außerdem ist der und der nichts für dich!‹ Bleibt man also ergeben darin, aber drin ist man nur im Wege und wird von einer Ecke in die andere gestoßen, kriegt Schläge, wenn man sie nicht verdient hat, und keine, wenn man sie verdient hat. Die Eltern haben keine Zeit. Vor dem Vater hat man Angst, weil er sofort schreit, und die Mutter war damals schon hysterisch. Vor allem aber: Kein Kontakt zu gleichaltrigen, weil, wie gesagt, verboten! Wie also sich einordnen? Die Schüchternheit austreiben, was mir beim Spiel geschehen kann? Nach sechs Jahren ist es zu spät!« (S. 56f.)

Dieses Eingesperrtsein wird später eine wichtige Rolle spielen. Der erwachsene Mann wird kleine Jungen in einen unterirdischen Bunker locken, um sie dort umzubringen. Weil er als Kind niemanden hat, der seine Not versteht, kann er sie nicht erleben, muß den Schmerz unterdrücken, »den Kummer nicht merken lassen«:

»Ich war nicht in allem ein Feigling, und ein solcher wäre ich gewesen, hätte ich mein Leid irgend jemanden merken lassen. Mag sein, daß das falsch war, doch so dachte ich jedenfalls. Denn jeder Junge hat ja seinen Stolz, das wissen Sie sicher. Nein, ich habe nicht jedesmal geheult, wenn ich Prügel bezog, das fand ich ›memmenhaft‹, und so war ich wenigstens in einem Punkt tapfer, nämlich, meinen Kummer niemand merken zu lassen. Aber jetzt mal ganz im Ernst, zu wem hätte ich denn gehen, wem mein Herz ausschütten sollen? Meinen Eltern? So gern wir sie haben, müssen wir doch mit Schrecken feststellen, daß sie in dieser Richtung nie, aber auch noch nie, auch nur ein Tausendstelgramm Sinn entwickeln konnten. *Konnten,* sage ich, nicht *haben,* daran sehen Sie bitte meinen guten Willen! Und, was auch kein Vorwurf ist, sondern eine einfache Tatsache: Ich bin der ernsten Überzeugung, ja, habe es am eigenen Leib erfahren, daß meine Eltern niemals mit Kindern umgehen konnten« (S. 59).

Erst im Gefängnis macht Jürgen seinen Eltern zum ersten Mal Vorwürfe:

»Ihr hättet mich nie von den anderen Kindern absperren dürfen, so bin ich in der Schule nur ein feiger Hund gewesen. Ihr hättet

mich nie zu diesen Sadisten im Schwarzrock schicken dürfen, und nachdem ich ausgerissen war, weil der Pater mich mißbraucht hatte, hättet ihr mich nie wieder ins Heim zurückbringen dürfen. Aber das wußtet ihr ja nicht. Mami hätte das Aufklärungsbuch, das ich von Tante Martha kriegen sollte, nicht in den Ofen werfen dürfen, als ich elf oder zwölf war. Warum habt ihr in zwanzig Jahren nicht ein einziges Mal mit mir gespielt? Aber vielleicht hätte all das anderen Eltern auch passieren können. Für euch war ich wenigstens ein Wunschkind. Wenn ich davon auch zwanzig Jahre nichts gemerkt habe, sondern erst heute, wo es verdammt spät ist.«
»Wenn meine Mutter den Vorhang zur rechten Seite schmiß und wie so ein Dragoner aus dem Geschäft raus gefegt kam und ich im Weg war, dann klatsch! klatsch! klatsch! kriegte ich ein paar ins Gesicht. Einfach weil ich im Weg war, das war oft genug der einzige Grund. Ein paar Minuten später war ich plötzlich der liebe Junge, den man auf den Arm nehmen und küssen muß. Die hat sich dann gewundert, daß ich mich sträubte und Angst hatte. Schon als ganz kleiner Junge hatte ich Angst vor dieser Frau, genauso, wie vor meinem Vater, aber von meinem Vater habe ich noch weniger gesehen. Ich frage mich heute nur, wie er das ausgehalten hat. Er war manchmal von morgens um vier bis abends um zehn oder elf Uhr ununterbrochen am Arbeiten, meistens in der Wurstküche. Den habe ich tagelang überhaupt nicht gesehen, und wenn ich ihn hörte oder sah, dann nur wie er durch die Gegend gejagt ist, wie er brüllte. Aber als ich Wickelsäugling war und die Windeln vollmachte, er ist derjenige gewesen, der sich um mich kümmerte. Er hat nämlich selber erzählt: ›Ich bin derjenige gewesen, der immer die Windeln waschen und wechseln mußte. Meine Frau hat es nie gemacht. Sie konnte das nicht, sie konnte sich nicht dazu überwinden.‹
Ich habe nie die Absicht, meine Mutter mies zu machen. Ich habe meine Mutter gern, ich liebe meine Mutter, aber ich glaube nicht, daß sie ein Mensch ist, der irgendeiner besonderen Einsicht fähig ist. Meine Mutter muß mich sehr lieben. Ich finde es wirklich frappierend, sonst würde sie nicht alles tun, was sie für mich tut. Früher habe ich viel vor die Nase gekriegt. Kleiderbügel hat sie an mir kaputtgeschlagen, wenn ich z. B. die Schularbeiten nicht richtig oder nicht schnell genug machte.
Das mit dem Baden hat sich so eingebürgert. Meine Mutter hatte

mich immer gebadet. Sie hat nie damit aufgehört, und ich habe nie gemeckert, obwohl ich gerne mal gesagt hätte: ›Nun, Gott . . .‹ Aber ich weiß es nicht, es ist genau so gut möglich, daß ich *das bis zum Schluß als selbstverständlich ansah.* Auf jeden Fall mein Vater hätte nicht reinkommen dürfen. Da hätte ich geschrien.
Bis ich neunzehn war und verhaftet wurde, war das so: Ich habe mir selber die Füße und die Hände gewaschen. Meine Mutter hat mir den Kopf, den Hals und den Rücken gewaschen. Das wäre vielleicht normal gewesen, aber über den Bauch ist sie auch gegangen, bis unten hin, und auch die Oberschenkel, also praktisch von oben bis unten alles runter. Man kann durchaus sagen, daß sie viel mehr machte als ich. Ich habe meistens überhaupt nichts gemacht, obwohl sie sagte: ›Wasche Dir die Hände und Füße.‹ Aber ich war meistens ziemlich faul. Weder meine Mutter noch mein Vater hat mir jemals gesagt, ich sollte das Geschlechtsteil unter der Vorhaut sauberhalten. Meine Mutter hat mir das beim Baden auch nicht gemacht.
Ob ich das Ganze absonderlich fand? Das ist *ein Gefühl, das periodisch für Sekunden oder Minuten aufkommt und vielleicht nahe daran ist, durchzubrechen*, aber es kommt nicht ganz bis zur Oberfläche. Ich habe das empfunden, aber nicht direkt. Ich habe das nur indirekt empfunden, wenn man etwas überhaupt indirekt empfinden kann.
Ich kann mich nicht erinnern, daß ich jemals spontan zärtlich mit meiner Mutter war, daß ich sie in den Arm nahm und versuchte, mit ihr zu schmusen. Ich kann mich dunkel daran erinnern, daß sie mich mal abends beim Fernsehen, wenn ich im Bett zwischen meinen Eltern lag, so genommen hat, aber das mag in vier Jahren zweimal vorgekommen sein, und ich habe das auch eher abgewehrt. Meine Mutter war nie besonders glücklich darüber, aber ich habe immer so eine Art Horror vor ihr gehabt. Ich weiß nicht, wie man das nennen soll, vielleicht eine Ironie des Schicksals, oder noch etwas trauriger. *Wenn ich als kleiner Junge von meiner Mutter träumte, entweder verkaufte sie mich oder sie kam mit dem Messer auf mich los. Das zweite ist auch später leider Gottes wahr geworden.*
Das war 1964 oder 1965. Ich glaube, es war ein Dienstag, meine Mutter war damals nur dienstags und donnerstags in Katernberg im Geschäft. In der Mittagszeit wurden die Fleischstücke umgepackt und die Theken abgewaschen. Meine Mutter hat eine

Hälfte abgewaschen und ich die andere. Die Messer wurden auch abgewaschen, sie standen in einem Eimer. Ich sagte, ich sei fertig, aber sie hatte ihren schlechten Tag und sagte: ›Du bist noch lange nicht fertig!‹ ›Doch‹, sagte ich, ›guck dir es an.‹ Sie sagte: ›Guck dir bloß die Spiegel an, die mußt du alle noch mal machen.‹ Ich sagte: ›Ich werde die auch nicht noch mal machen, weil sie schon schön blank sind.‹ Sie stand hinten am Spiegel. Ich stand drei oder vier Meter von ihr weg. Sie bückte sich in den Eimer. Ich denke, was ist jetzt los? Dann holte sie ein schönes, langes Metzgermesser raus und warf es auf mich zu, etwa in Schulterhöhe. Ich weiß nicht mehr, ob es an einer Waage abprallte oder wo, aber auf jeden Fall landete es auf einem Brett. Wenn ich nicht im letzten Moment ausgewichen hätte, hätte sie mich damit getroffen.
Ich habe steif gestanden wie ein Brett. Ich wußte überhaupt nicht, wo ich war. Es war irgendwie so unwirklich. Das war eine Sache, die man sich überhaupt nicht vorstellen konnte. Dann kam sie auf mich zu, spuckte mir ins Gesicht, und fing an, zu schreien, daß ich ein Stück Scheiße wäre. Dann schrie sie noch: ›Ich werde Herrn Bitter‹ – Leiter des Essener Jugendamts – ›anrufen, dann kann er dich gleich abholen, damit du hinkommst, wo du hergekommen bist, denn dort gehörst du hin!‹
Ich bin in die Küche zur Verkäuferin, Frau Ohskopp, gelaufen, sie wusch die Sachen vom Mittagessen. Ich stellte mich an den Schrank und hielt mich da fest. Ich sagte: ›Sie hat ein Messer nach mir geworfen.‹ ›Du spinnst‹, sagte sie, ›du bist nicht gescheit.‹ Ich bin die Treppe in den Lokus runtergelaufen und habe mich hingesetzt und wie ein Schloßhund geheult. Als ich dann wieder raufging, lief meine Mutter in der Küche herum und hatte das Telefonbuch aufgeschlagen. Wahrscheinlich hat sie tatsächlich die Nummer von Herrn Bitter gesucht. Eine ganze Zeitlang hat sie mit mir nicht gesprochen. Anscheinend meinte sie, *das ist ein böser Mensch, der sich mit einem Messer bewerfen läßt und einfach zur Seite springt*, ich weiß es nicht.«
»Sie sollten meinen Vater mal hören! Er hat ein ganz außergewöhnliches Organ, eine echte Oberfeldwebel-, Schirrmeister-, Kommißstimme. Furchtbar! Es kann verschiedene Ursachen geben – seine Frau, sonst irgendetwas, das ihm nicht gefällt. Manchmal gab es ein ganz furchtbares Gebrüll, aber ich bin überzeugt, daß er das nicht beileibe selber so empfindet. Er kann

nicht anders. Als Kind war das für mich grauenhaft. Ich habe viele solche Erinnerungen.
Er hatte immer Kommandobefehle und Rügen zu verteilen. Er kann halt nicht anders, ich sagte es ja schon öfters. Aber er hat verdammt viel um den Kopf, und so wollen wir es ihm nicht übelnehmen.
Im ersten Prozeß hat der Vorsitzende meinem Vater gesagt: ›Herr Bartsch, wie ist das gewesen, da im Heim in Marienhausen soll so viel geschlagen worden sein, da soll es so brutal gewesen sein.‹ Mein Vater hat geantwortet, wörtlich: ›*Na, schließlich ist er ja nicht totgeschlagen worden.*‹ Das war eine deutliche Antwort.
Meine Eltern waren in der Regel tagsüber für mich nie erreichbar. Natürlich rauschte mal ab und zu meine Mutter im Eilzugstempo an mir vorbei, aber sie war verständlicherweise für ein Kind nicht ansprechbar. Den Mund aufzumachen wagte ich kaum, denn ich stand überall im Wege, und das, was man Geduld nennt, hat meine Mutter nie gezeigt. Es ist oft passiert, *daß ich Schläge bekam, aus dem einfachen Grund, weil ich sie etwas fragen oder bitten wollte und ihr dabei im Weg war.*
Ich habe sie innerlich nie verstehen können. *Ich weiß, wie sehr sie mich liebte und noch liebt*, aber ein Kind, so dachte ich immer, muß das auch spüren. Nur ein Beispiel (es ist keinesfalls ein Einzelfall, so etwas habe ich oft erlebt): Meine Mutter fand absolut nichts dabei, mich in einer Minute in den Arm zu nehmen und zu küssen, und in der nächsten Minute sah sie, daß ich aus Versehen die Schuhe anbehalten hatte, nahm einen Kleiderbügel aus dem Schrank und zerschlug ihn auf mir. In dieser Art etwa geschah oft etwas, und *jedesmal zerbrach irgend etwas in mir.* Diese Behandlung, diese Dinge habe ich nie vergessen können und werde es nicht können, hier stehe ich und kann nicht anders. Mancher würde sagen, ich sei undankbar. Das stimmt wohl kaum, denn dies alles ist nicht mehr und nicht weniger als der Eindruck, der erlebte Eindruck, den ich habe, und die Wahrheit sollte eigentlich besser sein als fromme Lügen.
Meine Eltern hätten gar nicht erst heiraten sollen. Wenn zwei Menschen, die kaum Gefühle zeigen können, eine Familie gründen, so muß es meiner Ansicht nach irgendein Unglück geben. Es hieß immer: ›Mund halten, du bist der Jüngste, du hast sowieso nichts zu sagen, sprich nicht als Kind, wenn du nicht gefragt bist.‹«

»Am traurigsten bin ich, wenn ich zu Hause bin, wo alles so steril ist, daß man bald auftreten muß nur auf Zehenspitzen, ist ja alles sooo sauber, wenn es Heiligabend ist, und ich gehe runter ins Wohnzimmer. Viele Geschenke sind da für mich, ist ja ganz toll, und wenigstens an diesem Abend beherrscht meine Mutter einigermaßen ihr Wechselbad-Temperament, so daß man meint, vielleicht kannst du heute abend mal deine (also meine) eigene Schlechtigkeit etwas vergessen, aber es knistert irgendwie Spannung in der Luft, so daß man weiß: es wird ja doch wieder Scheiße; wenn man wenigstens ein Weihnachtslied singen könnte, und die Mutter sagt: ›Nun sing doch mal ein Weihnachtslied!‹, und ich sage: ›Ach, laß doch, kann ich nicht, bin ich doch auch viel zu groß für‹, aber denken tue ich: ›Kindermörder singt Weihnachtslieder, da soll man nicht verrückt werden.‹ Ich packe meine Geschenke aus und ›freue‹ mich, zumindest tue ich so. Mutter packt ihre Geschenke aus, die von mir, und freut sich wirklich. Inzwischen ist das Essen fertig, Hühnersuppe mit dem Huhn drin, und der Vater kommt, zwei Stunden nach mir, er hat bis jetzt gearbeitet. Er wirft Mutter irgendein Haushaltsgerät vor die Füße, ihr kommen die Tränen vor Rührung, und er brummt irgendetwas, das ›Fröhliche Weihnachten‹ bedeuten könnte. Er setzt sich an den Eßtisch: ›Na, wie ist das, kommt ihr endlich?‹ Schweigend wird die Suppe gelöffelt, das Huhn rühren wir nicht an.
Kein Wort wird gesprochen während dieser Zeit, nur das Radio spielt leise, wie schon seit Stunden. ›Die Hoffnung und Beständigkeit gibt Kraft und Trost zu dieser Zeit . . .‹ Wir sind fertig mit Essen. Vater setzt sich auf und brüllt uns an: ›Prima! Und was machen wir jetzt?‹, so laut er kann, richtig gemein hört es sich an. ›Nichts machen wir jetzt!‹ schreit meine Mutter und läuft weinend in die Küche. Ich denke: ›Wer straft mich da, das Schicksal oder der liebe Gott?‹, weiß aber sofort, daß das *so* nicht stimmen kann, und der Sketsch fällt mir ein, den ich im Fernsehen gesehen habe: ›Dasselbe wie letztes Jahr, Madame?‹ – ›Dasselbe wie *jedes* Jahr, James!‹
Ich frage leise: ›Willst du nicht wenigstens nachschauen, was wir dir geschenkt haben?‹ – ›Nein!‹ – Er sitzt nur da und stiert mit leerem Blick auf das Tischtuch. Es ist noch keine acht Uhr. Ich habe hier unten nichts mehr zu suchen, mache, daß ich auf mein Zimmer komme, laufe da hin und her, und es ist ernst mit den

Gedanken: ›Springst du nun aus dem Fenster oder nicht?‹ Warum habe ich die Hölle hier, warum wäre ich besser tot als so was zu erleben? Weil ich ein Mörder bin? Das kann gar nicht ganz stimmen, es war heute nicht anders als jedes Jahr. Dieser Tag war immer am schlimmsten, am meisten natürlich in den letzten Jahren, als ich noch zu Hause war. Da kam an einem Tag alles, aber auch wirklich alles, zusammen.
Natürlich gehört mein Vater (meine Mutter natürlich auch) zu den Menschen, die überzeugt sind, die ›Erziehung‹ der Nazis hätte auch ihr Gutes gehabt. ›Selbstverständlich‹, möchte ich beinah sagen, habe ich auch meinen Vater schon sagen hören (im Gespräch mit ebenfalls älteren Leuten, die ja nahezu *alle* so denken!), ›da war noch Disziplin, da war Ordnung, die kamen nicht auf dumme Gedanken, wenn sie geschliffen wurden‹ usw. Ich glaube, daß die meisten jungen Leute so wie ich darauf verzichten würden, sich über Verwandte in puncto Drittes Reich zu erkundigen, weil ja jeder von uns befürchten muß, es käme irgend etwas dabei heraus, das wir lieber gar nicht wissen wollten.
Die Geschichte von ihr und vom Fleischermesser im Laden war mit Sicherheit nach der dritten Tat, aber, nicht ganz so kraß, war ähnliches (natürlich nur mit meiner Mutter) schon vorher vorgekommen. So etwa alle Halbejahr, auch schon vor der ersten Tat. Immer dann, wenn sie mich schlug. Sie wurde immer wütend, wenn ich die Schläge abwehrte. Ich sollte so quasi strammstehen, um die Prügel zu empfangen. So mit sechzehneinhalb bis neunzehn Jahren, wenn sie mich da schlagen wollte und hatte etwas in der Hand, da habe ich es ihr dann einfach aus der Hand genommen. Das war für sie so ziemlich das Schlimmste. Sie empfand das als Auflehnung, obwohl es nur Notwehr war, denn sie ist beileibe nicht schwach. Und in den Momenten hätte sie es in Kauf genommen, mich zu verletzen. So etwas merkt man.
Das waren immer Gelegenheiten, bei denen ich entweder irgend etwas gegen ihren Ordnungssinn getan hatte (›Das Vorzimmer ist geputzt, da kommt mir heute keiner rein!‹) oder ein Widerwort gegeben hatte« (aus Moor, 1972, S. 63-79).

Ich habe Jürgen Bartsch eine Weile erzählen lassen, ohne ihn zu unterbrechen, um dem Leser etwas von der Atmosphäre einer analytischen Stunde vermitteln zu können.

Man sitzt da, hört zu, und wenn man dem Patienten glaubt, ihn nicht erzieht, ihm keine Theorien anbietet, tut sich manchmal mitten im wohlbehüteten Elternhaus eine Hölle auf, von deren Existenz weder die Eltern noch der Patient bisher etwas geahnt haben.
Könnte man sagen, daß Jürgen Bartschs Eltern bessere Eltern gewesen wären, wenn sie gewußt hätten, daß das spätere Verhalten ihres Sohnes ihr eigenes an die Öffentlichkeit tragen wird? Das ist nicht auszuschließen, es ist aber auch denkbar, daß sie aus eigenen, unbewußten Zwängen nicht anders mit ihm hätten umgehen können, als sie es taten. Aber es ist anzunehmen, daß sie, wenn sie besser unterrichtet gewesen wären, ihn nicht aus dem guten Kinderheim in das Internat nach Marienhausen gegeben hätten, ihn nicht gezwungen hätten, dorthin zurückzugehen, nachdem er geflohen war. Was Jürgen Bartsch in seinen Briefen an Paul Moor über Marienhausen erzählt, und was durch die Aussagen der Zeugen im Prozeß davon ans Licht kam, zeigt, wie sehr die »Schwarze Pädagogik« noch unsere Gegenwart beherrscht. Hier einige Zitate:

»Marienhausen war, im Vergleich dazu, und nicht nur PaPüs wegen, die Hölle, wenn auch eine katholische, das macht sie nicht besser. Ich denke da nur an die stete Schlägerei im Priesterrock, ob nun in der Schule, beim Chor, oder, auch da machte man sich nichts daraus, in der Kirche. An die sadistischen Strafen (stundenlang Strammstehen im Schlafanzug im Kreis im Hof, bis der erste zusammenbricht), an die verbotene Kinderarbeit bei schwerer Hitze auf dem Feld, wochenlang nachmittags (Heuwenden, Kartoffellesen, Rübenziehen, Stockschläge für langsame Kinder), die gnadenlose Verteufelung der (für die Entwicklung notwendigen!) ach so bösen ›Schweinereien‹ unter Jungen, das unnatürliche ›Silentium‹ beim Essen, ab bestimmter Uhrzeit usw., und die verwirrenden, unnatürlichen Sprüche gegenüber Kindern, etwa: ›Wer eines unserer Küchenmädchen auch nur *anschaut*, bekommt Prügel!‹ (S. 105).
Der Diakon Hamacher hat mir mal abends im Schlafsaal (ich hatte gesprochen, und es herrschte abends strenges Silentium)

eine gewischt, daß ich unter ein paar Betten entlanggerutscht bin. Kurz davor hatte der ›Pater Katechet‹ ein großes Tafellineal auf meinem Hinterteil zerschlagen und verlangte allen Ernstes, ich solle es bezahlen.
Einmal in der sechsten Klasse habe ich Grippe gehabt und lag auf der Krankenstation beim Katecheten. Er war nicht nur Religionslehrer, sondern auch Sanitäter. Neben mir lag ein Junge, der hohes Fieber hatte. Der Katechet kam rein, steckte dem das Thermometer irgendwohin, ging raus, kam nach ein paar Minuten wieder, holte das Thermometer raus, sah es sich an, und dann hat er den Jungen ganz jämmerlich verprügelt. Der Junge, der immerhin schweres Fieber hatte, winselte und schrie. Ich weiß nicht, ob der Junge überhaupt etwas davon mitbekommen hat. Auf jeden Fall tobte er ganz wild rum, der Katechet, und brüllte: ›Er hat das Thermometer an die Heizung gehalten!‹ – wobei er aber vergaß, daß gar kein Winter war, daß die Heizung gar nicht an war« (S. 106).

Das Kind muß hier lernen, Absurditäten und Launen der Erzieher widerspruchslos und ohne Gefühle von Haß hinzunehmen und zugleich die Sehnsucht nach körperlicher und seelischer Nähe eines Menschen, die diesen Druck erleichtert hätte, aus sich zu verdammen und abzutöten. Das ist *eine übermenschliche Leistung, die man nur von Kindern fordert, aber nie von Erwachsenen erwartet.*

»Erstens hat PaPü gesagt: ›Wenn wir bloß zwei zusammen erwischen!‹ Und wenn das dann geschah, dann erstmal die übliche Tracht Prügel, bloß wahrscheinlich noch schlimmer als üblich, und das will schon etwas heißen. Dann natürlich sofort, am nächsten Tag, rausgeschmissen. Mein Gott, vorm Rausschmiß hatten wir weniger Angst als vor diesen Prügeln. Und dann die üblichen Sprüche in dem Zusammenhang, wie man solche Jungs erkennen könnte usw., also ungefähr, wer feuchte Hände hat, ist homosexuell und macht Sauerei, und wer solche Sauerei macht, ist schon ein Verbrecher. Praktisch in diesem Ton ist uns das gesagt worden, und vor allen Dingen, daß eben diese verbrecherischen Schweinereien direkt nach Mord kommen – ja, sogar mit denselben Worten: direkt nach Mord.
PaPü sprach fast jeden Tag davon, es wäre ja nicht so, als ob die Versuchung nicht auch einmal an ihn selbst herantreten könne.

Er sagte, daß es an sich etwas Natürliches wäre, daß sich, wie er sich ausdrückte, ›das Blut staut‹. Ich fand das immer einen fürchterlichen Ausdruck. . . . Er hätte dem Satan noch nie nachgegeben, und er war stolz darauf. Das hörten wir praktisch jeden Tag, nicht im Unterricht, sondern immer zwischendurch.
Morgens um sechs oder halb sieben standen wir immer auf. Strengstes Silentium. Dann stillschweigend vorbereitet, immer in Doppelreihe, ganz ordentlich, die Treppe runter und in die Kirche rein, dann Messe feiern. Aus der Messe raus, immer noch in Stillschweigen und in Doppelreihen (S. 108 f.).
Persönlicher Kontakt, Freundschaften als solche waren verboten. Daß ein Junge allzuhäufig mit einem anderen spielen würde, das war verboten. Bis zu einem bestimmten Grad konnte man das umgehen, weil sie auch ihre Augen nicht überall haben konnten, aber es war eben verboten. Sie dachten, Freundschaft als solche sei verdächtig, weil jemand, der sich einen richtigen Freund anschaffen würde, er würde ihn nun eben in die Hose fassen. Sie haben sofort hinter jedem Blick etwas Sexuelles gewittert.
Man kann Kindern schon mit Schlägen einiges einpauken, das ist klar. Das bleibt auch drin. Es wird heute oft bestritten, aber wenn es unter richtigen Umständen vonstatten geht, wenn man weiß, daß man es behalten muß, dann bleibt es auch drin, und *vieles ist auch bis heute drin geblieben* (S. 111).
Wenn PaPü mal etwas wissen wollte, wer irgend etwas gemacht hätte, hat er uns runtergejagt in den Schulhof zum Dauerlauf, so lange, bis die ersten keine Luft mehr bekamen und zusammenbrachen.
Er erzählte sehr oft (oder auch etwas öfter) in allen Einzelheiten von grausamen Massenmorden an Juden im Dritten Reich und zeigte uns auch viele Bilder davon. Er schien es nicht ungern zu tun (S. 118).
Gern hat PaPü im Chor wahllos darauf geschlagen, wen er erwischen konnte, und hatte dabei Schaum vor dem Mund. Oft ging der Stock kaputt, wenn er prügelte, und auch dabei die unverständliche Raserei und der Schaum in den Mundwinkeln« (S. 120).

Der gleiche Mann, der immer vor der Sexualität warnt und mit Maßnahmen droht, lockt Jürgen in sein Bett, als das Kind krank ist:

»Er wollte sein Radio wiederhaben. Die Betten standen ziemlich weit auseinander. Ich bin aufgestanden, mit meinem Fieber, und habe das Radio rübergebracht. Und nun hieß es auf einmal: ›Wenn du schon einmal da bist, nun komm gleich ins Bett.‹
Ich habe mir immer noch nichts dabei gedacht. Wir sind erst mal eine gewisse Zeitlang nebeneinander gelegen, bis er mich an sich drückte und seine Hand hinten in meine Hose hineinschob. Das war an sich neu, aber, alles in allem, auch nicht so neu. Morgens auf der Empore, ich weiß nicht mehr wie oft, es kann viermal, es kann auch siebenmal gewesen sein, als wir nebeneinander saßen, hat er immer mal so nebenbei irgendwelche Bewegungen gemacht, so daß er an meine kurze Hose kam.
Da im Bett schob er seine Hand hinten in die Hose meines Schlafanzugs hinein und ›streichelte‹ mich. Dasselbe tat er auch vorne und versuchte, bei mir zu onanieren, aber dies ging wohl darum nicht, weil ich Fieber hatte (S. 120).
Ich weiß nicht mehr, mit welchen Worten er das sagte, aber auf jeden Fall hat er mir gesagt, er würde mich schon *fertigmachen, wenn ich die Schnauze aufreißen würde*« (S. 122).

Wie schwer ist es für ein Kind, aus dieser Situation ohne Hilfe herauszukommen. Und doch wagt Jürgen die Flucht, die ihn noch deutlicher seine hoffnungslose Lage, seine Einsamkeit *in der ganzen Welt*, spüren läßt:

»In Marienhausen, vor der Sache mit PaPü, hatte ich eigentlich Heimweh nie gekannt, aber auf einmal, da, wie mich meine Eltern nach Marienhausen zurückbrachten, da habe ich ganz furchtbares Heimweh gehabt. Ich hatte viel mit PaPü zu tun, und ich konnte mir nicht vorstellen, noch dazubleiben. Nun war ich weg von Marienhausen und konnte mir nicht vorstellen, wieder zurückzugehen. Auf der anderen Seite habe ich aber damit gerechnet: Wenn du jetzt nach Hause reingehst, bekommst du eine fürchterliche Tracht Prügel. Deswegen hatte ich Angst. *Ich konnte weder nach vorne noch zurück.*
Neben der Siedlung ist ein großer Wald, und da bin ich reingegangen. Dort habe ich mich praktisch von nachmittags bis zur Dämmerung rumgetrieben. Nun auf einmal war meine Mutter in dem Wald. Jemand hatte mich wahrscheinlich gesehen. Hinter einem Baum habe ich sie gesehen. Sie rief: ›Jürgen? Jürgen? Wo bist du?‹ Und so bin ich mit ihr gegangen. Das große Geschimpfe und Geschrei ging natürlich sofort los.

Meine Eltern haben dann sofort nach Marienhausen telefoniert. Ich habe ihnen nichts erzählt. Tagelang haben sie mit Marienhausen telefoniert, dann kamen sie zu mir und sagten: ›Also, sie haben dir noch eine Chance gegeben! Du kommst wieder zurück!‹ Ich habe natürlich gejammert und geheult: ›Bitte, bitte, ich will nicht zurück!‹ Aber wer meine Eltern kennen würde, wüßte dann, daß da nichts zu machen war« (S. 123).

Jürgen Bartsch schildert Marienhausen nicht nur aus der eigenen Perspektive, er beschreibt z. B. das Schicksal eines Kameraden:

»Er war ein guter Kamerad. Lange vor mir war er schon in Marienhausen. Aus Köln war er, und er war der Kleinste in unserer Klasse. Auf sein ›Kölle‹ ließ er nichts kommen. Wie oft er sich gerauft hat, weil jemand seine Stadt beleidigt hatte, ich kann es nicht sagen. Weil es keine ›Stadt‹ gibt, sondern nur Menschen, die jemandem etwas bedeuten, heißt es wohl, daß er stets von Heimweh geplagt war.
Er war auch länger dort als ich. Im Chor kam er, da er nun wirklich der Kleinste war, niemals umhin, in der ersten, vordersten Reihe zu stehen, und so quasi bei jeder Probe sein Teil an Schlägen in die Nieren und ins Gesicht zu empfangen. O Gott, *mehr* als sein Teil, denn es gab auch die letzte Reihe, die verhältnismäßig geschützt war. Wie oft er getreten und geschlagen wurde, ich kann es nicht sagen. Es soll hier keine Heldenverehrung stattfinden, die würde er uns nie verzeihen. Denn er war kein Held und wollte keiner sein. Hatte PaPü oder der dicke Katechet ihn in der Mangel, dann schrie er wie kein anderer, dann brüllte er seinen Schmerz hinaus, daß man glauben konnte, die verhaßten, heiligen Mauern stürzten ein.
Im Jahre 1960, im Zeltlager in Rath bei Niedeggen, an einem Sommerabend, ließ Pater Pütlitz ihn ›entführen‹. Ein Spiel sollte es sein, ein lustiges. Aber Herbert wußte es nicht, weil ihm niemand kundtat. Man schleppte ihn tief in den abendlichen Wald, fesselte und knebelte ihn, steckte ihn in einen weißen Schlafsack und ließ ihn liegen. Er lag bis Mitternacht. Angst, Bitten, Verzweiflung, Einsamkeit, es ist müßig. Was er gefühlt hat, ich kann es nicht sagen. Nach Mitternacht wurde er ausgelacht, Spott und Hohn, ein Spiel, ein lustiges.
Als er ein paar Jahre von Marienhausen fort, aber noch lange

nicht erwachsen war, stürzte er sich bei einer Bergtour zu Tode. Er wurde geboren, um geschlagen und gequält zu werden und ›sodann‹ zu sterben. Er war der Kleinste in unserer Klasse. Er hieß Herbert Grewe. Und er war ein guter Kamerad« (S. 126).

Marienhausen ist nur eines der vielen Beispiele . . .:

»Anfang 1970 ist im Don-Bosco-Heim in *Köln* eine Art Skandal gewesen, der durch Presse und Rundfunk ging. Die Zustände, die damals in Marienhausen niemanden aufregten, haben jetzt das Jugendamt von Köln dazu bewegt, alle seine Kinder vom Kölner Don-Bosco-Heim abzuziehen, angeblich weil sie nicht mehr verantworten können, ihre Kinder in so einem Heim zu belassen. Die Lehrer sollen die Kinder die Treppe runtergeprügelt haben, mit Schuhen auf ihnen rumgetrampelt sein, sie mit dem Kopf in den Lokus gestoßen haben usw., dieselben Scherze also, die sie mit uns in Marienhausen machten. Genau dasselbe, und auch ein Don-Bosco-Heim, von den guten Salesianer-Patres geleitet. Es stand auch in den Berichten, daß vier Lehrer sich laufend an den ihnen Anvertrauten vergangen hätten. Pater Pütlitz war nach 1960 einige Jahre Erzieher genau in diesem Kölner Heim« (S. 130).

In dieser Hölle erlebt Jürgen Bartsch auch etwas Positives, wofür er dankbar ist: zum ersten Mal ist er nicht der einzige Prügelknabe wie zu Hause und in der Schule. Hier gibt es die Solidarität »den sadistischen Lehrern gegenüber«:

»Die gute Seite bedeutete für mich so viel, daß ich auch vielleicht noch Schlimmeres in Kauf genommen hätte. Die Hauptsache bleibt, das Wunderbare erlebt zu haben, nun einmal nicht ausgeschlossen zu sein. Es gab eine einmalige Solidarität unter uns Schülern den sadistischen Lehrern gegenüber. Ich habe mal ein arabisches Sprichwort gelesen: Der Feind meines Feindes ist mein Freund. Sie müßten das miterlebt haben, das ungeheuerliche Solidaritätsgefühl, das Zusammenschließen von uns. Die Erinnerung soll manches hochheben, aber ich glaube wirklich nicht, daß ich das tue. Da war ich einmal *kein* Außenseiter. Wir hätten uns alle lieber in Stücke schlagen lassen, als einen Kameraden zu verraten. Das war geradezu unwahrscheinlich« (S. 131).

Die Verfolgung der »bösen Triebe« setzt sich noch in der Psychiatrie fort, die Bartsch mit einer Kastration, an der er dann, 1977, stirbt, zu helfen hofft, mit der Begründung, daß er seinen »zu starken Trieb« nicht beherrschen könne. Diese Idee ist nahezu grotesk, wenn man bedenkt, daß Jürgen bereits mit 11 Monaten trocken war. Es muß ein besonders begabtes Kind gewesen sein, dem diese Leistung so früh, sogar in einem Spital, wo eine feste Bezugsperson fehlte, gelungen ist. Damit bewies Bartsch, daß er zur »Triebbeherrschung« in hohem Maße fähig war. Aber gerade darin lag sein Verhängnis. Hätte er sich nicht so gut und so lange beherrscht, dann hätten seine Pflegeeltern ihn vielleicht gar nicht adoptiert oder an jemanden weggegeben, der ihm mehr Verständnis entgegengebracht hätte.

Jürgens Begabung half ihm zunächst, *sich den Gegebenheiten im Dienste des Überlebens anzupassen*: alles schweigend über sich ergehen zu lassen, gegen die Einsperrung im Keller *nicht zu rebellieren* und doch noch gute Leistungen in der Schule zu vollbringen. Aber dem Ausbruch der Gefühle in der Pubertät waren seine Abwehrmechanismen nicht mehr gewachsen. Ähnliches können wir in der ganzen Drogenszene beobachten. Man wäre versucht zu sagen »zum Glück«, wenn die Folgen dieses Zusammenbruchs nicht die Fortsetzung der Tragik mit sich brächten:

»Natürlich habe ich des öfteren mal zu meiner Mutter gesagt: ›Warte nur, bis ich einundzwanzig bin!‹ Soweit habe ich natürlich gewagt, etwas zu sagen. Dann hat meine Mutter natürlich gesagt: ›Ja, ja, stell dir mal vor, einmal bist du sowieso zu dumm dazu, woanders zu existieren als bei uns. Und dann, wenn du wirklich nach draußen kommen würdest, dann wirst du schon sehen, du wirst nach zwei Tagen wieder hier sein.‹ Ich habe das da in dem Moment geglaubt, wie sie das sagte. Ich hätte es mir selbst nicht zugetraut, länger als zwei Tage draußen allein zu existieren. Warum, weiß ich nicht. Und ich wußte genau, daß ich mit einundzwanzig Jahren *nicht* weggehen würde. Das war mir sonnenklar, aber es mußte mal ein klein wenig Luft abgelassen

werden. Aber daß ich das nun wirklich absolut ernst ins Auge gefaßt hätte, ist völlig absurd. Das hätte ich niemals getan.
Als ich im Beruf anfing, habe ich nicht gesagt: ›Das gefällt mir‹, ich habe auch nicht gesagt: ›Das ist grauenhaft.‹ Ich habe an sich sehr wenig darüber nachgedacht« (S. 147).

So wurde jede Hoffnung auf ein eigenes Leben bei diesem Menschen im Keime erstickt. Wie ist das anders zu bezeichnen denn als Mord an der Seele? Mit dieser Art von Mord hat sich die Kriminalistik bisher nie beschäftigen, ja sie nicht einmal wahrnehmen können, weil sie als ein Bestandteil der Erziehung völlig legalisiert ist. Erst die letzte einer langen Kette von Handlungen ist vor dem Gericht strafbar, und sie schildert oft minutiös genau, aber für den Täter unbewußt, die ganze leidvolle Vorgeschichte des Verbrechens.
Die genauen Beschreibungen seiner »Taten«, die Jürgen Bartsch an Paul Moor richtet, zeigen, wie wenig diese Verbrechen im Grunde mit dem »Sexualtrieb« zu tun haben, obwohl Jürgen Bartsch vom Gegenteil überzeugt war und sich schließlich aus diesem Grund zur Kastration entschloß. Der Analytiker kann aus diesen Briefen einiges über den narzißtischen Ursprung einer sexuellen Perversion erfahren, etwas, das in der Fachliteratur immer noch nicht genügend bearbeitet ist.
Jürgen Bartsch versteht es eigentlich selber nicht und fragt sich mehrmals, warum sein Sexualtrieb von dem, was da geschah, getrennt war. Es gab Kameraden in seinem Alter, die ihn angezogen haben, die er liebte und mit denen er sich eine Freundschaft gewünscht hätte, aber alles das unterscheidet er deutlich von dem, was er mit den kleinen Kindern machte. Er hätte auch kaum bei ihnen onaniert, schreibt er. Hier inszenierte er die Situation einer *tiefen Demütigung, Bedrohung, Vernichtung der Würde, Entmachtung und Ängstigung eines kleinen Jungen in Lederhosen, der er einst gewesen war*. Es erregte ihn besonders, in die verängstigten, gefügigen, hilflosen Augen des Opfers zu blicken, in denen er sich selbst begegnete und mit dem er

die Vernichtung seines Selbst in großer Erregung immer wieder durchspielte – diesmal nicht mehr als hilfloses Opfer, sondern als der mächtige Verfolger.

Da das erschütternde Buch von Paul Moor vergriffen ist, werde ich hier längere Partien aus Bartschs Schilderungen seiner Taten zitieren. Seine ersten Versuche machte er mit Axel, einem Nachbarjungen.

»Dann, ein paar Wochen später, war es genau dasselbe. ›Komm mit in den Wald‹, sagte ich, und Axel meinte: ›Nein, da kriegst du wieder deinen Rappel!‹ Aber ich habe ihn doch mitgenommen, weil ich ihm versprach, ihm nichts zu tun. Aber ich habe dann doch wieder den Rappel bekommen. Ich habe den Jungen wieder mit Gewalt restlos nackt ausgezogen, und dann hatte ich plötzlich blitzartig einen teuflischen Einfall. Ich schrie ihn wieder an: ›So wie du jetzt bist, legst du dich jetzt auf meinen Schoß, mit dem Po nach oben! Mit den Beinen darfst du strampeln, wenn es weh tut, aber Arme und alles andere müssen ganz still sein! Ich schlage dir nämlich jetzt dann dreizehn Schläge auf den Hintern und einer immer fester als der andere! Wenn du nicht willst, bring ich dich um!‹ Das ›Umbringen‹ war damals noch eine leere Drohung, zumindest war ich selbst davon überzeugt! ›Willst du?!‹
Er wollte – was blieb ihm auch anders übrig? Ich tat, nachdem er sich mit dem Po nach oben auf meinen Schoß gelegt hatte, genau das, was ich gesagt hatte. Ich schlug und schlug, immer fester, und der Junge strampelte wie verrückt mit den Beinen, wehrte sich ansonsten aber nicht. Ich hörte nicht bei dreizehn auf, sondern als meine Hand so wehtat, daß ich nicht mehr schlagen konnte.
Danach dasselbe: tiefe Ernüchterung, das Gefühl unglaublicher Erniedrigung vor sich selbst und jemandem, den man doch so sehr mag, das heulende Elend sozusagen. Axel *weinte* übrigens *nicht*, er war auch danach noch nicht einmal ›übertrieben‹ ängstlich. Er war nur lange sehr, sehr still.
›Schlag mich‹, bat ich ihn. Er hätte mich totschlagen können, ich hätte mich nicht gewehrt, aber er wollte nicht. Am Ende war ich es, der heulte. ›Jetzt willst du sicher nichts mehr von mir wissen‹, sagte ich ihm auf dem Wege nach Hause. Keine Antwort.

Am nächsten Tag, nachmittags, kam er doch wieder zu meiner Tür herein, aber irgendwie leiser, vorsichtiger als sonst. ›Bitte – nicht mehr‹, sagte er nur. Sie werden es nicht glauben, ich habe es auch zuerst nicht geglaubt, aber er trug mir nichts nach! Wir haben noch oft zusammen gespielt, eine Zeitlang, bis er fortzog, aber soweit ich weiß, habe ich mich bei dem zuletzt erzählten Geschehnis selber derart vor mir selbst erschreckt, daß ich eine Weile Ruhe hatte. Eine ›kleine Weile‹, wie es schon in der Bibel steht« (S. 135).
»Über die schlimmsten Dinge kann ich nur sagen, daß ich stets das Gefühl hatte, ab einem bestimmten Zeitpunkt (etwa dreizehn oder vierzehn Jahren), keinen direkten Einfluß mehr darauf zu haben, wirklich nicht anders zu können. Gebetet habe ich und gehofft, daß wenigstens dies etwas nützte, aber auch das nützte nicht.«
»Sie waren alle so klein, viel kleiner als ich. Sie haben alle solche Angst gehabt, daß sie sich gar nicht gewehrt haben« (S. 137).
»Bis 1962 ging das nur um das Ausziehen und das Befühlen und so. Später, als das Töten dazu kam, da war ziemlich sofort auch das Zerschneiden dabei. Zuerst habe ich immer an Rasierklingen gedacht, aber nach der ersten Tat habe ich dann auch langsam an Messer, an unsere Messer gedacht« (S. 139).

Als Zwischenbemerkung ist es wichtig festzuhalten:

»Wenn ich jemanden persönlich liebe, wie ein Junge ein Mädchen lieben würde, ist das eben mehr, als wenn er meinen Idealvorstellungen als Opfer meines Triebes entspricht. Es ist nicht, daß ich mich da nun bemühen müßte, mich da irgendwie zurückzuhalten, das ist Quatsch. In so einem Fall fällt der Trieb einfach automatisch aus« (S. 155).

Ganz anders war er mit den kleinen Jungen:

»In dem Moment wäre es mir sehr lieb gewesen, wenn der Junge sich gewehrt hätte, obwohl die Hilflosigkeit der Kinder im allgemeinen für mich ein Anreiz war. Aber ich war ehrlich überzeugt, daß der Junge keinerlei Chancen gegen mich gehabt hätte.
Frese habe ich versucht zu küssen, aber das gehörte zu keinerlei Plan. Das kam irgendwie aus der Situation heraus. Ich weiß nicht wie, von Sekunde zu Sekunde war der Wunsch da. Ich

dachte, daß das zwischendurch mal ganz toll wäre. Das war für mich etwas Neues. Viktor und Detlef hatte ich niemals geküßt. Wenn ich heute sage, er wollte geküßt werden, würde mir jeder sagen: ›Du Schwein, das kann dir sonst wer glauben!‹ – aber das ist tatsächlich wahr. Es ist meiner Ansicht nach bloß dadurch erklärbar, daß ich ihn vorher so furchtbar geschlagen hatte. Wenn ich mal versuchte, mich in seine Lage zu versetzen, kann ich mir nur vorstellen, daß es für ihn einzig und allein darauf ankam, was schlimmer war, was weher tat. Ich meine, geküßt zu werden von jemandem, der mir abscheulich ist, ist mir immer noch lieber, als wenn derjenige mir von hinten eines in die Hoden tritt. Aus dem Sinn ist das erklärlich. Aber damals war ich etwas verblüfft. Er sagte: ›Weiter! Weiter!‹ Dann habe ich schließlich weitergemacht. Es wird richtig sein, daß es ihm allein darauf ankam, was nun leichter zu ertragen war« (S. 175).

Es fällt auf, daß Jürgen Bartsch, der so offen und ausführlich erzählt, wie er die Kinder mißhandelt hat, obwohl er weiß, welche Gefühle das in anderen weckt, sehr ungern, knapp, ungenau und nur gezwungenermaßen die Erinnerungen preisgibt, in denen *er das hilflose Opfer war*. Mit acht Jahren wurde er von seinem 13jährigen Vetter sexuell verführt und später, mit 13, im Bett seines Lehrers und Erziehers. Hier spürt man besonders kraß die Diskrepanz zwischen der subjektiven und der sozialen Realität. Im Wertsystem des kleinen Jungen erlebt sich Jürgen Bartsch in den Mordszenen als der Mächtige mit einem starken Selbstbewußtsein, obwohl er weiß, daß ihn alle dafür verdammen. In den anderen Szenen kommt aber der abgewehrte Schmerz des gedemütigten Opfers hoch und löst eine unerträgliche Scham in ihm aus. Das ist u. a. auch der Grund dafür, daß so viele Menschen sich an die Schläge ihrer Kindheit entweder gar nicht oder nur ohne die dazugehörenden Gefühle, d. h. ganz gleichgültig und »cool« erinnern können.

Wenn ich hier die Kindheitsgeschichte Jürgen Bartschs mit seinen Worten erzähle, dann tue ich das nicht, um ihn von Schuld zu »exkulpieren«, wie es die Richter der Psy-

choanalyse vorwerfen, auch nicht, um seine Eltern zu beschuldigen, sondern um zu zeigen, daß jede einzelne Handlung einen Sinn hatte, den man jedoch nur entdecken kann, wenn man vom *Zwang, den Zusammenhang zu übersehen*, frei wird. Ich war von den Zeitungsberichten über Jürgen Bartsch zwar erschüttert, aber nicht moralisch entrüstet, weil ich weiß, daß das, was Jürgen Bartsch getan hat, bei Patienten oft in Form von Phantasien auftaucht, wenn sie die Möglichkeit haben, ihre verdrängten, frühkindlichen Rachegefühle ins Bewußtsein kommen zu lassen (vgl. S. 236). Aber gerade weil sie die Möglichkeit haben, darüber zu sprechen und ihre Gefühle von Haß, Wut und Rachebedürfnis jemandem anzuvertrauen, müssen sie die Phantasien nicht in die Tat umsetzen. Diese Möglichkeit hatte Jürgen Bartsch nicht im geringsten. Er hatte im ersten Lebensjahr keine feste Bezugsperson, dann durfte er bis zum Schulalter nie mit anderen Kindern spielen, auch die Eltern spielten nie mit ihm, in der Schule wurde er schnell zum Prügelknaben. Es ist verständlich, daß sich ein so isoliertes und zu Hause mit Prügeln zum Gehorsam erzogenes Kind in der Gemeinschaft der Gleichaltrigen nicht durchsetzen konnte. Er hatte entsetzliche Ängste und wurde deshalb um so mehr von den Kindern verfolgt. Die Szene nach der Flucht aus Marienhausen zeigt die grenzenlose Einsamkeit dieses Jugendlichen zwischen seinem »wohlbehüteten« bürgerlichen Zuhause und dem frommen Internat. Das Bedürfnis, zu Hause alles zu erzählen, und das Wissen, daß niemand ihm glauben würde, die Angst, sich bei den Eltern zu melden, und die Sehnsucht, sich dort ausweinen zu dürfen – ist es nicht die Situation Tausender von Jugendlichen?
Im Heim hält sich Jürgen, als braves Kind seiner Eltern, an die dortigen Verbote, deshalb reagiert er mit Verwunderung und Wut, als ein ehemaliger Schulkollege im Prozeß erzählt, er hätte »selbstverständlich« mit einem anderen Knaben geschlafen. Es gab also die Möglichkeit, Verbote zu umgehen, aber nicht für Kinder, die bereits im

Säuglingsalter unter Lebensbedrohung Gehorsam hatten lernen müssen. Diese Kinder sind dankbar, als Ministranten dienen zu dürfen und wenigstens so dem Priester, irgendeinem Lebewesen, näherzukommen.
Die Kombination von Gewalttätigkeit und sexueller Erregung, die das als Eigentum benützte ganz kleine Kind bei seinen Eltern erlebt, kommt sehr oft in Perversionen und im delinquenten Verhalten zum Ausdruck. Auch in den Mordtaten von Jürgen Bartsch spiegeln sich viele Elemente seiner Kindheit mit erschreckender Genauigkeit wider:

1. Das unterirdische Versteck, in dem er die Kinder umbringt, erinnert an Bartschs Beschreibungen des Eingesperrtseins im Keller mit Gittern und an die drei Meter hohen Mauern.
2. Den Taten ging das »Suchen« voraus. Auch er wurde vor der Adoption gesucht und später (nicht schnell, sondern langsam) am Leben gehindert.
3. Er hat die Kinder mit dem Messer, »mit unserem Messer«, wie er schreibt, aufgeschnitten.
4. Er war erregt, als er in ihre erschrockenen und hilflosen Augen geschaut hat. In diesen Augen begegnete er sich selbst mit den Gefühlen, die er hatte unterdrücken müssen. Zugleich erlebte er sich in der Rolle des verführenden erregten Erwachsenen, dem er einst ausgeliefert war.

In den Mordtaten von Jürgen Bartsch drückt sich Mehrfaches aus:

1. der verzweifelte Versuch, im Verborgenen die verbotene »Triebbefriedigung« dem Schicksal abzutrotzen;
2. die Abfuhr des *aufgestauten und in der Gesellschaft verpönten Hasses* auf die Eltern und die Heimerzieher, die ihm das Lebendige zu leben verboten und nur an seinem »Benehmen« interessiert waren;
3. die *Inszenierung des Ausgeliefertseins* an die Gewalttätigkeit der Eltern und Erzieher, die nun auf den kleinen

Jungen in kurzen Lederhosen (wie Jürgen Bartsch als Kind sie trug) projiziert wurde;
4. die zwanghafte Provokation des Abscheus und Ekels in der Öffentlichkeit, den seine Mutter einst empfunden hatte, als Jürgen im zweiten Lebensjahr wieder einnäßte und einkotete.

Im Wiederholungszwang wird – wie bei vielen Perversionen – der Blick der frühen Mutter gesucht. Jürgen Bartschs »Taten« geben nun in der Öffentlichkeit Anlaß zum (*begründeten*) Entsetzen, wie z. B. die Provokationen Christianes, die im Grunde ihren unberechenbaren Vater zu manipulieren versuchten (vgl. Seite 136), den Hauswärtern, den Lehrern und den Polizisten *reale* Schwierigkeiten und Kränkungen verursachten.

Wer das Motiv zu Kindermorden nur im »krankhaften Sexualtrieb« sehen möchte, wird vielen Gewaltakten unserer Zeit verständnis- und hilflos gegenüberstehen. Ich berichte hier kurz von einem Fall, in dem die Sexualität keine besondere Rolle spielt, der aber die Geschichte der eigenen Kindheit in tragischer Weise deutlich widerspiegelt.

»Die Zeit« vom 27. 7. 1979 bringt einen Artikel über die elfjährige Mary Bell, die 1968 wegen Totschlags in zwei Fällen vom englischen Gericht zu lebenslänglicher Anstaltsverwahrung verurteilt wurde. Sie ist heute 22, sitzt im Gefängnis und bekam bis jetzt keine psychotherapeutische Behandlung.

Ich zitiere aus diesem Bericht:

Zwei kleine Jungen, drei und vier Jahre alt, sind ermordet worden. Der Vorsitzende der Kammer in Newcastle fordert die Angeklagte auf, aufzustehen. Die Kleine erwidert, sie stehe schon. Mary Bell, wegen Kindesmordes in zwei Fällen angeklagt, ist ganze elf Jahre alt.

Am 26. Mai 1957 gebar die 17jährige Betty Mc C. im Dilston Hall Hospital, Corbridge, Gateshead, das Kind Mary. »Nehmt das Vieh von mir weg«, rief Betty angeblich, und sie zuckte zurück, als ihr das Baby ein paar Minuten nach der Geburt in den

Arm gelegt wurde. Als Mary drei Jahre alt war, ging ihre Mutter Betty mit ihr eines Tages spazieren – von Bettys stutziger Schwester heimlich verfolgt. Betty brachte Mary zu einer Adoptionsagentur. Aus dem Zimmer, wo die Unterredungen stattfanden, kam eine weinende Frau heraus und sagte, daß man ihr kein Baby geben wollte, weil sie zu jung sei und nach Australien auswanderte. Betty sagte ihr: »Ich habe die da zur Adoption hergebracht. Nehmen Sie sie.« Damit schob Betty die kleine Mary der Fremden hin und ging.[. . .] In der Schule fiel Mary auf: Jahrelang schlug, stieß und kratzte sie andere Kinder. Sie erwürgte Tauben, ihren kleinen Cousin stieß sie von einem Luftschutzbunker zweieinhalb Meter tief auf einen Betonboden hinunter. Am Tage darauf *drückte sie auf einem Spielplatz die Hälse von drei kleinen Mädchen zusammen.* Mit neun Jahren kam sie in eine neue Schule, wo zwei Lehrer, die Mary unterrichteten, später erklärten: »Es ist besser, wenn man nicht zu genau in ihrem Leben und ihren Verhältnissen stöbert.« Später erzählte eine Polizeibeamtin, die Mary während der Untersuchungshaft kennenlernte: »Sie langweilte sich. Sie stand am Fenster, beobachtete eine Katze, die die Regenrinne heraufkletterte, und fragte, ob sie sie hereinnehmen dürfte . . . Wir öffneten das Fenster, und sie hob die Katze herein und begann, mit ihr mit einem Wollfaden auf dem Fußboden zu spielen . . . Dann blickte ich auf und sah zuerst, daß sie die Katze an der Haut im Nacken hielt. Aber dann wurde mir klar, daß sie die Katze so fest hielt, daß das Tier nicht atmen konnte und seine Zunge heraushing. Ich sprang hin und riß ihr die Hände weg. Ich sagte: ›Du darfst das nicht tun, du tust ihr weh.‹ Sie antwortete: ›*Ach, sie spürt das nicht, und jedenfalls mag ich kleinen Dingern weh tun, die sich nicht wehren können.*«

Einer anderen Beamtin erzählte Mary, sie würde gerne Krankenschwester werden – »weil ich dann Nadeln in die Menschen stechen könnte. *Ich tue den Menschen gern weh.*« Marys Mutter Betty heiratete im Laufe der Zeit Billy Bell, kultivierte aber nebenbei einen ziemlich speziellen Kundschaftskreis. Nach Marys Prozeß klärte Betty einen Polizeibeamten über ihre »Spezialität« auf: »Ich peitsche sie«, sagte sie in einem Ton, aus dem die Verwunderung darüber herauszuhören war, daß er es nicht wußte. »Aber ich habe die Peitschen immer vor den Kindern versteckt.«

Das Verhalten von Mary Bell läßt gar keinen Zweifel daran, daß ihre Mutter, die sie mit 17 gebar und ablehnte, die das Auspeitschen als Beruf ausübte, *ihr eigenes Kind in der gleichen Art gequält, bedroht und wahrscheinlich umzubringen versucht hat*, wie Mary das mit der Katze und den zwei kleinen Kindern tat; aber es gibt kein Gesetz, das ihr das verboten hätte.
Eine psychotherapeutische Behandlung ist nicht billig, das wird ihr oft vorgehalten. Aber ist es billiger, ein 11jähriges Kind sein ganzes Leben lang einzusperren? Und was soll daraus werden? Ein Kind, das so früh mißhandelt wurde, muß auf irgendeine Art das ihm geschehene Unrecht, den an ihm begangenen Mord erzählen können. Wenn es niemanden hat, *findet es die Sprache nicht und kann es nur erzählen, indem es das tut, was ihm angetan wurde*. Damit weckt es bei uns Entsetzen. Das Entsetzen müßte aber *dem ersten Mord gelten, der im Geheimen und unbestraft verübt wurde*, dann könnten wir dem Kind vielleicht doch helfen, *seine Geschichte bewußt zu erleben und sie nicht mehr in gefährlichen Inszenierungen erzählen zu müssen.**

Die Mauern des Schweigens

Ich habe die Geschichte von Jürgen Bartsch beschrieben, um am konkreten Material zeigen zu können, wie uns die Einzelheiten einer Mordinszenierung Schlüsse zum Verständnis des Seelenmordes in der Kindheit geben können. Je früher dieser Seelenmord stattfindet, um so schwerer ist er für den Betroffenen faßbar, um so weniger mit Erinnerungen und Worten belegbar und deshalb auf Inszenierungen angewiesen, wenn er sich mitteilen will. Aus diesem Grund ist mein Interesse auf die frühesten Erleb-

* Während ich die Fahnenabzüge dieses Buches lese, erfahre ich aus der Zeitung, daß Mary Bell das Gefängnis verlassen darf, inzwischen »eine anziehende Frau geworden« sei und »den Wunsch habe, in der Nähe ihrer Mutter zu wohnen«.

nisse gerichtet, wenn ich die tieferen Wurzeln einer Delinquentenlaufbahn verstehen möchte. Trotz dieses Interesses geschah mir folgendes: Nachdem ich das ganze Kapitel fertig geschrieben und die von mir angestrichenen Stellen im Buch nochmals kontrolliert hatte, stellte ich fest, daß ich die für mich wichtigste Stelle übersehen hatte. Es war das Zitat über das Schlagen des Säuglings.

Das Übersehen dieser Stelle, die doch für mich als Bestätigung meiner These eine so wichtige Bedeutung hatte, zeigte mir, wie schwer es uns fällt, uns einen von der Mutter geschlagenen Säugling vorzustellen, dieses Bild nicht abzuwehren und seine Konsequenzen emotional voll zuzulassen. Das wird der Grund dafür sein, warum sich auch Psychoanalytiker so wenig mit diesen Tatsachen befassen und warum die Folgen solcher Kindheitserlebnisse noch so wenig untersucht worden sind.

Man würde mein Anliegen mißverstehen und verdrehen, wenn man aus diesem Kapitel eine Beschuldigung von Frau Bartsch herauslesen würde. Ich möchte gerade *von jedem Moralisieren freikommen und nur auf die Ursachen und Wirkungen hinweisen*, daß nämlich geschlagene Kinder weiterschlagen, bedrohte bedrohen, gedemütigte weiter demütigen und *an der Seele getötete weiter töten*. Was die Moral anbetrifft, so müßte man sagen, daß keine Mutter ihren Säugling ohne Grund schlägt. Da wir nichts über die Kindheit von Frau Bartsch wissen, bleiben diese Gründe im Dunkeln. Aber sie bestehen zweifellos, genauso wie die Gründe von Alois Hitler. Eine Mutter, die ihren Säugling schlägt, zu verurteilen und die ganze Sache von sich wegzuschieben, ist zwar leichter, als die Wahrheit zuzulassen, zeugt aber von einer *sehr zweifelhaften Moral.* Denn unsere moralische Entrüstung isoliert die ihre Säuglinge mißhandelnden Eltern noch mehr und vergrößert ihre Not, die sie zu diesen Gewalttätigkeiten bringt. Diese Eltern stehen unter einem Zwang, das Kind als Ventil zu gebrauchen, *gerade weil sie ihre eigene wirkliche Not nicht verstehen können.*

Dies als Tragik zu begreifen, heißt aber wiederum nicht, daß man schweigend zusehen sollte, wie die Eltern ihre Kinder seelisch und körperlich kaputtschlagen. Es müßte eigentlich selbstverständlich sein, daß man diesen Eltern das Recht auf die Betreuung ihrer Kinder entzieht und ihnen eine psychotherapeutische Behandlung anbietet.

Die Idee, über Jürgen Bartsch zu schreiben, stammt nicht von mir. Eine mir bisher unbekannte Leserin des *Dramas* schrieb mir einen Brief, aus dem ich hier mit ihrer Erlaubnis zitiere.

»Bücher helfen zwar nicht, Gefängnisse aufzubrechen, aber es gibt Bücher, die den Mut stärken, mit neuer Kraft an Gefängnistüren zu rütteln. Dies Ihr Buch ist für mich so eins.

An einem Punkt Ihres Buches sprechen Sie über körperliche Züchtigung an Kindern (ich finde die Stelle gerade nicht und kann mich nicht konkret darauf beziehen) und sagen, daß Sie über Deutschland keine Aussage machen können, weil Sie sich da nicht auskennen.* Ich möchte Sie da beruhigen und Ihre schlimmsten Ahnungen bestärken. Glauben Sie, die KZs der Nazizeit wären möglich gewesen, wenn nicht physischer Terror im Sinne von Schlägen mit Stöcken, Ausklopfern, Rohrstöcken, Riemenpeitschen in deutschen Kinderstuben die Regel gewesen wären? Ich selbst bin jetzt 37 Jahre, Mutter von 3 Kindern und versuche immer noch mit sehr wechselndem Erfolg, die seelisch verheerenden Folgen dieser elterlichen Strenge zu bewältigen, und wenn nur, damit meine Kinder freier aufwachsen können.

In einem ›Heldenkampf‹ von nun fast 4 Jahren gelingt es mir nicht, den aggressiv strafenden Vater aus meiner inneren Struktur zu vertreiben, bzw. ihn zu vermenschlichen. Sollte es eine Neuauflage Ihres Buches geben, dann dürfen Sie, glaube ich, Deutschland wohl an die oberste Stelle stellen, was Kindsmißhandlung anbelangt. Auf un-

* Hier ist der Gedanke aus meinem Buch nicht ganz sinngemäß wiedergegeben worden (vgl. AM: *Das Drama*, S. 121).

seren Straßen sterben die meisten Kinder in allen europäischen Ländern, und was in unseren Kinderzimmern von Generation zu Generation weitergegeben wird, liegt hinter einer dicken Mauer von Schweigen und Abwehr. Und die, die aus innerer Not heraus gezwungen werden, durch eine Analyse gestärkt, hinter die Mauern zu blicken, *werden schweigen, weil sie wissen, daß keiner ihnen glauben wird*, was sie dort gesehen haben. Damit Sie nicht falsche Schlüsse ziehen: ich habe meine Prügel nicht in einer Asozialen-Siedlung bezogen, sondern in den wohlgeordneten Verhältnissen eines »harmonischen Elternhauses« der gehobenen Mittelklasse. Mein Vater ist Pfarrer.«
Die Autorin dieses Briefes machte mich auf das Buch von Paul Moor aufmerksam, und ihr verdanke ich die Beschäftigung mit diesem Schicksal, von dem ich vieles gelernt habe. Auch bei dieser Gelegenheit erfuhr ich etwas über meine eigene Abwehr. Ich hatte ja seinerzeit vom Jürgen Bartsch-Prozeß gehört, war aber dieser Geschichte nicht weiter nachgegangen. Erst der Brief dieser Leserin brachte mich auf einen Weg, auf dem ich keine andere Wahl mehr hatte, als ihn zu Ende zu gehen.

Auf diesem Weg erfuhr ich auch, wie wenig die Annahme stimmt, daß Kinder in Deutschland mehr mißhandelt werden als in anderen Ländern. Manchmal fällt es uns sehr schwer, eine allzu erdrückende Wahrheit zu ertragen, und wir müssen sie daher mit Hilfe von Illusionen abwehren. Eine häufige Form der Abwehr ist die zeitliche und räumliche Verschiebung. So können wir uns zum Beispiel leichter vorstellen, daß Kinder in den vergangenen Jahrhunderten oder in entfernten Ländern mißhandelt werden oder wurden, nur nicht bei uns, hier und jetzt. Es gibt auch die andere Hoffnung: Wenn sich ein Mensch, wie z. B. die oben zitierte Leserin, so mutig dazu entscheidet, der Wahrheit seiner Geschichte nicht mehr auszuweichen, sich ihr im Namen seiner Kinder voll zu stellen, möchte er vielleicht wenigstens den Glauben behalten, daß die

Wahrheit nicht *überall* so bedrückend ist, daß es in anderen Ländern, zu anderen Zeiten, besser, humaner zuging als in seiner nächsten Nähe. Ohne jegliche Hoffnung könnten wir kaum leben, und möglicherweise setzt die Hoffnung ein gewisses Maß an Illusionen voraus. Im Vertrauen darauf, daß der Leser sich die Illusionen, die er braucht, wird bewahren können, möchte ich einige Angaben über die noch heute in der Schweiz (nicht nur in Deutschland) geduldete und mit Verschweigen geschützte Erziehungsideologie machen. Ich zitiere nur einige Beispiele aus einer umfangreichen Dokumentation des »Sorgentelephons« in Aefligen, Kanton Bern/Schweiz, die an über 200 Zeitungen geschickt wurde, von denen nur zwei den hier beschriebenen Tatsachen je einen Artikel widmeten.*

5. 2., Aargau: 7jähriger Knabe wird von seinem Vater arg mißhandelt (Schläge mit Fäusten, Geißel, einschließen usw.) Nach Aussage seiner Mutter wird sie ebenso geschlagen. Grund: Alkohol und finanzielle Engpässe.
St. Gallen: 12jähriges Mädchen hält es zu Hause nicht mehr aus, seine Eltern schlagen es jedesmal mit dem Lederriemen, wenn etwas passiert ist.
Aargau: 12jähriges Mädchen wird von seinem Vater mit den Fäusten verboxt und mit dem Hosengürtel verdrescht. Grund: Es darf keine Freunde haben, denn der Vater will die Tochter für sich allein.
7. 2., Bern: 7jähriges Mädchen ist von zu Hause ausgerissen. Grund: Seine Mutter schlägt es als Strafe immer mit dem Teppichklopfer. Nach Aussagen der Mutter dürfe man Kinder, bis sie schulreif sind, schlagen, denn bis zu der Zeit würde dies den Kindern seelisch nicht schaden.
8. 2., Zürich: 15jähriges Mädchen wird von seinen Eltern sehr streng gehalten. Zur Strafe zerrt man es an den Haaren oder »schraubt« gleichzeitig beide Ohrläppchen. Seine Eltern sind der Ansicht, die Tochter müsse streng an die Kandare genommen werden, denn das Leben sei hart und diese Härte müsse ein Kind als Kind spüren, später würde es sonst nur weich.

* Beim Korrekturlesen erfahre ich, daß sich inzwischen noch drei Elternzeitschriften entschlossen haben, diese Dokumente zu publizieren.

14. 2., Luzern: Vater legt seinen 14jährigen Sohn mit dem Rücken über die Knie und biegt ihn durch, bis es im Rücken knackt (»Banane machen«). Das ärztliche Attest erkennt eine Gelenkverschiebung im Rückgrat. Grund der Mißhandlung: Sohn hat in einem Supermarkt ein Sackmesser gestohlen.
15. 2., Thurgau: 10jähriges Mädchen ist verzweifelt. Als Strafe hat ihr Vater den Hamster vor ihren Augen getötet und zerschnitten.
16. 2., Solothurn: 14jähriger Junge erhält absolutes Onanieverbot. Seine Mutter droht, ihm bei Wiederholung das Glied abzuschneiden. Nach Aussagen seiner Mutter kommen alle, die das tun, in die Hölle. Seit sie dasselbe bei ihrem Mann entdeckt habe, ziehe sie alle Register, um diese Schande zu bekämpfen.
Graubünden: Vater schlägt seiner 15jährigen Tochter mit voller Wucht auf den Kopf. Das Mädchen wird bewußtlos. Das ärztliche Attest erkennt einen Riß im Schädel. Grund der Mißhandlung: Tochter kam eine halbe Stunde zu spät nach Hause.
17. 2., Aargau: 14jähriger Junge ist todunglücklich, weil er keinen Menschen kenne, mit dem er reden könne. Eigentlich sei er *selbst schuld*, denn er habe vor anderen Menschen Angst, besonders vor Mädchen.
18. 2., Aargau: 13jähriger Junge wird von seinem Onkel zu sexuellen Handlungen gezwungen. Der Junge will sich umbringen, nicht allein wegen der Handlung, sondern mehr, weil er Angst hat, nun homosexuell zu sein. Seinen Eltern darf er nichts sagen, er riskiere nur Schläge.
Basel-Land: 13jähriges Mädchen wurde von seinem Freund (18 Jahre) geschlagen und zum Beischlaf gezwungen. Weil das Mädchen große Angst vor den Eltern hat, will es alles für sich behalten.
Basel: 7jähriger Knabe hat große Angst. Die Angst komme immer gegen Mittag und bleibe bis in den späten Nachmittag. Die Mutter will ihren Sohn nicht zum Psychologen schicken: Sie hätten erstens kein Geld, und er spinne ja nicht. Bedenken hat sie zwar, denn er wollte schon zweimal aus dem Fenster springen.
20. 2., Aargau: Vater schlägt seine Tochter und droht, ihr die Augen auszustechen, wenn sie noch länger mit ihrem Freund »ziehe«. Grund: Die zwei sind für zwei Tage abgehauen.
21. 2., Zürich: Vater hängt seinen 11jährigen Sohn für 4 Stunden an den Beinen an die Wand. Nachher stülpt er das Kind in ein

kaltes Bad. Grund: Er hat in einem Supermarkt etwas gestohlen.
27.2., Bern: Lehrer gibt immer wieder exemplarisch seinen Schülern Ohrfeigen, wobei der Betroffene nach dem Schlag »Bürzelbaum« machen muß. Der Qualeffekt liegt in der pausenlosen Wiederholung, bis der Schüler liegenbleibt.
29. 2., Zürich: 15jähriges Mädchen wird von seiner Mutter seit 6 Jahren geschlagen (mit Besen, Eßbesteck, Elektrokabel). Es ist verzweifelt und will von seiner Mutter weg.

Innert zweier Jahre, seit das Sorgentelefon besteht, haben die Betreuer(innen) von folgenden Methoden physischer Mißhandlung gehört:
Schlagen: *Ohrfeige*: häufiges, kräftiges Schlagen mit einer Hand auf das Ohr, mit der Faust, mit dem angewinkelten Daumen. *Sandwichohrfeige*: Hier wird mit beiden Händen gleichzeitig geschlagen, mit beiden Fäusten oder mit beiden angewinkelten Daumen. *Hand*: abwechselnder, starker Handschlag auf den Körper. *Faust*: mit beiden Fäusten abwechslungsweise auf den Körper schlagen. *Doppelfaust*: mit beiden Händen, zu Fäusten geschlossen, auf den Körper einschlagen. *Ellbogen*: mit den Ellbogen kräftig auf den Körper einhauen. *Arme*: mit den Armen und dem Ellbogen abwechslungsweise auf den Körper einschlagen. *Kopfnüsse*: geschlagen oder mit Streifschlag, mit dem Ehering geschlagen oder gestreift. *Tatzen*: Nicht nur Lehrer schlagen heute noch mit dem Lineal, auch Eltern. Besonders praktisch sind Plastiklineale. Die Tatze wird geschlagen: auf die Handinnenfläche, auf die Handballen, auf die Handrücken, auf die Fingerbeeren, wobei die Finger geschlossen nach oben gehalten werden müssen. Seltener: Tatzen mit den Kanten der Lineale.
Strom: Mit der *»brennenden Rute aus der Steckdose«* machten schon einige Kinder Erfahrung: durch kurzes Verbinden mit dem Strom oder dadurch, daß die Klinke der Kinderzimmertür unter Strom gesetzt wurde.
Fleischwunden: Schläge, so daß Wunden entstehen: mit bloßer Hand (durch die Fingernägel aufgeschnitten), mit den Fäusten (durch den Ring aufgerissen), mit Gabel, Messer, Messerkante, Löffel, mit dem Stromkabel, mit der Gitarrensaite (ausgeführt wie Peitschenhiebe). Gestochen, so daß Wunden entstehen: mit Nadeln, Stricknadeln, Scheren.

Brüche: Knochen werden gebrochen durch Wegschleudern, Rückwärts-Wegstoßen, Aus-dem-Fenster-Werfen, Die-Treppe-Hinunterstoßen, Die-Treppe-Hinaufwerfen, Zuschlagen der Autotüre, Fußtritt auf den Brustkorb, so daß Rippen brechen, Herumtrampeln auf dem Körper, Die-Faust-auf-den-Kopf-Schlagen (Schädelriß), Handkantenschläge.

Brennen: Brandwunden: brennende Raucherwaren auf dem Körper löschen, brennendes Streichholz auf dem Körper löschen, mit Lötkolben brennen, heißes Wasser nachwerfen, Stromstöße, brennen mit dem Feuerzeug.

Würgen: mit bloßer Hand, Stromkabel, Autofenster (indem das Fenster mit dem Kopf des Kindes dazwischen zugedreht wird).

Quetschungen: Sie treten auf durch: Schlagen, Autotüren-Zuschlagen, wobei Finger, Arme, Beine und der Kopf eines Kindes verletzt werden. Fußtritte, Boxen. *Ausreißen der Haare*: büschelweise, vom Kopf, im Nacken, seitlich, an Schnauz und Brust, Bart (bei Jugendlichen).

Hängen: Kinder haben berichtet, ihr Vater habe sie zur Strafe an den Beinen an die Wand gehängt und stundenlang so gelassen.

Abdrehen, drehen: das Ohr einzeln »schrauben«, beide Ohren gleichzeitig »schrauben«, Arme hinter dem Rücken drehen und hinaufpressen; *massieren* mit dem Fingerknorpel: Schläfe, Schlüsselbein, Schienbein, Brustbein, unterhalb der Ohren, über dem Nacken; *knicken*: Das Kind wird mit dem Rücken über die Knie gelegt und durchgedrückt (»Banane machen«).

Blutablassen (selten): Einem 10jährigen Kind wurde die innere Ellbogenvene aufgeschnitten und Blut abgelassen, bis es nicht mehr wach sein konnte. Als es ohnmächtig wurde, waren seine Sünden vergeben.

Unterkühlen (selten): Kinder werden unterkühlt und in kaltes Wasser getaucht. Das Auftauen verursacht Schmerzen.

Tauchen: Kinder, die in der Badewanne spritzen, werden mehrmals ins Wasser getaucht.

Schlafentzug (selten): Ein 11jähriges Mädchen wurde bestraft, indem es während zweier Tage nicht mehr richtig durchschlafen konnte. Alle drei Stunden wurde es geweckt oder im Schlaf ins kalte Wasser getaucht. Auch Bettnässer werden mit Schlafentzug bestraft. Ein Automat im Bett des Kindes weckt es immer, wenn es Wasser gelassen hat. Ein Knabe konnte beispielsweise während dreier Jahre keine Nacht ohne Unterbruch schlafen.

Seine Nervosität wurde mit Medikamenten »behoben«. Seine Schulleistungen nahmen ab. Nun gab die Mutter ihm die Tabletten nur noch sporadisch. Als Folge war das Kind zunehmend in seinem sozialen Verhalten gestört: wieder ein Grund für körperliche Strafe.

Zwangsarbeit: eine Methode, die eher in ländlichen Gegenden angewendet wird. Zur Strafe muß das Kind: die Nacht durcharbeiten, bis zur Erschöpfung den Keller putzen, eine Woche oder einen Monat lang nach der Schule bis nachts um 23 Uhr arbeiten und ab 5 Uhr morgens (auch sonntags).

Essen: Das Kind muß Erbrochenes wieder essen. Dem Kind wird nach dem Essen der Finger in den Mund gesteckt, um es erbrechen zu lassen. Nachher muß es das Erbrochene wieder essen.

Injektionen: Dem Kind wird eine Kochsalzlösung in den Hintern, in die Arme oder in die Schenkel gespritzt (selten). Ein Zahnarzt hat diese Methode schon angewendet.

Nadeln: Wiederholt haben Kinder berichtet, ihre Eltern nähmen zum Einkauf präparierte Nadeln mit. Wenn die Kinder was aus den Gestellen nehmen wollen, fahren ihnen die Eltern liebevoll über den Kopf und stechen sie kurz in den Nacken.

Tabletten: Um das Problem mit dem Einschlafen zu lösen, erhalten Kinder Schlaftabletten und Zäpfchen in erhöhter Dosis. Ein 13jähriges Kind fühlte sich jeden Morgen benommen und konnte nur noch mühevoll lernen.

Alkohol: In die Schoppen von Kleinkindern werden Bier, Schnaps, Likör gegeben. So schlafen die Kinder besser ein und fallen durch ihr Schreien den Nachbarn nicht lästig.

Bücher (selten): Kinder müssen mit ausgestreckten Armen ein oder zwei Bücher halten, bis sie den »Krampf« haben. Ein Mädchen berichtete, es habe dazu auf einem Holzscheit knien müssen.

Kopffeige: Ein Junge berichtete: Sein Vater hielt den Kopf nahe an den Kopf des Sohnes. Nach kurzer Zeit schlug er ihn kurz und schnell gegen den Kopf des Kindes. Der Vater rühmte sich seiner Technik (Kopffeige), die geübt sein müsse, damit er nicht selbst Schmerzen spüre.

Rückschlagen: Rückschlagen ist eine Methode, einen Unfall vorzutäuschen: Das Kind wird angehalten, etwas Schweres mitzutragen. Während des gemeinsamen Tragens läßt der Erwach-

sene plötzlich los. Der Rückschlag verletzt oft die Finger, die Hand oder den Fuß, wenn das Gewicht darauffällt.
Foltern: Ein Kind und seine Großmutter meldeten: Der Vater richtete im ehemaligen Kohlenkeller eine Folterkammer ein. Er fesselte das Kind auf einen »Schragen« und peitschte es aus. Je nach Härte der Strafe verwendete er eine spezielle Peitsche. Öfters ließ er das Kind die Nacht über gefesselt.

Warum haben fast alle Zeitungen, die sich ja hauptberuflich mit der »Gesellschaft« befassen, ausgerechnet diese erschütternden Nachrichten mit Schweigen quittiert? Wer schützt wen und wovor? Warum sollte die Schweizer Öffentlichkeit nicht erfahren, daß unzählige Kinder einem einsamen Martyrium in ihrem schönen Lande ausgesetzt sind? Was wird mit dem Verschweigen erreicht? Könnte es nicht sein, daß es sogar für die mißhandelnden Eltern hilfreich wäre zu erfahren, daß die Not des geschlagenen Kindes, das sie ja selber einst waren, endlich gesehen und ernstgenommen wird? Wie die Taten von Jürgen Bartsch sind zahlreiche Verbrechen am Kind eine unbewußte Mitteilung an die Öffentlichkeit über die eigene, oft kaum erinnerbare Vergangenheit. Einer, der »nicht merken« durfte, was man mit ihm tat, kann nicht anders erzählen, als indem er das tut, was ihm geschehen ist. Die Medien aber, die sich um die Verbesserung der Gesellschaft bemühen wollen, könnten, so möchte man meinen, diese Sprache verstehen lernen, sobald es ihnen nicht mehr verboten ist, zu merken.

Es mag dem Leser sehr seltsam vorkommen, drei Schicksale nebeneinander beschrieben zu sehen, die so verschiedenartig sind. Ich habe sie aber gerade aus diesem Grund ausgesucht und zusammengestellt, denn trotz ihrer Verschiedenheit möchte ich hier Gemeinsamkeiten aufzeigen, die auch für viele andere Menschen gelten können:

1. In allen drei Fällen handelt es sich um eine *extreme Destruktivität*. Bei Christiane ist sie gegen das Selbst gerichtet, bei Adolf Hitler gegen die realen und vermeintlichen Feinde und bei Jürgen Bartsch gegen kleine Jungen, in denen er immer wieder sich selbst mordet, aber zugleich das Leben anderer Kinder auslöscht.
2. Ich verstehe diese Destruktivität als *Entladung des früh aufgestauten, kindlichen Hasses* und dessen Verschiebung auf *andere Objekte* oder auf *das Selbst*.
3. Alle hier erwähnten drei Kinder wurden *schwer mißhandelt und gedemütigt* und zwar nicht nur in Ausnahmesituationen. Vom frühesten Alter an war Grausamkeit das Klima, in dem sie aufgewachsen sind.
4. Eine normale, gesunde Reaktion auf eine solche Behandlung wäre bei einem gesunden, normalen Kind *eine narzißtische Wut von starker Intensität*. Doch im autoritären Erziehungssystem aller drei Familien mußte sie *aufs Schärfste unterdrückt werden*.
5. Alle diese Menschen hatten in ihrer ganzen Kindheit und Jugend *keine erwachsene Person, der sie sich mit ihren Gefühlen, vor allem mit dem Haß, hätten anvertrauen können*.
6. Bei allen drei hier beschriebenen Personen bestand *ein starker Drang, die erlittenen Erfahrungen der Welt mitzuteilen*, sich auf irgendeine Art zu *artikulieren*. Alle drei zeigen auch eine *Begabung, sich verbal auszudrücken*.
7. Da diesen Menschen *der Weg einer* vertrauensvollen,

gefahrlosen, *verbalen Kommunikation versperrt war*, konnten sie ihre Mitteilungen an die Welt nur *in Form von unbewußten Inszenierungen* anbringen.

8. *Alle diese Inszenierungen vermitteln der Welt das Gefühl des Grauens und Entsetzens*, das diese erst beim *letzten Akt dieses Dramas* aufbringt, nicht aber auf die Nachricht von geschlagenen Kindern.
9. Es gehört zum Wiederholungszwang dieser Menschen, daß es ihnen mit ihren Inszenierungen zwar gelingt, *die größte Aufmerksamkeit der Umwelt* auf sich zu ziehen, aber schließlich doch in ihr *den Untergang* zu finden, wie ein regelmäßig geprügeltes Kind, das doch auch eine Art Aufmerksamkeit, aber eine unheilvolle, besitzt. (Christiane ist hier eine Ausnahme, weil ihr in der Pubertät zwei Menschen begegnet sind, mit denen sie sprechen konnte).
10. Alle drei Personen *erfuhren Zärtlichkeit nur als Selbstobjekte, als Eigentum ihrer Eltern*, aber nie als die Menschen, die sie waren. Die Sehnsucht nach Zärtlichkeit, gepaart mit dem Durchbruch destruktiver Gefühle aus der Kindheit, brachte sie in der Pubertät und Adoleszenz zu ihren verhängnisvollen Inszenierungen.

Die drei hier beschriebenen Menschen sind nicht nur Individuen, sondern Repräsentanten bestimmter Gruppen. Man kann diese Gruppen besser verstehen (z. B. Drogenabhängige, Delinquenten, Selbstmörder, Terroristen oder auch eine bestimmte Art von Politikern), wenn man ein Einzelschicksal bis in die verborgene Tragik seiner Kindheit verfolgt. Alle Inszenierungen solcher Menschen schreien im Grunde in zahlreichen Varianten nach Verständnis, tun es aber in einer solchen Form, daß sie alles andere, aber sicher kein Verständnis in der Öffentlichkeit ernten können. Das gehört zur Tragik des Wiederholungszwanges, daß man hofft, endlich eine bessere Welt zu finden, als die, die man als Kind vorgefunden

hat, und im Grunde immer wieder die gleichen Konstellationen schafft.
Wenn man über die erlittene Grausamkeit nicht erzählen kann, weil sie so früh erfahren wurde, daß das Gedächtnis nicht mehr hinreicht, dann muß man *Grausamkeit demonstrieren.* Christiane tut es in ihrer Selbstzerstörung, die andern, indem sie sich Opfer suchen. Wenn man Kinder hat, bieten sich diese Opfer von selbst an, und die Demonstration kann straflos und von der Öffentlichkeit unbemerkt und unbeachtet erfolgen. Wenn man aber keine Kinder hat, wie im Falle von Hitler, kann sich der unterdrückte Haß auf Millionen von Menschen ergießen und sowohl die Opfer wie die Richter stehen angesichts einer solchen Bestialität ahnungslos da. Seit Hitlers Idee, Menschen wie Ungeziefer zu vernichten, sind einige Jahrzehnte vergangen, und die technischen Mittel, die dazu notwendig waren, sind inzwischen sicherlich ungemein perfektioniert worden. Um so wichtiger wäre es, ein Stück weit mit dieser Entwicklung Schritt zu halten und zu verstehen, *woher ein Haß von dieser Intensität und Unersättlichkeit* wie der von Hitler stammen könnte. Denn alle historischen, soziologischen, ökonomischen Erklärungen in Ehren – der Funktionär, der den Gashahn aufdreht, um Kinder zu ersticken, und derjenige, der sich das ausgedacht hat, sind Menschen und waren einmal Kinder. So lange die Öffentlichkeit keinen Sinn dafür entwickelt, daß täglich unzählige Seelenmorde an Kindern begangen werden, an deren Folgen die Gesellschaft zu leiden haben wird, tappen wir im dunklen Labyrinth – trotz aller gutgemeinten Abrüstungspläne.

Als ich diesen ganzen Teil des Buches konzipiert habe, ahnte ich nicht, daß er mich an die Fragen der Friedensforschung heranbringen würde. Ich hatte nur das Bedürfnis, Eltern zu vermitteln, welche Erfahrungen ich in meiner 20jährigen psychoanalytischen Praxis mit der Pädagogik gemacht hatte. Da ich nicht über meine Patienten berichten wollte, wählte ich Menschen, die sich bereits selbst der Öffentlichkeit vorgestellt hatten. Doch das Schreiben gleicht einer abenteuerlichen Reise, von der man bei ihrem Antritt nicht weiß, wohin sie einen führt. Wenn ich mich also auf das Gebiet der Friedensforschung begab, dann nur als ein Vorüberreisender, denn diese Fragen überschreiten bei weitem meine Kompetenz. Aber die Beschäftigung mit dem Leben Hitlers, der psychoanalytische Versuch, aus der Erniedrigung und Demütigung seiner Kindheit seine späteren Taten zu verstehen, konnte nicht ohne Folgen bleiben. Sie brachte mich notgedrungen auf die Fragen der Friedensforschung. Was sich daraus ergab, hat sowohl einen pessimistischen als auch einen optimistischen Aspekt:

Als *pessimistisch* bezeichne ich den Gedanken, daß wir viel mehr, als es unserem Stolz angenehm wäre, von einzelnen Individuen (nicht nur von Institutionen!) abhängig sind, die sich der Masse bemächtigen können, *sobald sie deren Erziehungssystem repräsentieren. Menschen, die bereits als Kinder »pädagogisch« manipuliert worden sind, merken es als Erwachsene nicht, was man alles mit ihnen machen kann. Die Führergestalten*, in denen die Masse den Vater sieht, sind im Grunde (wie auch der einzelne autoritäre Vater) *das sich rächende Kind*, das die Masse für seine Zwecke (die Rache) braucht. Und diese zweite Abhängigkeit, die Abhängigkeit des »Großen Führers« von seiner Kindheit, *von der Unberechenbarkeit des nichtintegrierten, immensen Haßpotentials* in seinem Innern ist wohl die größte Gefahr.

Der *optimistische* Aspekt dieser Untersuchung darf aber auch nicht übersehen werden. In allem, was ich in der letzten Zeit über die Kindheiten von Verbrechern, ja auch Massenmördern gelesen habe, konnte ich nirgends die Bestie, das böse Kind finden, das die Pädagogen zum »Guten« erziehen zu müssen meinen. Ich fand überall einfach wehrlose Kinder, die von den Erwachsenen im Namen der Erziehung und oft *im Dienste höchster Ideale* mißhandelt worden waren. Mein Optimismus beruht also

auf der Hoffnung, daß die Öffentlichkeit die Verschleierung der Mißhandlung im Dienste der Erziehung nicht mehr zulassen wird, sobald sie einmal erkannt hat:
1. daß diese Erziehung im Grunde nicht zum Wohle des Kindes stattfindet, sondern um *Bedürfnisse der Erzieher nach Macht und Rache* zu befriedigen; und
2. daß nicht nur das einzelne mißhandelte Kind, sondern, *in den Konsequenzen, wir alle als Opfer* davon betroffen werden können.

Angst, Zorn und Trauer
– aber keine Schuldgefühle –
auf dem Wege zur Versöhnung

Wenn man sich in die Erziehungsschriften der letzten 200 Jahre vertieft, kann man die systematisch angewandten *Mittel entdecken, mit deren Hilfe es den Kindern unmöglich gemacht wurde, zu erkennen und später zu erinnern*, wie ihre Eltern mit ihnen umgegangen sind.

Ich habe versucht, aus dem Wiederholungszwang der Machtausübung zu verstehen und zu deuten, *warum* die alten Erziehungsmittel immer noch so verbreitet angewendet werden. Was ein Mensch an Unrecht, Demütigung, Mißhandlung und Vergewaltigung erfahren hat, bleibt, entgegen der landläufigen Meinung, *nicht ohne Wirkung*. Das Tragische ist nur, *daß die Wirkung der Mißhandlung auf neue, unschuldige Opfer übergeht, auch wenn sich das Wissen davon im Bewußtsein des Opfers nicht erhalten hat.*

Wie läßt sich dieser Teufelskreis durchbrechen? Man müsse das erfahrene Unrecht vergeben, sagt die Religion; erst dann werde man frei für die Liebe und rein vom Haß. Das ist an sich richtig, aber wo findet man den Weg zur echten Vergebung? Kann man von Vergebung sprechen, wenn einer *kaum weiß, was ihm eigentlich angetan wurde und warum das geschah*? Und in dieser Situation befanden wir uns doch alle als Kinder. Wir konnten nicht begreifen, warum man uns gedemütigt, fallengelassen, bedroht, ausgelacht, wie Holz behandelt, mit uns wie mit Puppen gespielt oder uns blutig geschlagen hat oder abwechselnd beides. Mehr noch, wir durften nicht einmal merken, daß uns all dies geschah, weil man uns *alle Mißhandlungen* als *zu unserem Wohl notwendige Maßnahmen* angepriesen hat. Auch das schlaueste Kind kann eine solche Lüge nicht durchschauen, wenn sie aus dem Mund seiner geliebten Eltern kommt, die ihm doch auch andere, liebevolle Seiten zeigen. Es muß glauben, daß die Art der Behandlung, die ihm zuteil wird, wirklich richtig und gut für es sei, und es wird sie den Eltern nicht nachtragen. Es wird nur als

Erwachsener den eigenen Kindern das gleiche zukommen lassen und sich damit beweisen wollen, daß seine Eltern richtig an ihm gehandelt haben.

Ist es nicht das, was die meisten Religionen unter *Vergebung* verstehen: in der Tradition der Väter das Kind »liebevoll« zu züchtigen und es zum Respekt für seine Eltern zu erziehen? Aber eine Vergebung, die auf der Verleugnung der Wahrheit beruht und ein wehrloses Kind als Ventil gebraucht, ist keine wirkliche Vergebung, und deshalb wird der Haß von den Religionen auf diese Art nicht besiegt, sondern im Gegenteil *ungewollt geschürt*. Der streng verbotene, intensive kindliche Zorn auf die Eltern wird nur auf andere Menschen und auf das eigene Selbst verschoben, nicht aber aus der Welt geschafft, im Gegenteil, durch die Möglichkeit einer erlaubten Abfuhr auf die eigenen Kinder wird er wie eine Pest in die ganze Welt gestreut. Deshalb muß man sich nicht wundern, daß es religiöse Kriege gibt, obwohl dies doch eigentlich ein Widerspruch in sich sein müßte.

Die echte Vergebung führt nicht am Zorn vorbei, sondern durch ihn hindurch. Erst wenn ich mich über das Unrecht, das mir angetan wurde, empören kann, die Verfolgung als solche erkenne, den Verfolger als solchen erleben und hassen kann, erst dann steht mir der Weg offen, ihm zu verzeihen. Der unterdrückte Zorn, die Wut, der Haß werden erst dann nicht mehr ewig fortgezeugt, wenn die Geschichte der Verfolgungen in der frühesten Kindheit entdeckt werden kann. Sie werden sich in Trauer und Schmerz darüber verwandeln, daß es so kommen mußte, sie werden auch in diesem Schmerz dem echten Verständnis Platz machen, *dem Verständnis des nun Erwachsenen*, der einen Einblick in die Kindheit seiner Eltern bekommt und endlich, vom eigenen Haß befreit, echtes, reifes Mitgefühl haben kann. Dieses Verzeihen ist nicht mit Vorschriften und Geboten zu erzwingen, es wird als Gnade erlebt und stellt sich spontan ein, wenn kein unterdrückter, weil verbotener Haß mehr die Seele vergiftet. Die Sonne

braucht nicht zum Scheinen gezwungen zu werden, wenn sich die Wolken verzogen haben, sie scheint einfach. Aber es wäre verfehlt, die Wolken als Hindernisse zu ignorieren, wenn sie einmal da sind.
Hat ein erwachsener Mensch das Glück gehabt, *zu den Ursprüngen seines privaten, individuellen Unrechts* in seiner Kindheit vorzudringen und es mit bewußten Gefühlen zu erleben, dann wird er mit der Zeit von selber, am besten ohne jeglichen erzieherischen oder religiösen Zuspruch, begreifen, daß seine Eltern ihn nicht aus Freude, Stärke und Lebendigkeit gequält oder mißbraucht haben, sondern weil sie nicht anders konnten, weil sie selber einmal Opfer waren und deshalb an die überlieferten Erziehungsmethoden glaubten.

Es fällt vielen Menschen sehr schwer, diese einfache Tatsache zu verstehen, daß nämlich *jeder Verfolger einmal ein Opfer war*. Dabei ist es doch sehr naheliegend, daß ein Mensch, der sich von Kind auf frei und stark fühlen durfte, kein Bedürfnis hat, einen anderen zu erniedrigen. In Paul Klees Tagebüchern findet sich die folgende Erinnerung:

Einem kleinen Mädchen, das nicht schön war und gegen verkrümmte Beine Maschinen trug, suchte ich dann und wann kleine Schäden zuzufügen. Die ganze Familie, insbesondere die Frau Mama, für inferior haltend, trat ich mit Verstellung als guter Junge vor die höhere Instanz und bat, mir das herzige Junge zu einem kleinen Spaziergang anzuvertrauen. Eine kurze Strecke gingen wir friedlich Hand in Hand, dann, etwa auf dem nahen Feld, wo die Kartoffeln blühten und Marienkäferchen sich fanden, oder auch schon früher, gingen wir hintereinander. *Im geeigneten Moment gab ich meinem Schützling einen gelinden Stoß.* Das Ding fiel hin, und heulend führte ich es an der Hand zur Mutter, mit Unschuldsmiene zu berichten: »Es isch umgfalle«. Das Manöver wiederholte ich noch einige Male, ohne daß Frau Enger hinter die Wahrheit kam. Ich muß sie richtig beurteilt haben (fünf bis sechs Jahre) (Klee, 1957, S. 17).

Zweifellos spielt der kleine Paul hier etwas, das er selber, wahrscheinlich von seinem Vater, empfangen hatte. Über den Vater finden wir im Tagebuch nur eine kleine Stelle:

Eine längere Zeit *glaubte ich bedingungslos an den Papa und hielt sein Wort (Papa kann alles) für pure Wahrheit.* Nur die spöttischen Momente des alten Herrn konnte ich nicht ausstehen. Einmal machte ich im Glauben, allein zu sein, phantastische, mimische Spiele. Ein plötzliches, belustigtes »pf!« störte mich und verletzte mich. Auch später machte sich dies »pf!« gelegentlich bemerkbar (S. 16).

Der Spott eines geliebten und bewunderten Menschen ist immer schmerzhaft, und wir können uns vorstellen, daß er den kleinen Paul tief getroffen hat.
Es wäre falsch zu sagen, daß das Leid, das wir dem andern aus Zwang antun, gar kein Leid sei, und daß der kleine Paul Klee dem Mädchen nicht wehgetan habe, weil wir seine Gründe kennen. Beides zu sehen führt uns die Tragik vor Augen, aber es ermöglicht auch eine Wende. Die Einsicht, daß wir trotz besten Willens nicht allmächtig sind, daß wir unter Zwängen stehen, daß wir unser Kind nicht so lieben können, wie wir es möchten, *könnte uns eben zur Trauer führen, aber nicht zu Schuldgefühlen, weil diese uns eine Macht und Freiheit zusprechen, die wir nicht haben.* Belastet von Schuldgefühlen werden wir unser Kind außerdem mit Schuldgefühlen belasten und es lebenslänglich an uns binden. Mit der Trauer aber können wir es freigeben.
Die Unterscheidung zwischen Trauer und Schuldgefühlen könnte vielleicht auch dazu beitragen, das Schweigen zwischen den Generationen im Zusammenhang mit den Vergehen der Nazizeit zu brechen. Die Fähigkeit zu trauern ist das Gegenteil von Schuldgefühlen; Trauer ist der *Schmerz* darüber, daß es so geschehen *ist* und daß die Vergangenheit durch nichts zu ändern ist. Diesen Schmerz *kann man mit den Kindern teilen*, ohne sich schämen zu müssen, aber Schuldgefühle versucht man entweder zu verdrängen oder sie den Kindern zuzuschieben, oder beides zusammen.

Da die Trauer Gefühle aus der Erstarrung löst, kann sie dazu führen, daß junge Menschen realisieren, was ihnen einst ihre Eltern mit der gutmeinenden frühen Erziehung zum Gehorsam angetan haben. Das kann zum Ausbruch von berechtigtem Zorn führen und zur schmerzhaften Erfahrung, daß die eigenen Eltern, die bereits über 50 sind, immer noch ihre alten Prinzipien verteidigen, den Zorn des erwachsenen Kindes nicht verstehen können und auf dessen Vorwürfe verletzt und gekränkt reagieren. Dann möchte man am liebsten das Gesagte zurückziehen und alles ungeschehen machen, weil wieder die altbekannte Angst aufsteigt, man bringe mit den Vorwürfen die Eltern ins Grab. Wenn einem das früh und oft genug gesagt wurde, bleiben solche Sätze manchmal ein Leben lang wirksam.
Und trotzdem, auch wenn man mit diesem erwachten Zorn wieder allein ist, weil die alternden Eltern ihn genau so wenig wie früher ertragen können, kann bereits das bloße Zulassen dieses Gefühls aus der Sackgasse der Selbstentfremdung herausführen. Da kann endlich das wahre Kind leben, das gesunde Kind, das Kind, das *unmöglich verstehen kann, warum seine Eltern ihm wehtun und ihm zugleich verbieten, im Schmerz zu schreien, zu weinen oder gar zu reden.* Das begabte, angepaßte Kind versuchte immer, diese Absurdität zu verstehen und nahm sie als Selbstverständlichkeit hin. Aber für dieses Pseudoverstehen mußte es mit seinem Gefühl, mit dem Sensorium für die eigenen Bedürfnisse, d. h. mit dem eigenen Selbst bezahlen. Der Zugang zum einstigen, normalen, zornigen, nicht verstehenden und rebellierenden Kind war deshalb bisher versperrt geblieben. Wenn dieses Kind im Erwachsenen nun frei wird, dann entdeckt es seine lebendigen Wurzeln und Kräfte.
Das Zulassen und Erleben frühkindlicher Vorwürfe bedeutet nicht, daß man von nun an ein vorwurfsvoller Mensch wird, *sondern genau das Gegenteil. Gerade weil* man diese Gefühle, die auf die Eltern gerichtet waren, erleben

durfte, muß man sie nicht an Ersatzpersonen abreagieren. *Nur der an Ersatzpersonen empfundene Haß ist unendlich und unersättlich*, wie wir am Beispiel von Adolf Hitler gesehen haben, weil im Bewußtsein das Gefühl von der Person, der es ursprünglich galt, getrennt wurde.
Aus diesen Gründen meine ich, daß der Durchbruch von Vorwürfen an die eigenen Eltern eine Chance ist: Er schafft den Zugang zu der eigenen Wahrheit, löst die Erstarrung, ermöglicht die Trauer und, im glücklichsten Fall, auch die Versöhnung. Auf jeden Fall gehört er zur psychischen Gesundung. Doch man würde mich vollkommen mißverstehen, wenn man meinte, daß ich persönlich diesen alten Eltern Vorwürfe mache. Dazu habe ich weder Recht noch Grund: ich war nicht ihr Kind, bin nicht von ihnen zum Schweigen gezwungen, nicht von ihnen erzogen worden, und als erwachsener Mensch weiß ich, daß sie wie alle Eltern gar nicht anders konnten, als sich so zu verhalten, wie sie es taten.
Gerade weil ich das Kind im Erwachsenen zu seinen Gefühlen, d. h. auch zu den Vorwürfen ermutigen möchte, *diese ihm aber nicht abnehme*, gerade weil ich die Eltern nicht beschuldige, scheine ich manchen Lesern Schwierigkeiten zu bereiten. Es wäre so viel einfacher zu sagen, an allem sei das Kind schuld oder die Eltern, oder die Schuld könne aufgeteilt werden. Das möchte ich eben nicht tun, weil ich als Erwachsener weiß, daß es hier gar nicht um Schuld geht, sondern um Nicht-anders-können. Aber da ein Kind das nicht verstehen kann und da es am Versuch, dies zu verstehen, krank wird, möchte ich ihm dazu verhelfen, *nicht mehr verstehen zu müssen, als ihm möglich ist*. Ich meine, daß seine Kinder davon später profitieren werden, weil sie mit einem echten Vater und einer echten fühlenden Mutter leben werden.

Vermutlich werden auch diese Ausführungen nicht imstande sein, die in diesem Zusammenhang häufig auftretenden Mißverständnisse aufzuklären, denn ihre Wurzeln liegen nicht in der intellektuellen Denkfähigkeit. Wenn jemand von klein auf lernen mußte, sich für alles Mögliche schuldig zu fühlen und seine Eltern über jeden Vorwurf erhaben zu erleben, werden ihm meine Gedanken notgedrungen Angst und Schuldgefühle machen. Wie stark diese früh anerzogene Haltung ist, kann man am besten bei älteren Menschen beobachten. Sobald sie in der Situation von körperlicher Hilflosigkeit und Abhängigkeit sind, können sie sich für jede Kleinigkeit schuldig fühlen und sogar ihre erwachsenen Kinder, falls diese nicht mehr wie früher hörig sind, plötzlich als strenge Richter erleben. Das führt wiederum dazu, daß sie geschont werden müssen und daß ihre erwachsenen Kinder aus Rücksicht und aus Angst vor Konsequenzen noch einmal zum Schweigen verdammt werden.

Da mancher Psychologe keine Gelegenheit hatte, sich von dieser Angst zu befreien und zu erleben, daß Eltern an der Wahrheit ihrer Kinder nicht sterben müssen, wird er bei seinen Klienten und Patienten dazu neigen, ihnen möglichst schnell eine »Versöhnung« mit den Eltern zu ermöglichen. Wenn aber die vorangegangene Wut nicht erlebt wurde, ist diese Versöhnung illusorisch. Sie überdeckt nur den aufgestauten, unbewußten oder auf andere Menschen verschobenen Haß und unterstützt das falsche Selbst des Patienten, auch auf Kosten seiner Kinder, die dessen wahre Gefühle mit Sicherheit zu spüren bekommen werden. Und doch, trotz dieser erschwerenden Umstände gibt es immer mehr Publikationen, in denen sich junge Leute mit ihren Eltern in einer freieren, offeneren und ehrlicheren Art auseinandersetzen, als es bisher je möglich war (vgl. Barbara Frank, *Ich schaue in den Spiegel und sehe meine Mutter*, 1979, und Margot Lange, *Mein Vater. Frauen erzählen vom ersten Mann ihres Lebens*, 1979). Das gibt Hoffnung, daß mit kritischen Schriftstellern auch kritische Leser heranwachsen, die sich von der »Schwarzen Pädagogik« in der wissenschaftlichen Literatur (auf dem Gebiet der Pädagogik, Psychologie, Moralphilosophie, Biographik) nicht Schuldgefühle machen oder verstärken lassen.

> Du fragst, warum mein Leben Schreiben ist?
> Ob es mich unterhält?
> Die Mühe lohnt?
> Vor allem aber, macht es sich bezahlt?
> Was wäre sonst der Grund? . . .
> Ich schreib allein
> Weil eine Stimme in mir ist,
> Die will nicht schweigen.
> *(Sylvia Plath)*

Jedes Leben und jede Kindheit sind reich an Frustrationen, das ist gar nicht anders denkbar, denn auch die beste Mutter kann nicht alle Wünsche und Bedürfnisse ihres Kindes befriedigen. Aber nicht das Leiden an Frustrationen führt zur psychischen Krankheit, sondern *das Verbot, dieses Leiden*, den Schmerz über die erlittenen Frustrationen *zu erleben* und *zu artikulieren*, das von den Eltern ausgeht und das meistens zum Ziel hat, *die Abwehr der Eltern zu schonen*. Der Erwachsene darf mit Gott, mit dem Schicksal, mit den Behörden, mit der Gesellschaft hadern, wenn man ihn betrügt, übergeht, ungerecht bestraft, überfordert, anlügt, aber das Kind darf mit seinen Göttern, den Eltern und Erziehern, nicht hadern. Es darf seine Frustrationen auf keinen Fall zum Ausdruck bringen, muß die Gefühlsreaktionen verdrängen oder verleugnen, die in ihm bis ins erwachsene Alter wuchern, um dort eine bereits transformierte Abfuhr zu erfahren. Die Formen dieser Abfuhr reichen von der Verfolgung der eigenen Kinder mit Hilfe der Erziehung über alle möglichen Grade psychischer Erkrankungen, über Sucht, Kriminalität bis zum Selbstmord.
Die für die Gesellschaft angenehmste und profitabelste Form dieser Abfuhr ist die Dichtung, weil sie niemandem Schuldgefühle macht. Hier darf jeder Vorwurf formuliert werden, weil er hinter einer erfundenen Person versteckt

werden kann. An einem aktuellen Beispiel, dem Leben von Sylvia Plath, kann man das nachvollziehen, weil hier neben der Dichtung und der Realität des psychotischen Zusammenbruchs sowie des späteren Suizids auch noch Selbstzeugnisse in Briefen und Aussagen der Mutter vorliegen. Der unerhörte Leistungsdruck und der ständige Streß werden stets hervorgehoben, wenn man von Sylvias Selbstmord spricht. Auch ihre Mutter betont es immer wieder, denn Eltern von suizidalen Menschen versuchen begreiflicherweise, sich immer an äußere Gründe zu halten, weil ihnen die Schuldgefühle erschweren, den wirklichen Sachverhalt zu sehen und die Trauer zu erleben.

Sylvia Plaths Leben war nicht schwerer als dasjenige vieler Millionen Menschen. An den Frustrationen ihrer Kindheit litt sie vermutlich aufgrund ihrer Sensibilität intensiver als viele andere Menschen, aber sie erlebte auch intensivere Freuden. Doch der Grund ihrer Verzweiflung war nicht das Leiden, sondern die Unmöglichkeit, dieses Leiden jemandem mitzuteilen. Sie versichert ihrer Mutter in allen ihren Briefen, wie gut es ihr gehe. Der Verdacht, daß die Mutter negative Briefe zurückbehalten und nicht zur Publikation freigegeben hat, geht an der tiefsten Tragik dieses Lebens vorbei. Diese Tragik (und damit auch die Erklärung für den Suizid) besteht gerade darin, *daß keine anderen Briefe geschrieben werden konnten*, weil Sylvias Mutter diese Bestätigung brauchte oder weil Sylvia meinte, daß ihre Mutter ohne diese Bestätigung nicht hätte leben können. Hätte Sylvia auch aggressive und unglückliche Briefe an ihre Mutter schreiben können, dann hätte sie keinen Selbstmord begehen müssen. Hätte die Mutter darüber trauern können, daß sie den Abgrund von Sylvias Leben nicht fassen konnte, dann hätte sie diese Briefsammlung nie herausgegeben, weil ihr gerade die Versicherungen, wie es der Tochter gutging, zu sehr wehgetan hätten. Aurelia Plath kann aber nicht trauern, sondern sie hat Schuldgefühle, und die Briefe dienen ihr als Beweis, daß sie unschuldig ist. Als Beispiel einer Rechtfertigung mag das vorliegende Zitat dienen:

Zu dem folgenden Gedicht, das Sylvia mit vierzehn geschrieben hatte, *wurde sie inspiriert durch das zufällige Verwischen eines Pastellfarben-Stillebens*, das sie soeben beendet und auf dem Verandatisch aufgebaut hatte, um es uns zu zeigen. Als Warren, Grammy und ich es bewunderten, klingelte es an der Haustür. Grammy nahm ihre Schürze ab, warf sie auf den Tisch und ging aufmachen, wobei ihre Schürze das Pastellbild streifte und einen Teil davon verwischte. Grammy war untröstlich. Sylvia jedoch sagte in leichtem Ton: »Mach dir nichts draus; ich kriege es wieder hin.« An jenem Abend schrieb sie zum ersten Mal ein Gedicht mit tragischem Unterton.

Ich dachte, daß ich unverletzbar sei

Ich dachte, daß ich unverletzbar sei;
dacht, ich sei ein für allemal
unerreichbar für das Leid –
gefeit vor innerm Schmerz,
und Qual.

Die Welt war warm von Märzensonne,
mein Denken grün- und golddurchwirkt,
mein Herz voll Freude, doch vertraut
dem scharfen, süßen Schmerz, den nur die
Freude bringt.

Mein Geist flog weiter als die Möwe,
die atemlose Höhn durchschweift
und jetzt mit ihren Segelschwingen
scheinbar das blaue Dach des
Himmels streift.

(Wie schwach das Menschenherz sein muß –
ein pochender Puls, ein bebend Ding –
ein schimmernd zartes Instrument
aus Glas, das einmal weint und einmal singt.)

Und meine Welt war plötzlich grau,
das Dunkel schob die Freude fort.
Und Leere dumpf und schmerzhaft blieb,
wo achtlos Hände hingefaßt.
Zerstört

war da mein Silbernetz aus Glück.
Erstaunt hielten die Hände an,
da sie mich liebten, weinten sie,
als sie mein Firmament zerstückt in
Fetzen sahn.

(Wie schwach das Menschenherz sein muß –
ein Spiegelteich des Denkens, Instrument
so tief gestimmt und schwingend aus
Kristall, das einmal singt und einmal weint.)

Mr. Crockett, ihr Englischlehrer, zeigte es einem Kollegen, der sagte: »Kaum zu fassen, daß jemand, der so jung ist, etwas so Vernichtendes erlebt haben kann.« Als ich wiederholte, was Mr. Crockett mir über dieses Gespräch gesagt hatte, lächelte Sylvia schelmisch und sagte: »Läßt man erst mal ein Gedicht an die Öffentlichkeit, hat jeder, der es liest, das Recht, es nach seiner Weise zu interpretieren« (Plath, 1975, S. 28).

Wenn ein sensibles Kind wie Sylvia Plath spürt, daß es für die Mutter lebenswichtig ist, sein Leiden nur als Folge der Zerstörung des Aquarells zu sehen und nicht als Folge *der im Aquarell symbolisch erlebten Zerstörung des Selbst und seines Ausdrucks*, dann wird es alles daransetzen, die echten Gefühle vor der Mutter zu verbergen. Die Briefsammlung ist ein Zeugnis dieses aufgebauten, falschen Selbst. Das wahre Selbst spricht in der *Glasglocke* (1978), wird aber im Suizid ermordet, und die Mutter setzt dem falschen Selbst mit der Herausgabe der Briefe ein großes Denkmal.

An diesem Beispiel kann man lernen, was der Suizid eigentlich ist: Die einzig mögliche Artikulation des wahren Selbst auf Kosten des Lebens. Vielen Eltern geht es

ähnlich wie der Mutter von Sylvia Plath. Sie bemühen sich verzweifelt um *das richtige Verhalten*, und im Verhalten des Kindes suchen sie die Bestätigung, daß sie die guten Eltern sind. Das Ideal, gute Eltern zu sein, d. h. sich dem Kind gegenüber richtig zu verhalten, es richtig zu erziehen, nicht zu wenig und nicht zu viel zu geben, bedeutet im Grunde nichts anderes, als gute, brave und pflichtgetreue Kinder der eignen Eltern zu sein. Aber in diesem Bemühen muß ja die Not des eigenen Kindes unbemerkt bleiben. Ich kann nicht empathisch meinem Kinde zuhören, wenn ich innerlich damit beschäftigt bin, eine gute Mutter zu sein; ich kann dann nicht dafür offen sein, was es mir zu sagen hat. Das zeigt sich in verschiedenen Haltungen:
Häufig werden Eltern die narzißtischen Frustrationen eines Kindes nicht merken, nichts davon wissen, weil sie selbst von klein auf gelernt haben, diese bei sich nicht ernstzunehmen. Es kommt aber auch vor, daß sie zwar etwas davon merken, aber meinen, *es sei für das Kind gut, wenn es nichts merke*. Sie werden versuchen, ihm viele frühe Wahrnehmungen auszureden und es sein Wissen um die frühesten Erfahrungen vergessen zu lassen, alles in der Meinung, daß dies zu seinem Wohl geschehe, weil das Kind die Wahrheit nicht aushalten könne und daran erkranke. Daß es umgekehrt ist, daß das Kind *gerade an der Verleugnung der Wahrheit erkrankt*, wissen sie nicht. Das letztere ist mir an einem Fall besonders aufgefallen, wo ein kleines Baby unmittelbar nach der Geburt wegen einer angeborenen schweren Anomalie bei den Mahlzeiten festgebunden und in einer an Folterungen erinnernden Art ernährt worden war. Die Mutter versuchte später, ihrer erwachsenen Tochter gegenüber dieses »Geheimnis« zu wahren und ihr damit etwas zu »ersparen«, was schon geschehen war. Sie konnte ihr deshalb nicht helfen, dieses frühere Wissen, das sich in Symptomen ausdrückte, endlich in sich gelten zu lassen.
Während die erste Haltung lediglich auf unbewußt geblie-

benen Erlebnissen der eigenen Kindheit beruht, mischt sich in die zweite auch die absurde Hoffnung, daß die Vergangenheit mit Hilfe des Verschweigens korrigierbar sei.
Im ersten Fall begegnen wir der Regel: »es kann nicht sein, was nicht sein darf«, und im zweiten: »wenn man nicht darüber spricht, was geschehen war, ist es nicht geschehen.«

Die Plastizität eines sensiblen Kindes kennt beinahe keine Grenzen, so daß alle diese Gebote von der Seele aufgenommen werden können. Es kann eine perfekte Anpassung an sie erreicht werden, und doch bleibt etwas, das man als Körpergedächtnis bezeichnen könnte, so daß sich die Wahrheit nur in körperlichen Krankheiten oder Empfindungen und manchmal auch in Träumen manifestieren kann. In einer psychotischen oder neurotischen Entwicklung gibt es zwar noch eine andere Möglichkeit, die Seele sprechen zu lassen, aber in einer Form, die niemand verstehen kann, die dem Betroffenen selber, auch der Gesellschaft, so lästig wird, wie einst den Eltern die kindlichen Reaktionen auf die erlittenen Traumen lästig waren.
Es ist, wie ich schon mehrmals betonte, nicht das Trauma, das krank macht, sondern *die unbewußte, verdrängte, hoffnungslose Verzweiflung darüber, daß man sich über das, was man erlitten hat, nicht äußern darf*; daß man Gefühle von Wut, Zorn, Erniedrigung, Verzweiflung, Ohnmacht, Traurigkeit nicht zeigen darf und auch nicht erleben kann. Das bringt viele Menschen zum Selbstmord, weil ihnen das Leben nicht mehr lebenswert erscheint, wenn sie alle diese starken Gefühle, die das wahre Selbst ausmachen, überhaupt nicht leben können. Man kann natürlich kein Postulat aufstellen, daß die Eltern das ertragen sollten, was sie nicht ertragen können, aber man kann sie immer wieder mit dem Wissen konfrontieren, daß es nicht das Leiden war, das ihre Kinder krank machte, sondern die Verdrängung des Leidens, die den Eltern zuliebe notwendig war.

Ich habe nicht selten die Erfahrung gemacht, daß dieses Wissen den Eltern Aha-Erlebnisse vermittelt, *die die Trauermöglichkeit erschließen und deshalb helfen, Schuldgefühle abzubauen.*
Der Schmerz an der erlittenen Frustration ist keine Schande und kein Gift. Er ist eine natürliche, menschliche Reaktion. Wird er aber verbal oder averbal verboten oder sogar mit Gewalt und mit Schlägen wie in der »Schwarzen Pädagogik« ausgetrieben, dann werden die natürliche Entwicklung gehindert und Voraussetzungen für eine krankhafte geschaffen. Adolf Hitler berichtet mit Stolz, daß es ihm eines Tages gelungen ist, die Schläge des Vaters mitzuzählen und dabei nicht zu weinen und nicht zu schreien. Dazu phantasiert er, daß sein Vater ihn nach diesem Erlebnis nie mehr geschlagen habe. Ich halte das für eine Phantasie, weil es unwahrscheinlich ist, daß die Motive zum Schlagen bei Alois von einem Tag auf den andern verschwunden sind, denn die Motive lagen nicht im Verhalten des Kindes, sondern in seinen eigenen, in der Kindheit erlittenen Erniedrigungen, die ungelöst geblieben sind. Die Phantasie des Sohnes sagt aber soviel aus, daß er von da an die Schläge des Vaters nicht mehr erinnern kann, weil dank der Niederkämpfung der seelischen Schmerzen mit Hilfe der Identifikation mit dem Angreifer auch die Erinnerung an das spätere Geschlagenwerden der Verdrängung anheimgefallen ist. Dieses Phänomen läßt sich oft bei Patienten beobachten, bei denen infolge wiedergewonnener Gefühle Erinnerungen über Vorkommnisse auftauchen, die vorher energisch bestritten wurden.

Im Oktober 1977 erhielt der Philosoph Leszek Kolakowski den Friedenspreis des Deutschen Buchhandels-Verbandes. Er sprach in seiner Festrede über den Haß und nahm Bezug auf das Geschehen, das damals viele Menschen bewegte: Die Entführung der Lufthansa-Maschine nach Mogadischu.
Kolakowski meinte, daß es doch immer wieder Menschen gegeben habe, die vollkommen frei von Haß gewesen seien und damit den Beweis geliefert hätten, daß man auch *ohne Haß leben könne*. Es ist nicht verwunderlich, wenn ein Philosoph so spricht, sofern für ihn das Menschsein mit dem *bewußten* Sein identisch ist. Aber für jemanden, der täglich mit Manifestationen *der unbewußten psychischen Realität* konfrontiert wird und der immer wieder erfährt, welche schwerwiegenden Folgen das Übersehen dieser Realität hat, wird die Einteilung der Menschen in gute und böse, in liebende und hassende nicht mehr selbstverständlich sein. Er weiß, daß die moralisierenden Begriffe weniger geeignet sind, die Wahrheit aufzudecken als sie zu verschleiern. Der Haß ist ein normales, menschliches Gefühl, und *ein Gefühl* hat noch niemanden umgebracht. Gibt es eine adäquatere Reaktion als Zorn oder auch Haß angesichts der Mißhandlung von Kindern, Vergewaltigung von Frauen, Folterung von Unschuldigen, insbesondere, wenn die Motive des Täters im Dunkeln bleiben? Ein Mensch, der von Anfang an das Glück hatte, auf Enttäuschungen mit Wut reagieren zu dürfen, wird empathische Eltern verinnerlichen und nachher mit allen seinen Gefühlen, auch mit dem Haß, ohne Analyse umgehen können. Ob es solche Menschen schon gibt, weiß ich nicht, ich bin ihnen nie begegnet. Was ich oft gesehen habe, sind Menschen, die tatsächlich das Gefühl des Hassens nicht kannten, ihren Haß aber auf andere delegiert haben, ohne es überhaupt zu wissen, zu wollen oder zu

merken. Sie entwickelten u. U. eine schwere Zwangsneurose mit destruktiven Vorstellungen, oder, falls dies nicht geschah, hatten ihre Kinder eine solche Neurose. Oft wurden sie jahrelang wegen physischer Krankheiten behandelt, die eine psychische Ursache hatten. Manchmal litten sie an schweren Depressionen. Sobald es ihnen aber möglich wurde, ihren *frühkindlichen Zorn* in der Analyse zu erleben, verschwanden diese Symptome, und es verschwanden auch die Ängste, daß man mit diesem Gefühl jemanden schädigen könnte. Nicht der *erlebte*, sondern der mit Hilfe der Ideologien abgewehrte und *aufgestaute Haß* führt zu Tätlichkeiten und zur Zerstörung, was man am Fall von Adolf Hitler genau studieren könnte. Jedes *erlebte Gefühl* macht mit der Zeit einem anderen Platz, und auch der größte bewußte Vaterhaß wird einen Menschen nicht dazu treiben, einen anderen Menschen deshalb umzubringen, geschweige denn ganze Völker zu zerstören. Aber Hitler wehrte seine kindlichen Gefühle vollständig ab und zerstörte Menschenleben, weil »Deutschland mehr Lebensraum brauchte«, weil »die Juden die Welt bedrohten«, weil er »eine grausame Jugend wollte, um Neues zu schaffen« ... die Liste der angeblichen »Gründe« ließe sich mühelos fortsetzen.

Wie ist es zu verstehen, daß trotz des Zuwachses an psychologischer Erkenntnis in den letzten Jahrzehnten immer noch zwei Drittel der Bevölkerung Deutschlands bei einer Befragung aussagen, es sei notwendig, gut und richtig, Kinder mit Schlägen zu erziehen? Und wie steht es mit dem einen Drittel? Wie viele Eltern gehören dazu, die ihre Kinder zwanghaft schlagen, gegen ihr besseres Wissen und Wollen? Diese Situation ist nicht unbegreiflich, wenn wir folgendes berücksichtigen:

1. Damit die Eltern spüren, was sie den Kindern antun, müßten sie auch spüren, was ihnen in der eigenen Kindheit angetan worden ist. Aber gerade das wurde ihnen als Kindern verboten. Wenn der *Zugang zu diesem*

Wissen abgeschnitten ist, können Eltern ihre Kinder schlagen, demütigen oder anders quälen und mißhandeln, ohne zu merken, wie sie ihnen wehtun; ja, sie müssen es sogar.

2. Wenn einem redlichen Menschen die Tragik seiner Kindheit vollständig hinter Idealisierungen verborgen bleibt, dann muß sich die unbewußte Kenntnis des wahren Sachverhalts auf Umwegen durchsetzen. Dies geschieht mit Hilfe des *Wiederholungszwangs*. Dieser Mensch wird aus ihm unbegreiflichen Gründen immer wieder Situationen herstellen und Beziehungen anknüpfen, in denen er den Partner quält oder von ihm gequält wird oder beides zusammen.
3. Da das Quälen der eigenen Kinder als Erziehung legitimiert ist, finden die gestauten Aggressionen hier ihr naheliegendes *Ventil*.
4. Da die aggressiven Antworten auf psychische und physische Mißhandlungen durch die Eltern in *fast allen Religionen verboten* sind, ist der Mensch auf solche Ventile angewiesen.

Es gäbe kein Inzesttabu, sagen die Soziologen, wenn die sexuelle Anziehung unter Familienverwandten nicht zu den natürlichen Regungen gehören würde. Deshalb ist dieses Tabu bei allen Kulturvölkern anzutreffen und von Anfang an in der Erziehung verankert.
Es muß da eine Parallele geben, was die aggressiven Gefühle des Kindes seinen Eltern gegenüber betrifft. Ich habe keine genaue Kenntnis davon, wie andere Völker, die nicht wie wir mit dem Vierten Gebot aufwachsen, dieses Problem gelöst haben, doch wohin ich schaue, sehe ich das Gebot, die Eltern zu respektieren, nirgends aber ein Gebot, das Respekt für das Kind verlangt. Könnte das in Analogie zum Inzestverbot bedeuten, daß dieser Respekt so früh wie möglich dem Kind anerzogen werden muß, *weil* die natürlichen Reaktionen des Kindes seinen Eltern gegenüber so heftig sein können, daß die Eltern

fürchten müßten, von ihren Kindern geschlagen oder gar umgebracht zu werden?
Aber das Schlagen des Säuglings muß nicht wehtun. Wir hören dauernd über die Grausamkeiten unserer Zeit, und doch scheint mir ein Hoffnungsschimmer in der Tendenz zu liegen, sich überlieferten Tabus zu nähern und sie in Frage zu stellen. Wenn das Vierte Gebot dazu gebraucht wird, daß Eltern die natürlichen, legitimen aggressiven Äußerungen ihres Kindes von klein auf unterbinden, so daß das Kind nur die Möglichkeit hat, es in der nächsten Generation weiterzugeben, dann läge im Durchbrechen dieses Tabus ein großer Fortschritt. Wenn dieser Mechanismus bewußt wird, *wenn Menschen merken dürfen, was ihnen ihre Eltern angetan haben*, würden sie doch versuchen, nach oben statt nach unten zu antworten. Das würde zum Beispiel heißen, daß Hitler nicht Millionen von Menschen hätte umbringen müssen, wenn es ihm als Kind möglich gewesen wäre, sich direkt gegen die Grausamkeiten seines Vaters aufzulehnen.

Meine Behauptung, daß die unzähligen, schweren Demütigungen und Mißhandlungen, die Adolf Hitler als Kind durch seinen Vater erlitten hat, ohne sie beantworten zu dürfen, sich auf seinen unersättlichen Haß ausgewirkt haben, kann leicht mißverstanden werden. Man kann mir entgegenhalten, daß ein einzelner Mensch nicht ein ganzes Volk zur Vernichtung dieses Ausmaßes führen kann, daß die wirtschaftliche Krise und die Demütigungen der Weimarer Republik mitbedingt haben, daß eine solche Katastrophe hat stattfinden können. Daran ist natürlich gar nicht zu zweifeln, aber es waren nicht »Krisen« und »Systeme«, die getötet haben, sondern es waren Menschen, Menschen, deren Väter auf den Gehorsam ihrer Kleinen schon sehr früh stolz sein durften.
Viele Tatsachen, denen man seit Jahrzehnten mit moralischer Entrüstung und verständnislosem Abscheu begegnet, lassen sich von hier aus verstehen. Ein amerikanischer

Professor z. B. macht seit Jahren Versuche mit Hirntransplantationen. In einem Interview für die Zeitschrift »Tele«, erzählt er, daß es ihm bereits gelungen ist, das Gehirn eines Affen auf einen anderen zu übertragen. Er zweifelt nicht daran, daß es in absehbarer Zeit möglich sein wird, dies auch bei Menschen durchzuführen. Der Leser hat hier die Wahl: er kann begeistert sein über soviel Fortschritt in der Wissenschaft oder sich fragen, wie solche Absurditäten überhaupt möglich sind, wozu eine solche Beschäftigung gut sein soll. Er kann aber auch, durch eine nebensächliche Information stutzig gemacht, ein Aha-Erlebnis haben. Professor White spricht nämlich von »religiösen Gefühlen«, die ihn bei seiner Beschäftigung begleiten. Vom Interviewer darauf angesprochen, erklärt er, daß er sehr streng katholisch und nach Meinung seiner 10 Kinder wie ein Dinosaurier erzogen worden sei. Ich weiß nicht, was damit gemeint ist, aber ich könnte mir vorstellen, daß mit diesem Ausdruck vorsintflutliche Erziehungsmethoden gemeint sind. Was hat es für eine Bewandtnis mit seiner Beschäftigung? Möglicherweise geschieht im Unbewußten des Herrn Professor White folgendes: Indem er seine ganze Energie und Vitalität für das Ziel einsetzt, einmal Gehirne bei Menschen auswechseln zu können, erfüllt er sich den langgehegten Kinderwunsch, das Gehirn seines Vaters oder seiner Eltern auswechseln zu können. Der Sadismus ist keine Infektionskrankheit, die einen Menschen plötzlich überfallen kann, er wird lange in der Kindheit vorbereitet und entsteht *immer* aus den verzweifelten Phantasien eines Kindes, das in seiner ausweglosen Situation einen Ausweg sucht.

Jeder erfahrene Analytiker kennt die ehemaligen Pfarrerskinder, denen es nie erlaubt war, sogenannte »böse Gedanken« zu haben, und die es fertigbrachten, keine zu haben, wenn auch um den Preis einer schweren Neurose. Wenn dann in der Analyse die kindlichen Phantasien endlich leben dürfen, so haben sie regelmäßig einen grausamen, sadistischen Inhalt. In diesen Phantasien verdichten sich die ehemaligen Rachephantasien des pädagogisch gequälten Kindes mit der introjizierten Grausamkeit der Eltern, die das Vitale im Kind mit undurchführbaren moralischen Vorschriften abzutöten versuchten oder abgetötet haben.

Jeder Mensch muß seine Form der Aggressivität finden, wenn er sich nicht zur gehorsamen Marionette anderer machen lassen will. Nur jemand, der sich nicht zum Instrument eines fremden Willens reduzieren läßt, kann seine persönlichen Bedürfnisse durchsetzen und seine legitimen Rechte verteidigen. Aber diese angemessene, adäquate Form der Aggression bleibt vielen Menschen verschlossen, *die als Kinder in dem absurden Glauben aufgewachsen sind, ein Mensch könne ständig nur liebe, gute und fromme Gedanken haben und dabei gleichzeitig ehrlich und wahrhaftig sein.* Allein diese unmögliche Forderung erfüllen zu wollen, kann ein begabtes Kind an den Rand des Wahnsinns treiben. Kein Wunder, wenn es versucht, sich mit sadistischen Phantasien aus seinem Gefängnis zu befreien. Aber auch dieser Versuch ist ja verboten und muß verdrängt werden. So bleibt der verständliche und einfühlbare Teil dieser Phantasien dem Bewußtsein völlig verborgen, mit dem Grabstein der befremdenden, abgespaltenen Grausamkeit zugedeckt. Dieser Grabstein, im allgemeinen zwar weniger verborgen, wird aber im ganzen Leben gründlich gemieden und gefürchtet. Und doch ist auf der ganzen Welt kein anderer Weg zum wahren Selbst zu finden als ausgerechnet dieser einzige, der an dem so lange gemiedenen Grabstein vorbeiführt. Denn bevor ein Mensch seine eigene, ihm angemessene Form der Aggression entwickeln kann, muß er die alten verdrängten, weil verbotenen, Rachephantasien in sich entdecken und erleben können. Erst diese führen ihn zu seiner echten kindlichen Empörung und Wut, die der Trauer und Versöhnung Platz machen können.

Die Entwicklung von Friedrich Dürrenmatt, die sich wahrscheinlich ohne Analyse abgespielt hat, kann dafür als Beispiel angeführt werden. Als Kind in einem Pfarrhaus aufgewachsen, wirft er zunächst als junger Schriftsteller die groteske Absurdität, Verlogenheit und Grausamkeit der Welt dem Leser ins Gesicht. Selbst die zur Schau getragene Gefühlskälte, selbst der perfideste Zynismus können hier die Spuren des früh Erlebten kaum verwischen. Wie bei Hieronymus Bosch wird da eine *erfahrene* Hölle geschildert, auch wenn der Autor keine direkte Kenntnis mehr davon haben sollte.
Den *Besuch der alten Dame* könnte niemals jemand geschrieben haben, der nicht selber erfahren hat, daß der Haß da am stärksten und grausamsten wüten kann, wo auch die Bindung am intensivsten ist. Und trotz aller dieser tiefen Erfahrungen behält der junge Dürrenmatt konsequent das Prinzip der Kaltschnäuzigkeit, das sich ein Kind zulegt, dessen Gefühle für seine Umgebung vollständig verborgen bleiben müssen. Um sich von der Moral des Pfarrhauses zu befreien, muß er zuerst die gepriesenen und für ihn suspekt gewordenen Tugenden wie Mitleid, Nächstenliebe, Erbarmen ablehnen und endlich die verbotenen grausamen Phantasien laut und verzerrt zum Ausdruck bringen. In reiferen Jahren scheint er es weniger nötig zu haben, seine wahren Gefühle zu verbergen, und man spürt in den späteren Werken Dürrenmatts weniger die Provokation als das unstillbare Bedürfnis, die unbequemen Wahrheiten der Menscheit zumuten zu können, womit er ihr eigentlich einen Dienst erweist. Denn ein Kind wie Dürrenmatt hat seine Umgebung unheimlich gut durchschauen müssen. Da er in seinem schöpferischen Prozeß schildern kann, was er gesehen hat, hilft er auch dem Leser, aufmerksamer und wacher zu werden. Und weil er mit eigenen Augen gesehen hat, hat er es nicht nötig, sich durch Ideologien korrumpieren zu lassen.

Das ist eine Form der Verarbeitung des kindlichen Hasses, die schon an sich der Menschheit zugutekommt, sie braucht nicht erst »sozialisiert« zu werden. Auch die ehemaligen Analysanden werden es nicht nötig haben, Menschen zu schädigen, wenn sie einmal ihrem kindlichen »Sadismus« begegnet sind. Ganz im Gegenteil, sie werden im Grunde weniger aggressiv, wenn sie *mit* ihren Aggressionen und nicht *gegen sie* leben können. Das ist keine Triebsublimierung, sondern eine normale Reifung, die einsetzen kann, wenn die Hindernisse beseitigt worden sind. Da braucht es keine Anstrengung, weil der abgewehrte Haß *erlebt* und *nicht abreagiert* wurde. Diese Menschen werden mutiger, als sie es früher waren, d. h. sie wehren sich nicht mehr wie früher »nach unten«, sondern direkt »nach oben«. Sie haben keine Angst mehr, ihren Vorgesetzten Grenzen zu setzen, und haben es nicht mehr nötig, ihre Partner oder Kinder zu demütigen. Sie haben sich als Opfer erlebt und müssen nicht das unbewußte »Opfersein« abspalten und auf andere projizieren. Aber unzählige Menschen brauchen diesen Weg der Projektion. Sie können ihn als Eltern mit Kindern, als Psychiater mit Geisteskranken, als Forscher mit Tieren gehen. Niemand wundert sich, niemand empört sich darüber. Was Professor White mit Affengehirnen macht, wird als Wissenschaft gepriesen, und er selber ist nicht wenig stolz darauf. Wo ist da die Grenze zu Dr. Mengele, der in Auschwitz Experimente mit Menschen gemacht hat? Da Juden als Nicht-Menschen bezeichnet wurden, waren seine Experimente sogar »moralisch« legitimiert. Um zu verstehen, wie Mengele das hat tun und aushalten können, müßten wir nur wissen, was mit ihm in seiner Kindheit getan worden ist. Ich bin überzeugt, daß da ein für Außenstehende kaum faßbares Grauen zum Vorschein käme, das aber *von ihm selber* als die beste Erziehung aufgefaßt worden ist, der er, nach seiner Überzeugung, »vieles zu verdanken hat«.

Die Wahl der verfügbaren Objekte, an denen man für das

eigene Kinderleiden Rache nehmen kann, ist fast unbeschränkt, aber bei den eigenen Kindern ergibt sich das wie von selbst. Fast in allen alten Erziehungsbüchern wird an erster Stelle erörtert, wie man den Eigensinn und *die Tyrannei des Säuglings* bekämpfen und wie man die »Halsstarrigkeit« des Kleinkindes mit schärfsten Mitteln bestrafen müsse. Die einst nach diesen Ratschlägen tyrannisierten Eltern haben es begreiflicherweise eilig, sich bei einem Ersatzobjekt so schnell wie möglich zu befreien, und *erleben im Zorn ihres Kindes den eigenen tyrannischen Vater*, den sie aber hier endlich – wie Professor White seine Affen – zur Verfügung haben.

In den Analysen fällt es oft auf, daß sich Patienten bei ihren kleinsten, aber vital wichtigsten Bedürfnissen als sehr anspruchsvoll erleben und sich dafür hassen. So darf z. B. ein Mann, der für seine Frau und Kinder ein Haus gekauft hat, in diesem Haus keinen eigenen Raum haben, wohin er sich zurückziehen könnte, was er sich sehnlichst wünscht. Das wäre anspruchsvoll oder »bürgerlich«. Da er aber ohne diesen Raum erstickt, denkt er daran, die Familie zu verlassen und in die Wüste zu fliehen. Eine Frau, die nach einer Reihe von Operationen in die Analyse kam, erlebt sich als besonders anspruchsvoll, weil sie für das Viele, das sie vom Leben bekommen hat, nicht dankbar genug sei und immer noch mehr möchte. In der Analyse stellt sich heraus, daß sie seit Jahren unter einem Zwang stand, immer neue Kleider zu kaufen, die sie kaum brauchte und auch selten trug, daß dieses Verhalten aber u. a. ein Ersatz war für ihre Autonomie, die sie sich bisher nie gestattet hatte. Schon als kleines Mädchen hörte sie von ihrer Mutter, sie sei so anspruchsvoll, schämte sich deswegen sehr und versuchte ihr Leben lang, bescheiden zu sein. Deshalb kam auch eine Psychoanalyse für sie zunächst nicht in Frage. Erst als ihr die Chirurgen einige Organe hatten entfernen müssen, durfte sie sich die Behandlung leisten. Und da wurde es langsam klar, daß diese

Frau das Spielfeld abgegeben hat, auf dem sich ihre Mutter gegen den eigenen Vater durchzusetzen versuchte. Bei deren tyrannischem Vater war überhaupt kein Widerstand möglich gewesen. Aber die Tochter ließ sich von Anfang an so konstellieren, daß alle ihre Wünsche und Bedürfnisse als übertriebene, maßlose Forderungen und Ansprüche bezeichnet wurden, gegen die sich die Mutter mit moralischer Entrüstung wehrte. So entwickelte die Tochter bei allen Regungen zur Autonomie Schuldgefühle und versuchte, sie vor der Mutter zu verbergen. Ihr sehnlichster Wunsch war, anspruchslos und bescheiden zu sein, während sie unter dem Zwang litt, unnötig Sachen zu kaufen und anzuhäufen, womit sie sich ihre einst von der Mutter zugeschriebene Ansprüchlichkeit bewies. Sie hat viel Schweres in ihrer Analyse erleben müssen, bis es ihr möglich wurde, die Rolle ihres tyrannischen Großvaters abzulegen. Aber dann stellte sich heraus, daß diese Frau im Grunde sehr wenig an materiellen Gütern interessiert war – jetzt, da sie ihre wahren Bedürfnisse realisieren und kreativ sein konnte. Sie mußte nicht mehr unnötiges Zeug kaufen, um der Mutter eine tyrannische Ansprüchlichkeit vorzuweisen oder sich eine geheime Autonomie zu ertrotzen und durfte endlich ihre wahren, geistigen und seelischen Ansprüche ernstnehmen, ohne Schuldgefühle zu haben.

Dieses Beispiel illustriert einige der im ganzen Kapitel ausgeführten Thesen:

1. Das Kind kann auch beim Ausdruck seiner harmlosesten, normalsten Bedürfnisse *von seinen Eltern als anspruchsvoll, tyrannisch, bedrohlich erlebt werden*, wenn diese z. B. unter einem tyrannischen Vater gelitten haben, ohne sich gegen ihn wehren zu können.
2. Das Kind kann diese »Zuschreibungen« mit einer Ansprüchlichkeit beantworten, die seinem *falschen Selbst* entstammt, und so seinen Eltern den von ihnen gesuchten aggressiven Vater verkörpern.

3. Diesem Verhalten des Kindes oder des späteren Patienten auf der Triebebene zu begegnen und ihm gar erzieherisch helfen zu wollen, »Triebverzichte« zu leisten, hieße, die wahre Geschichte dieser tragischen Stellvertretung zu ignorieren und den Patienten damit allein zu lassen.
4. Es braucht kein »Triebverzicht« und keine »Sublimierung« des »Todestriebes« angestrebt zu werden, wenn man die *lebensgeschichtlichen Wurzeln einer aggressiven oder gar destruktiven Handlung verstanden hat*, weil sich dann die psychischen Energien von selbst *in Kreativität umwandeln*, vorausgesetzt, daß keine erzieherischen Maßnahmen angewendet wurden.
5. *Die Trauer über das einst Geschehene, Irreversible, ist die Voraussetzung dieses Prozesses.*
6. Diese Trauer, wenn in der Analyse mit Hilfe der Übertragung und Gegenübertragung erlebt, führt zu einer *intrapsychischen, strukturellen Veränderung und nicht nur zu neuen Formen der Interaktion mit gegenwärtigen Partnern.* Darin unterscheidet sich die Psychoanalyse von anderen Therapieformen, wie z. B. Transaktionsanalyse, Gruppen- oder Familientherapie.

Eltern sind selbstverständlich *nicht nur Verfolger*, aber es ist wichtig zu wissen, daß sie es in vielen Fällen *auch sind*, und sehr oft, ohne es selber zu merken. Dieses Faktum ist im allgemeinen sehr wenig bekannt, es ist im Gegenteil sehr umstritten, auch unter den Analytikern, und deshalb lege ich so viel Nachdruck darauf, es zu beschreiben.
Gerade liebende Eltern müßten ja daran interessiert sein, zu erfahren, was sie unbewußt mit ihren Kindern tun. Wenn sie *nichts darüber erfahren wollen* und sich auf ihre Liebe berufen, dann haben sie nicht das Leben ihrer Kinder im Sinn, sondern die Sorge um eine gewissenhafte Buchhaltung im eigenen Sündenregister. Diese Sorge aber, die sie von klein auf mit sich tragen, hält sie davon ab, die Liebe zu ihren Kindern frei zu entfalten und aus ihr zu lernen. Man kann die Haltung der »Schwarzen Pädagogik« nicht nur auf bestimmte ausgefallene Erziehungsschriften der vergangenen Jahrhunderte beschränken. Dort wurde sie zwar unverhohlen und bewußt vertreten, während sie heute weniger laut und weniger offen verkündet wird, aber sie durchzieht immer noch die wichtigsten Bereiche unseres Lebens. Ihre Allgegenwart ist es gerade, die es so schwer macht, sie zu erkennen. Sie ist wie ein zerstörender Virus, mit dem zu leben wir von klein auf gelernt haben.
Wir ahnen deshalb oft kaum, daß man auch ohne ihn leben kann, und zwar besser und glücklicher. Menschen von hohen Qualitäten und besten Absichten wie z. B. der Vater von Herrn A. (vgl. S. 113f.) können von ihm befallen sein, ohne es zu ahnen. Wenn sie nicht zufällig die Erfahrung einer Analyse machten, hatten sie keinen Anlaß, ihn zu entdecken, d. h. keine Gelegenheit, emotional gefärbte Überzeugungen, die sie in den ersten Jahren von ihren Eltern übernommen haben, später je in Frage zu stellen. Trotz ihres ehrlichen Strebens nach der Verwirk-

lichung eines demokratischen Zusammenlebens bleibt die Diskriminierung und Rechtlosigkeit des Kindes im Grunde eine Selbstverständlichkeit für sie, denn aufgrund ihrer eigenen Kindheitserfahrung können sie sich kaum etwas anderes vorstellen. Die frühe Verankerung dieser Haltung im Unbewußten garantiert ihre Stabilität.

Dazu kommt noch ein anderer stabilisierender Umstand. Die meisten erwachsenen Menschen sind selber Eltern. Sie haben ihre Kinder aus dem unbewußten Schatz ihrer eigenen Kindheitserfahrungen erzogen und hatten gar keine andere Möglichkeit, als es ähnlich zu tun, wie es einst ihre Eltern taten. Wenn sie nun aber mit dem Wissen darüber konfrontiert werden, daß man das Kind gerade im zartesten Alter am meisten und am nachhaltigsten schädigen kann, bekommen sie begreiflicherweise Schuldgefühle, die oft unerträglich sind. Gerade für Menschen, die nach den Prinzipien der »Schwarzen Pädagogik« erzogen worden sind, können bei dem Gedanken, daß sie vielleicht nicht perfekte Eltern waren, Qualen entstehen, weil sie ihren verinnerlichten Eltern schuldig sind, keine Fehler gemacht zu haben. Deshalb werden sie dazu neigen, neues Wissen nicht an sich heranzulassen und um so mehr bei den alten Erziehungsregeln Schutz zu suchen. Sie werden verstärkt darauf bestehen, daß die Unterdrückung der Gefühle, Pflicht und Gehorsam die Pforten zum guten und ehrbaren Leben öffnen, daß man nur mit »Auf-die-Zähne-beißen« erwachsen wird; sie werden jede Information über die frühkindliche Erlebniswelt abwehren müssen.
Die richtigen Informationen liegen manchmal ganz nahe, manchmal einfach »auf der Straße«. Wenn man die etwas freier aufwachsenden heutigen Kinder beobachten kann, lernt man vieles über die wahre Gesetzmäßigkeit des Gefühlslebens, die der älteren Generation verborgen blieb. Nehmen wir ein Beispiel:
Auf dem Spielplatz steht eine Mutter mit ihrer 3jährigen

Marianne, die sich an ihre Beine klammert und herzzerreißend schluchzt. Sie will nicht mit den anderen Kindern spielen. Auf meine Frage nach dem Grund erzählt mir die Mutter sehr verständnis- und teilnahmsvoll, daß sie gerade beide vom Bahnhof zurückkämen und der Papi, den sie dort erwartet hätten, nicht angekommen sei. Nur der Papi von Ingrid sei ausgestiegen. Ich sage: »Oh, da warst du aber schön enttäuscht!« Das Kind schaut mich an, große Tränen kullern über sein Gesicht, aber bald schielt es zu den anderen Kindern, und bereits nach zwei Minuten rennt es mit ihnen fröhlich herum. Da der tiefe Schmerz erlebt und nicht aufgestaut wurde, konnte er nun anderen, heiteren Gefühlen Platz machen.
Wenn der Betrachter offen genug ist, aus dieser Szene zu lernen, wird er traurig dabei werden. Er wird sich fragen: Könnte es sein, daß die vielen Opfer, die er selber hat erbringen müssen, nicht nötig gewesen wären? Wut und Schmerz können offenbar so schnell vergehen, wenn man sie zugelassen hat. Könnte es sein, daß man gegen Neid und Haß gar nicht lebenslang hätte kämpfen müssen, daß deren feindliche Macht im eigenen Innern schon eine Wucherung und in ihrem Ausmaß Folge der Unterdrückung war? Könnte es sein, daß die Unterdrückung der Gefühle, die beherrschte ruhige »Ausgeglichenheit«, die man sich so mühsam zugelegt hat und auf die man stolz ist, im Grunde eine traurige Verarmung und nicht ein »kultureller Wert« ist, obwohl man bisher gewohnt war, es so zu sehen?
Wenn der Betrachter der geschilderten Szene bisher auf seine Beherrschung stolz war, so könnte sich hier etwas von diesem Stolz in Wut verwandeln, in Wut, daß er sein Leben lang um die Freiheit seiner Gefühle betrogen wurde. Und diese Wut, wenn wirklich zugelassen und erlebt, kann das Gefühl der Trauer über die Sinnlosigkeit und zugleich die Unumgänglichkeit eigener Opfer ermöglichen. Dieser Prozeß von der Wut zur Trauer macht es möglich, den Teufelskreis der Wiederholungen zu

durchbrechen. Wem sein Opfersein nie zum Erlebnis wurde, weil er in der Ideologie der Tapferkeit und Beherrschung aufgewachsen ist, ist leicht in Gefahr, an der nächsten Generation *für sein unbewußt gebliebenes Opfersein Rache zu nehmen.* Wer aber nach einer zornigen Phase über sein Opfersein trauern kann, kann auch über das Opfersein seiner Eltern trauern und wird nicht mehr zum Verfolger seiner Kinder. Die Fähigkeit zu trauern wird ihn mit seinen Kindern verbinden.

Dies gilt auch für die Beziehungen mit erwachsenen Kindern. Ich habe einmal mit einem sehr jungen Mann nach seinem zweiten Suizidversuch gesprochen, der mir sagte: »Seit meiner Pubertät leide ich an Depressionen, mein Leben hat keinen Sinn. Ich habe gemeint, das Studium sei daran schuld, weil so mancher sinnlose Stoff dabei war. Jetzt bin ich aber mit allen Prüfungen fertig, und die Leere ist noch schlimmer. Aber diese Depressionen haben nichts mit meiner Kindheit zu tun, meine Mutter sagte mir, daß ich eine sehr glückliche und behütete Kindheit gehabt hätte.«
Wir sahen uns einige Jahre später wieder; seine Mutter hatte unterdessen eine Analyse gemacht. Der Unterschied zwischen diesen beiden Begegnungen war gewaltig. Dieser Mann hatte in der Zwischenzeit nicht nur im Beruf, sondern in seinem ganzen Habitus seine Kreativität entwickelt; er lebte jetzt zweifellos *sein Leben.* Im Gespräch sagte er mir: »Als meine Mutter mit Hilfe der Analyse aus ihrer Erstarrung herauskam, fiel es ihr wie Schuppen von den Augen, und sie sah, was sie beide als Eltern mit mir gemacht hatten. Sie hat mich zwar zuerst damit belastet, daß sie mir – offenbar um sich zu erleichtern oder um meine Absolution zu bekommen – immer mehr davon erzählte, wie sie mich beide als kleines Kind mit ihrer gutmeinenden Erziehung im Grunde am Leben gehindert haben. Zunächst wollte ich das alles nicht hören, ich wich ihr aus, bekam auch einen Zorn auf sie. Aber mit der Zeit

merkte ich, daß das, *was sie mir jetzt erzählte*, leider die volle Wahrheit war. Etwas in mir wußte das alles schon lange, aber *ich durfte es nicht wissen.* Jetzt, da meine Mutter die Kraft zeigte, das Geschehene mit seinem ganzen Gewicht auszuhalten, nichts zu beschönigen, zu verleugnen, zu verdrehen, weil sie spürte, daß sie auch selber einst ein Opfer gewesen war, jetzt durfte ich *mein Wissen* um meine Vergangenheit *zulassen.* Es war eine große Erleichterung, sich nichts mehr vormachen zu müssen. Und das Erstaunliche ist, daß ich meine Mutter mit ihrem ganzen Versagen, von dem wir beide wissen, jetzt viel menschlicher, lebendiger, näher und warmherziger erlebe als je zuvor. Auch ich bin jetzt viel echter und freier mit ihr. Die falsche Anstrengung ist weg. Sie muß mir nicht mehr Liebe beweisen, um ihre Schuldgefühle zuzudecken; ich spüre, daß sie mich mag und liebt. Sie muß mir auch nicht mehr Vorschriften über mein Verhalten machen, läßt mich so sein, wie ich bin, weil sie es selber darf und weil sie selber weniger unter Vorschriftenzwang steht. Es ist eine große Last von mir abgefallen. Ich habe Freude am Leben, und das alles ist mir ohne eine längere Analyse möglich geworden. Aber jetzt würde ich nicht mehr sagen, daß meine Suizidversuche keinen Bezug zu meiner Kindheit hatten. Er *durfte* nur *nicht gesehen werden*, und das muß meine Ratlosigkeit noch mehr verstärkt haben.«
Dieser junge Mann beschrieb hier einen Sachverhalt, der am Entstehen vieler seelischer Erkrankungen beteiligt ist: die Unterdrückung *des frühkindlichen Wissens*, das sich nur in körperlichen Symptomen, im Wiederholungszwang oder im psychotischen Zusammenbruch manifestieren kann. John Bowlby schrieb eine Arbeit unter dem Titel »On knowing what you are not supposed to know and feeling what you are not supposed to feel« (1979) in der er von ähnlichen Erfahrungen berichtet.

Im Zusammenhang mit der Geschichte der hier beschriebenen Suizidgefahr war es für mich lehrreich zu sehen, daß sich sogar in schweren Fällen eine Analyse bei jungen Menschen erübrigen kann, wenn die Eltern die Möglichkeit haben, den Bann des Schweigens und der Leugnung aufzuheben und dem erwachsenen Kind zu bestätigen, *daß seine Symptome nicht aus der Luft gegriffen sind, nicht Folgen der Überanstrengung, des »Spinnens«, der Verweichlichung, der falschen Lektüre, der schlechten Freunde, der inneren »Triebkonflikte«* usw. sind. Wenn diese Eltern nicht mehr krampfhaft gegen eigene Schuldgefühle kämpfen und sie deshalb nicht auf das Kind abladen müssen, sondern das eigene Schicksal hinzunehmen lernen, geben sie ihren Kindern die Freiheit, *nicht gegen,* sondern *mit ihrer Vergangenheit zu leben.* Das emotional-körperliche Wissen des erwachsenen Kindes kann dann mit dem intellektuellen zur Übereinstimmung kommen. Wo solche Trauerarbeit möglich ist, fühlen sich die Eltern mit ihren Kindern *verbunden* und nicht von ihnen getrennt – eine Tatsache, die wenig bekannt ist, weil solche Erfahrungen selten riskiert werden. Aber da, wo sie möglich sind, verstummen die falschen Informationen der Pädagogik, und eine Kenntnis des Lebens hält Einzug, die auch jedem anderen nachvollziehbar ist, sobald er sich auf eigene Erfahrungen verlassen kann.

Nachdem ich das Manuskript dieses Buches beendet und an den Verlag abgeschickt hatte, sprach ich mit einem jüngeren, sehr einfühlsamen Kollegen, dessen Arbeit ich sehr schätze und der selber Vater von zwei Kindern ist, über Probleme der Erziehung. Er meinte, es sei schade, daß die Psychoanalyse noch keine Richtlinien für eine humane Pädagogik ausgearbeitet habe. Ich äußerte meine Zweifel darüber, ob es eine humane Pädagogik geben könne, da ich in meiner analytischen Arbeit gelernt hätte, auch die feineren und raffinierteren Formen der Manipulation, die sich als Pädagogik ausgibt, wahrzunehmen. So erläuterte ich dem Kollegen meine Überzeugung, daß jede Pädagogik völlig überflüssig ist, falls das Kind in der frühen Kindheit über eine konstante Person verfügen kann, sie auch im Sinne von Winnicott verwenden darf und nicht Angst haben muß, sie zu verlieren oder von ihr verlassen zu werden, wenn es seine Gefühle artikuliert. Ein Kind, das ernstgenommen, geachtet und in diesem Sinne begleitet wird, kann seine eigenen Erfahrungen mit sich und der Welt machen und braucht keine Sanktionen des Erziehers. Mein Gesprächspartner war damit ganz einverstanden, meinte aber, daß es für Eltern wichtig wäre, noch konkretere Ratschläge zu bekommen. Daraufhin sagte ich ihm den Satz, den ich auf Seite 158 formuliert habe: »Wenn es den Eltern gelingen würde, ihrem eigenen Kind den gleichen Respekt entgegenzubringen, den sie immer schon ihren eigenen Eltern entgegengebracht haben, dann würde dieses Kind alle seine Fähigkeiten im besten Sinn entwickeln können.«
Nach einem spontanen, kurzen Auflachen schaute mich der Kollege sehr ernst an und sagte nach einer Weile des Schweigens: »Aber das ist doch nicht möglich . . .«. »Warum?« fragte ich. »Weil . . ., weil . . . die Kinder stellen uns nicht unter Sanktionen, sie drohen nicht, uns zu

verlassen, wenn wir böse sind. Und wenn sie es sagen, wissen wir, daß sie es nicht tun würden . . .« Der Kollege wurde immer nachdenklicher und sprach jetzt ganz langsam: »Wissen Sie, ich frage mich jetzt, ob das, was man als Pädagogik bezeichnet, nicht einfach ein Problem der Macht ist und ob wir nicht viel mehr über die verborgenen Machtverhältnisse sprechen und schreiben sollten, als uns über noch bessere Erziehungsmethoden den Kopf zu zerbrechen?« »Gerade das habe ich in meinem letzten Buch versucht«, sagte ich.

Die Tragik der gut erzogenen Menschen besteht darin, daß sie als Erwachsene nicht merken können, was ihnen angetan wurde und was sie selber tun, wenn sie es als Kinder nicht haben merken dürfen. Davon profitieren unzählige Institutionen und nicht zuletzt die totalitären Regime. In unserem Zeitalter des Machbaren kann auch die Psychologie verheerende Dienste zur Konditionierung des Einzelnen, der Familie und ganzer Völker anbieten. Die Konditionierung und Manipulation des Anderen ist immer eine Waffe und ein Instrument der Machtausübung, auch wenn diese mit Worten wie »Erziehung« oder »therapeutische Behandlung« getarnt wird. Da die Ausübung der Macht über andere Menschen und deren Mißbrauch meistens die Funktion haben, das Aufbrechen von Gefühlen eigener Ohnmacht zu verhindern, also oft unbewußt gesteuert werden, können ethische Argumente diesen Prozeß nicht aufhalten.
Wie die Technik im Dritten Reich helfen konnte, Massenmorde in sehr kurzer Zeit durchzuführen, so kann auch das genauere, auf Computerdaten und Kybernetik gestützte Wissen vom menschlichen Verhalten zum schnelleren, umfassenderen und effektiveren Seelenmord des Menschen beitragen als die frühere intuitive Psychologie. Gegen diese Entwicklung gibt es keine Mittel; auch die Psychoanalyse ist kein solches, ja, sie ist selber in Gefahr, in Ausbildungsinstituten als Machtmittel gebraucht zu

werden. Das einzige, was bleibt, ist, wie mir scheint, das Objekt dieser Manipulation *in seinen Wahrnehmungen zu bestätigen*, zu stützen, und ihm *durch das Bewußtwerden seiner Fügsamkeit* zu helfen, sich mit eigenen Kräften, durch die Artikulierung eigener Gefühle, gegen den drohenden Seelenmord zu wehren.
Es sind nicht die Psychologen, sondern die Dichter, die der Zeit vorausgehen. In den letzten zehn Jahren häuften sich autobiographische Publikationen, und es ist sehr leicht zu beobachten, wie mit dem jüngeren Jahrgang des Autors die Idealisierung der Eltern deutlich abnimmt. Die Bereitschaft, sich der Wahrheit der eigenen Kindheit auszusetzen, und die Möglichkeit, sie auszuhalten, sind in der Nachkriegsgeneration entschieden größer. Schilderungen der Eltern, wie sie z. B. in den Büchern von Christoph Meckel (1980), Erika Burkart (1979), Karin Struck (1975), Ruth Rehmann (1979), Brigitte Schwaiger (1980) und in den von Barbara Frank (1979) und Margot Lang (1979) herausgegebenen Berichten zu finden sind, wären vor dreißig, ja sogar noch vor zwanzig Jahren kaum denkbar gewesen. Ich sehe darin eine große Hoffnung auf dem Wege zur Wahrheit und zugleich eine Bestätigung dafür, daß bereits eine minimale Lockerung der Erziehungsprinzipien Früchte tragen kann, indem es zumindest den Dichtern möglich wird, *zu merken*. Daß die Wissenschaft ihnen nachhinken muß, ist eine altbekannte Tatsache.

Im gleichen Jahrzehnt, in dem die Dichter die Bedeutung der Kindheit emotional entdecken und die verheerenden Folgen der als Erziehung bezeichneten verborgenen Machtausübung entlarven, lernen die Studenten der Psychologie an den Universitäten vier Jahre lang, den Menschen als Maschine zu betrachten, um sein Funktionieren besser in den Griff zu bekommen. Wenn man bedenkt, wie viel Zeit und Energie im besten Alter des Lebens dafür verwendet wird, die letzte Chance der Adoleszenz zu vergeuden und die in diesem Alter besonders stark auftretenden Gefühle mit wissenschaftlichem Intellekt auf Sparflamme zu halten, dann wird man sich nicht wundern, wenn die Menschen nach diesem Opfer ihre Patienten und Klienten auch zu Opfern machen, sie als Instrument ihres Wissens und nicht als eigenständige, kreative Wesen behandeln. Es gibt sogenannte objektive, wissenschaftliche Publikationen auf dem Gebiet der Psychologie, die in ihrer Eifrigkeit und ihrer konsequenten Selbstvernichtung an den Offizier aus der *Strafkolonie* Kafkas erinnern. Die ahnungslose, vertrauensvolle Haltung des verurteilten Sträflings hingegen läßt sich im heutigen Studenten wiederfinden, der so gerne glauben möchte, daß er im vierjährigen Studium nur seine Leistung und nicht seine Substanz hergeben müsse.

Die expressionistischen Maler und Dichter, die sich am Anfang unseres Jahrhunderts artikulierten, haben vom Sinn der damaligen Neurosen mehr verstanden (auf jeden Fall unbewußt mehr zum Ausdruck gebracht), als die damaligen Professoren für Psychiatrie. In ihren hysterischen Symptomen inszenierten die Patientinnen unbewußt die Traumatisierungen ihrer Kindheit. Freud gelang es, ihre für die Ärzte unverständliche Sprache zu entziffern, womit er nicht nur Dankbarkeit, sondern auch Feindseligkeit erntete, weil er es gewagt hatte, Tabus der damaligen Zeit zu berühren.

Kinder, die zuviel merken, werden dafür bestraft und verinnerlichen die Sanktionen so stark, daß sie als Erwachsene nicht mehr merken müssen. Da manche aber trotz aller Sanktionen dieses »Merken« nicht aufgeben können, besteht berechtigte Hoffnung, daß trotz der fortschreitenden Technisierung des psychologischen Wissens Kafkas Vision der Strafkolonie nur für manche Bereiche unseres Lebens und vielleicht nicht für immer Geltung haben wird. Denn die menschliche Seele ist praktisch unausrottbar, und ihre Chance, vom Tod aufzuerstehen, bleibt, solange der Körper lebt.

LITERATURVERZEICHNIS

Ariès, Philippe (1960), *Geschichte der Kindheit*, München/Wien: Hanser

Bowlby, John (1979), »On knowing what you are not supposed to know and feeling what you are not supposed to feel«, in: *Journal of the Canadien Psychiatric Association*

Braunmühl, Ekkehard von (1978), *Zeit für Kinder*, Frankfurt: Fischer

– (1976), *Antipädagogik*, Weinheim und Basel: Beltz

Bruch, Hilde (1980), *Der goldene Käfig, Rätsel der Magersucht*, Frankfurt: Fischer

Burkart, Erika (1979), *Der Weg zu den Schafen*, Zürich: Artemis

F., Christiane (1979), *Wir Kinder vom Bahnhof Zoo*, hrsg. von Kai Hermann und Horst Rieck, Hamburg: Stern-Buch

Fest, Joachim (1978), *Hitler, Band I*, Berlin: Ullstein

– (1963), *Das Gesicht des Dritten Reiches*, München: Piper

Frank, Barbara (1979), *Ich schaue in den Spiegel und sehe meine Mutter*, Hamburg: Hoffmann & Campe

Handke, Peter (1972), *Wunschloses Unglück*, Salzburg: Residenz

Heiden, Konrad (1936), *Adolf Hitler*, Wien: Europa

Helfer, Ray E. und Kempe, C. Henry (Hrsg.) (1979), *Das geschlagene Kind*, Frankfurt: Suhrkamp (stw 247)

Höß, Rudolf (1963), *Kommandant in Auschwitz*, hrsg. von Martin Broszat, München: dtv Dokumente

Jetzinger, Franz (1957), *Hitlers Jugend*, Wien: Europa

Kestenberg, Judith (1974), »Kinder von Überlebenden der Naziverfolgung« in: *Psyche 28*, S. 249-265

Klee, Paul (1957), *Tagebücher*, Köln: DuMont

Krüll, Marianne (1979), *Freud und sein Vater*, München: Beck

Lange, Margot (1979), *Mein Vater*. Frauen erzählen vom ersten Mann ihres Lebens, Reinbek: Rowohlt (rororo 4357)

de Mause, Lloyd (1977), *Hört ihr die Kinder weinen*, Frankfurt: Suhrkamp

– (1979), »Psychohistory. Über die Unabhängigkeit eines neuen Forschungsgebietes« in: *Kindheit 1*, S. 51-71

Meckel, Christoph (1979), *Suchbild. Über meinen Vater*, Düsseldorf: Claassen

Miller, Alice (1979), *Das Drama des begabten Kindes und die Suche nach dem wahren Selbst*, Frankfurt: Suhrkamp

Moor, Paul (1972), *Das Selbstporträt des Jürgen Bartsch*, Frankfurt: Fischer (Fischerbücherei 1187)

Niederland, William G. (1980), *Folgen der Verfolgung*, Frankfurt: Suhrkamp (es 1015 NF 15)

Olden, Rudolf (1935), *Adolf Hitler*, Amsterdam: Querido

Plath, Sylvia (1975), *Briefe nach Hause*, München: Hanser
– (1978), *Die Glasglocke*, Frankfurt: Suhrkamp (BS 208)
Rauschning, Hermann (1973), *Gespräche mit Hitler*, Wien: Europa
Rutschky, Katharina (Hrsg.), (1977), *Schwarze Pädagogik*, Berlin: Ullstein (Ullstein Buch Nr. 3318)
Schatzman, Morton (1978), *Die Angst vor dem Vater*, Reinbek: Rowohlt (rororo 7114)
Schwaiger, Brigitte (1980), *Lange Abwesenheit*, Wien/Frankfurt: Zsolnay
Stierlin, Helm (1975), *Adolf Hitler, Familienperspektiven*, Frankfurt: Suhrkamp (st 236)
Struck, Karin (1973), *Klassenliebe*, Frankfurt: Suhrkamp (es 629)
– (1975), *Die Mutter*, Frankfurt: Suhrkamp
Theweleit, Klaus (1977), *Männerphantasien*, Frankfurt: Roter Stern
Toland, John (1977), *Adolf Hitler*, Bergisch-Gladbach: Lübbe
Zenz, Gisela (1979), *Kindesmißhandlung und Kindesrechte*, Frankfurt: Suhrkamp
Zimmer, Katharina (1979), *Das einsame Kind*, München: Kösel

Nur die Befreiung von pädagogischen Tendenzen führt zu Einsichten in die tatsächliche Situation des Kindes. Diese Einsichten lassen sich in den folgenden Punkten zusammenfassen:

1. Das Kind ist immer unschuldig.
2. Jedes Kind hat unabdingbare Bedürfnisse, unter anderem nach Sicherheit, Geborgenheit, Schutz, Berührung, Wahrhaftigkeit, Wärme, Zärtlichkeit.
3. Diese Bedürfnisse werden selten erfüllt, jedoch häufig von Erwachsenen für ihre eigenen Zwecke ausgebeutet (Trauma des Kindesmißbrauchs).
4. Der Mißbrauch hat lebenslängliche Folgen.
5. Die Gesellschaft steht auf der Seite des Erwachsenen und beschuldigt das Kind für das, was ihm angetan worden ist.
6. Die Tatsache der Opferung des Kindes wird nach wie vor geleugnet.
7. Die Folgen dieser Opferung werden daher übersehen.
8. Das von der Gesellschaft allein gelassene Kind hat keine andere Wahl, als das Trauma zu verdrängen und den Täter zu idealisieren.
9. Verdrängung führt zu Neurosen, Psychosen, psychosomatischen Störungen und zum Verbrechen.
10. In der Neurose werden die eigentlichen Bedürfnisse verdrängt und verleugnet und statt dessen Schuldgefühle erlebt.
11. In der Psychose wird die Mißhandlung in eine Wahnvorstellung verwandelt.
12. In der psychosomatischen Störung wird der Schmerz der Mißhandlung erlitten, doch die eigentlichen Ursachen des Leidens bleiben verborgen.
13. Im Verbrechen werden die Verwirrung, die Verführung und die Mißhandlung immer wieder neu ausagiert.

14. Therapeutische Bemühungen können nur dann erfolgreich sein, wenn die Wahrheit über die Kindheit des Patienten nicht verleugnet wird.
15. Die psychoanalytische Lehre der »infantilen Sexualität« unterstützt die Blindheit der Gesellschaft und legitimiert den sexuellen Mißbrauch des Kindes. Sie beschuldigt das Kind und schont den Erwachsenen.
16. Phantasien stehen im Dienste des Überlebens; sie helfen, die unerträgliche Realität der Kindheit zu artikulieren und sie zugleich zu verbergen bzw. zu verharmlosen. Ein sogenanntes »erfundenes« phantasiertes Erlebnis oder Trauma deckt immer ein reales Trauma zu.
17. In Literatur, Kunst, Märchen und Träumen kommen oft verdrängte frühkindliche Erfahrungen in symbolischen Formen zum Ausdruck.
18. Aufgrund unserer chronischen Ignoranz hinsichtlich der wirklichen Situation des Kindes werden diese symbolischen Zeugnisse von Qualen in unserer Kultur nicht nur toleriert, sondern sogar hochgeschätzt. Würde der reale Hintergrund dieser verschlüsselten Aussagen verstanden, würden sie von der Gesellschaft abgelehnt.
19. Die Folgen eines begangenen Verbrechens werden nicht dadurch aufgehoben, daß Täter und Opfer blind und verwirrt sind.
20. Neue Verbrechen können verhindert werden, wenn die Opfer beginnen zu sehen; damit wird der Wiederholungszwang aufgehoben oder abgeschwächt.
21. Indem sie die im Geschehen der Kindheit verborgene Quelle der Erkenntnis unmißverständlich und unwiderruflich freilegen, können die Berichte Betroffener der Gesellschaft im allgemeinen und insbesondere der Wissenschaft helfen, ihr Bewußtsein zu verändern.

(Aus dem neuen Nachwort zu *Du sollst nicht merken*)

Alice Miller
Das Drama des begabten Kindes

und die Suche
nach dem wahren Selbst
Gebunden und suhrkamp taschenbuch 950
182 Seiten

Gemeinsame Leitthemen der in diesem Band enthaltenen drei Studien sind die Ursprünge des Selbstverlustes und Wege der Selbstfindung. Das Drama des begabten, das heißt sensiblen, wachen Kindes besteht darin, daß es schon früh Bedürfnisse seiner Eltern spürt und sich ihnen anpaßt, indem es lernt, seine intensivsten, aber unerwünschten Gefühle *nicht zu fühlen*. Obwohl diese »verpönten« Gefühle später nicht immer vermieden werden können, bleiben sie doch *abgespalten*, das heißt: der vitalste Teil des wahren Selbst wird nicht in die Persönlichkeit integriert. Das führt zu emotionaler Verunsicherung und Verarmung *(Selbstverlust)*, die sich in der *Depression* ausdrücken oder aber in der *Grandiosität* abgewehrt werden. Die angeführten Beispiele sensibilisieren für das nicht artikulierte, hinter Idealisierungen verborgene Leiden des Kindes wie auch für die Tragik der nicht verfügbaren Eltern, die einst selbst *verfügbare* Kinder gewesen sind.

Alice Miller
Bilder einer Kindheit

66 Aquarelle und ein Essay
suhrkamp taschenbuch 1158
182 Seiten

Den ersten Zugang zur Wahrheit ihrer frühen Kindheit verdankt Alice Miller dem spontanen Malen, mit dem sie 1973 begann. Diese Entdeckung öffnete der Psychoanalytikerin die Augen für das verborgene Leiden der Kindheit, das im Dienste des Überlebens der Verdrängung anheimfällt. Sie gab ihre Praxis auf, um über langfristige Folgen von Kindesmißhandlungen und deren Verdrängung zu berichten, weil sie die Tendenz des Erwachsenen zur Gewalttätigkeit und Selbstzerstörung auf die totale Verleugnung der einst erlittenen Mißhandlungen zurückführt. Dies verdeutlicht Alice Miller anhand ihrer eigenen Geschichte und ihrer Bilder.

Alice Miller
Das verbannte Wissen

Gebunden und suhrkamp taschenbuch 1790
262 Seiten

Alice Miller schreibt in diesem Buch: »Die Jungsche Lehre vom Schatten und die Vorstellung, das Böse sei die Kehrseite des Guten, dienen dem Ziel, die Realität des Bösen zu leugnen. Doch das Böse ist real. Es ist nicht angeboren, sondern erworben, und es ist niemals die Kehrseite des Guten, sondern dessen Zerstörer ... Es ist nicht wahr, daß das Böse, Destruktive, Perverse notwendig zur menschlichen Existenz gehört, auch wenn dies immer wieder behauptet wird. Es ist aber wahr, daß es ständig neu produziert wird und mit ihm ein Meer von Leid für Millionen geschaffen wird, das ebenfalls vermeidbar wäre. Wenn einst die aus der Verdrängung der Kindheit entstandene Ignoranz aufgehoben sein wird und die Menschheit erwacht ist, kann sie diese Produktion des Bösen einstellen.«

Alice Miller
Der gemiedene Schlüssel

Mit zahlreichen Abbildungen
Gebunden und suhrkamp taschenbuch 1812
192 Seiten

Wie in ihren ersten drei Büchern befaßt sich Alice Miller auch hier vornehmlich mit Fakten. Sie ist nach wie vor entschlossen, die seit Jahrtausenden sorgfältig gewobenen, die Wahrheit verhüllenden Schleier nicht zu respektieren. Und wenn sie die Schleier hebt und wegschiebt, ergeben sich, wie z.B. in ihren Analysen der Werke Nietzsches, Picassos, Kollwitz', Keatons und anderer, verblüffende Zusammenhänge. Der gemiedene Schlüssel, die Kindheit, öffnet verrostete Türen und gibt unerwartete Perspektiven frei.

Psychologie, Psychoanalyse, Sozialpsychologie in den suhrkamp taschenbüchern

Adorno, Theodor W.: Studien zum autoritären Charakter. Aus dem Amerikanischen von Milli Weinbrenner. Vorrede von Ludwig von Friedeburg. st 107

Argelander, Hermann: Der Flieger. Eine charakteranalytische Fallstudie. st 1180

Armstrong, Louise: Kiss Daddy Goodnight. Aussprache über Inzest. Übersetzt von Helga Herborth. st 995

Beck, Dieter: Krankheit als Selbstheilung. Wie körperliche Krankheiten ein Versuch zur seelischen Heilung sein können. Mit einem Nachwort von Elisabeth Kübler-Ross. st 1126

Eribon, Didier: Michel Foucault. Eine Biographie. Aus dem Französischen von Hans-Horst Henschen. st 2226

Erikson, Erik H.: Lebensgeschichte und historischer Augenblick. Übersetzt von Thomas Lindquist. st 824

Feldenkrais, Moshé: Abenteuer im Dschungel des Gehirns. Der Fall Doris. Deutsche Übertragung von Franz Wurm. st 663

– Bewußtheit durch Bewegung. Der aufrechte Gang. Nach der vom Autor bearbeiteten englischen Fassung übersetzt von Franz Wurm. st 429

– Die Entdeckung des Selbstverständlichen. Deutsche Übertragung von Franz Wurm. st 1440

– Das starke Selbst. Anleitung zur Spontaneität. Aus dem Amerikanischen von Franz Wurm. st 1957

Foucault, Michel: Überwachen und Strafen. Die Geburt des Gefängnisses. Aus dem Französischen von Walter Seitter. st 2271

Fromm, Erich / Daisetz Teitaro Suzuki / Richard de Martino: Zen-Buddhismus und Psychoanalyse. Die Übersetzung besorgte Marion Steipe. st 37

Fünf Minuten pro Patient. Eine Studie über die Interaktionen in der ärztlichen Allgemeinpraxis. Herausgegeben von Enid Balint und J. S. Norell. Aus dem Englischen von Käthe Hügel. st 446

Lidz, Theodore: Das menschliche Leben. Die Entwicklung der Persönlichkeit im Lebenszyklus. 2 Bde. Aus dem Amerikanischen von Ludwig Haesler. st 162

Miller, Alice: Am Anfang war Erziehung. st 951

– Bilder einer Kindheit. 66 Aquarelle und ein Essay. st 1158

– Das Drama des begabten Kindes und die Suche nach dem wahren Selbst. st 950

– Du sollst nicht merken. Variationen über das Paradies-Thema. Mit einem neuen Nachwort (1983). st 952

262/1/7.93

Psychologie, Psychoanalyse, Sozialpsychologie in den suhrkamp taschenbüchern

Miller, Alice: Der gemiedene Schlüssel. st 1812
– Das verbannte Gewissen. st 1790
Mitchell, Juliet: Psychoanalyse und Feminismus. Freud, Reich, Laing und die Frauenbewegung. Aus dem Englischen von Brigitte Stein und Holger Fliessbach. st 1122
Mitscherlich, Alexander: Ein Leben für die Psychoanalyse. Anmerkungen zu meiner Zeit. st 1010
– Toleranz – Überprüfung eines Begriffs. Ermittlungen. st 213
Moser, Tilmann: Das erste Jahr. Eine psychoanalytische Behandlung. Mit einem Nachwort von Niklaus Roth. st 1573
– Familienkrieg. Wie Christof, Vroni und Annette die Trennung der Eltern erleben. st 1169
– Gottesvergiftung. st 533
– Grammatik der Gefühle. Mutmaßungen über die ersten Lebensjahre. st 897
– Jugendkriminalität und Gesellschaftsstrukturen. Zum Verhältnis von soziologischen, psychologischen und psychoanalytischen Theorien. st 1472
– Körpertherapeutische Phantasien. Psychoanalytische Fallgeschichten neu betrachtet. st 1896
– Kompaß der Seele. Ein Leitfaden für Psychotherapie-Patienten. st 1340
– Lehrjahre auf der Couch. Bruchstücke meiner Psychoanalyse. Mit einem Nachwort. st 352
– Politik und seelischer Untergrund. Aufsätze und Vorträge. Erstausgabe. st 2258
– Stufen der Nähe. Ein Lehrstück für Liebende. st 978
– Vorsicht Berührung. Über Sexualisierung, Spaltung, NS-Erbe und Stasi-Angst. st 2144
– Das zerstrittene Selbst. Aufsätze, Rezensionen, Berichte. st 1733
Orban, Peter: Psyche und Soma. Über die Sozialisation des Körpers. Mit einem Nachwort von Tilmann Moser. st 1542
Overbeck, Gerd: Krankheit als Anpassung. Der sozio-psychosomatische Zirkel. st 973
Psycho-Pathographien des Alltags. Schriftsteller und Psychoanalyse. Herausgegeben und mit einer Einleitung versehen von Alexander Mitscherlich. st 762
Sloterdijk, Peter: Der Zauberbaum. Die Entstehung der Psychoanalyse im Jahr 1785. Ein epischer Versuch zur Philosophie der Psychologie. st 1445

262/2/7.93

Psychologie, Psychoanalyse, Sozialpsychologie in den suhrkamp taschenbüchern

Starobinski, Jean: Psychoanalyse und Literatur. Aus dem Französischen von Eckhart Rohloff. st 1779

Stierlin, Helm: Adolf Hitler. Familienperspektiven. st 236

– Delegation und Familie. Beiträge zum Heidelberger familiendynamischen Konzept. st 831

– Eltern und Kinder. Das Drama von Trennung und Versöhnung im Jugendalter. Aus dem Englischen von Ellen Katharina Reinke und Wolfgang Köberer. st 618

– Das Tun des Einen ist das Tun des Anderen. Eine Dynamik menschlicher Beziehungen. st 313

Tagebuch eines halbwüchsigen Mädchens. Mit einem Vorwort von Alice Miller neu herausgegeben und mit einem Nachwort versehen von Hanne Kulessa. st 1463

262/3/7.93

265/1/11.93

suhrkamp taschenbücher
Eine Auswahl

Capote: Die Grasharfe. st 1796
Carpentier: Explosion in der Kathedrale. st 370
– Die Harfe und der Schatten. st 1024
Carroll: Schlaf in den Flammen. st 1742
Celan: Gesammelte Werke in fünf Bänden. st 1331/1332
Cioran: Syllogismen der Bitterkeit (1952). st 607
Clarín: Die Präsidentin. st 1390
Cortázar: Bestiarium. st 543
– Die Gewinner. st 1761
– Ein gewisser Lukas. st 1937
– Rayuela. st 1462
Dalos: Die Beschneidung. st 2166
Dorst: Merlin oder Das wüste Land. st 1076
Duerr: Sedna oder die Liebe zum Leben. st 1710
Duras: Hiroshima mon amour. st 112
– Der Liebhaber. st 1629
– Der Matrose von Gibraltar. st 1847
– Sommerregen. st 2284
Eich: Fünfzehn Hörspiele. st 120
Eliade: Auf der Mântuleasa-Straße. st 1826
Elias: Mozart. st 2198
– Über den Prozeß der Zivilisation. Soziogenetische und psychogenetische Untersuchungen. st 2259
Enzensberger: Ach Europa! st 1690
– Gedichte. st 1360
– Mittelmaß und Wahn. st 1800
Enzensberger: Zukunftsmusik. st 2223
Federspiel: Geographie der Lust. st 1895
– Die Liebe ist eine Himmelsmacht. st 1529
Feldenkrais: Abenteuer im Dschungel des Gehirns. st 663
– Bewußtheit durch Bewegung. st 429
– Die Entdeckung des Selbstverständlichen. st 1440
– Das starke Selbst. st 1957
Fleißer: Abenteuer aus dem Englischen Garten. st 925
– Eine Zierde für den Verein. st 294
Frisch: Gesammelte Werke in zeitlicher Folge. 7 Bde. st 1401-1407
– Andorra. st 277
– Homo faber. st 354
– Mein Name sei Gantenbein. st 286
– Montauk. st 700
– Stiller. st 105
– Der Traum des Apothekers von Locarno. st 2170
Fromm / Suzuki / Martino: Zen-Buddhismus und Psychoanalyse. st 37
Fuentes: Nichts als das Leben. st 343
Gandhi: Mein Leben. st 953
García Lorca: Dichtung vom Cante Jondo. st 1007
Goetz: Irre. st 1224
Gulyga: Immanuel Kant. st 1093
Handke: Die Angst des Tormanns beim Elfmeter. st 27

265/2/11.93

suhrkamp taschenbücher
Eine Auswahl

Handke: Der Chinese des Schmerzes. st 1339
– Der Hausierer. st 1959
– Kindergeschichte. st 1071
– Langsame Heimkehr. Tetralogie. st 1069-1072
– Die linkshändige Frau. st 560
– Die Stunde der wahren Empfindung. st 452
– Versuch über den geglückten Tag. st 2282
– Versuch über die Jukebox. st 2208
– Versuch über die Müdigkeit. st 2146
– Wunschloses Unglück. st 146
Hesse: Gesammelte Werke. 12 Bde. st 1600
– Demian. st 206
– Das Glasperlenspiel. st 79
– Klein und Wagner. st 116
– Klingsors letzter Sommer. st 1195
– Knulp. st 1571
– Die Morgenlandfahrt. st 750
– Narziß und Goldmund. st 274
– Die Nürnberger Reise. st 227
– Peter Camenzind. st 161
– Schön ist die Jugend. st 1380
– Siddhartha. st 182
– Der Steppenwolf. st 175
– Unterm Rad. st 52
– Der vierte Lebenslauf Josef Knechts. st 1261
Hettche: Ludwig muß sterben. st 1949
Hildesheimer: Marbot. st 1009
– Mitteilungen an Max über den Stand der Dinge. st 1276
– Tynset. st 1968
Hohl: Die Notizen. st 1000
Horváth: Gesammelte Werke. 15 Bde. st 1051-1065
– Jugend ohne Gott. st 1063
Hrabal: Ich habe den englischen König bedient. st 1754
– Das Städtchen am Wasser. st 1613-1615
– Tanzstunden für Erwachsene und Fortgeschrittene. st 2264
Hürlimann: Die Tessinerin. st 985
Inoue: Die Eiswand. st 551
– Der Stierkampf. st 944
Johnson: Das dritte Buch über Achim. st 169
– Mutmassungen über Jakob. st 147
– Eine Reise nach Klagenfurt. st 235
Jonas: Das Prinzip Verantwortung. st 1085
Joyce: Anna Livia Plurabelle. st 751
Kaminski: Flimmergeschichten. st 2164
– Kiebitz. st 1807
– Nächstes Jahr in Jerusalem. st 1519
Kaschnitz: Liebesgeschichten. st 1292
Kiefer: Über Räume und Völker. st 1805
Kirchhoff: Infanta. st 1872
– Mexikanische Novelle. st 1367
Koch: See-Leben. st 783
Koeppen: Gesammelte Werke in 6 Bänden. st 1774
– Jakob Littners Aufzeichnungen aus einem Erdloch. st 2267

265/3/11.93

265/4/11.93

265/5/11.93

suhrkamp taschenbücher
Eine Auswahl

Vargas Llosa: Wer hat Palomino Molero umgebracht? 1786
Walser, Martin: Die Anselm Kristlein Trilogie (Halbzeit, Das Einhorn, Der Sturz). st 684
– Brandung. st 1374
– Ehen in Philippsburg. st 1209
– Ein fliehendes Pferd. st 600
– Jagd. st 1785
– Jenseits der Liebe. st 525
– Liebeserklärungen. st 1259
– Lügengeschichten. st 1736
– Das Schwanenhaus. st 800
– Seelenarbeit. st 901
– Die Verteidigung der Kindheit. st 2252
Walser, Robert: Der Gehülfe. st 1110
– Geschwister Tanner. st 1109
– Jakob von Gunten. st 1111
– Der Räuber. st 1112
Watts: Der Lauf des Wassers. st 878
– Vom Geist des Zen. st 1288
Weber-Kellermann: Die deutsche Familie. st 185
Weiß, Ernst: Der Augenzeuge. st 797
Weiss, Peter: Das Duell. st 41
Winkler: Friedhof der bitteren Orangen. st 2171
Zeemann: Einübung in Katastrophen. st 565
Zweig: Brasilien. st 984

265/6/11.93